最新・株主総会物語

3人の同級生が繰り広げる奮闘記

弁護士 田子真也　弁護士 坂本倫子
弁護士 泉　篤志　弁護士 伊藤広樹　編著

岩田合同法律事務所　著

商事法務

推薦の言葉

株主総会のプロセスは、ここ数年でデジタル化が大きく進展しています。新型コロナウイルス感染症の拡大を背景にバーチャル株主総会の導入が進み、産業競争力強化法の改正により「場所の定めのない株主総会」であるバーチャルオンリー株主総会の開催が可能となりました。議決権の事前行使の方法は、スマートフォンなどを経由した電子による方法が伸長しています。招集通知に関しては、令和元年会社法改正により創設された株主総会資料の電子提供制度が施行されたことから、今後招集通知の電子化が本格化していきます。

株主構成の面では、上場会社全体の傾向として、政策保有株式が減少し、機関投資家の持株比率が上昇していることから、会社の考えに対して機関投資家の賛同を得ることの重要性は一段と増しています。近時は、気候変動問題、地政学リスク、人権問題等サステナビリティに関する課題が機関投資家の意思決定に与える影響も注視する必要があります。

本書は、総会準備・運営の段階ごとに章立てがなされています。大学の同級生であった３人がそれぞれ電機メーカー、生命保険会社、ファンドに勤務し、株主総会において発行会社、投資家の担当者として再会し、それぞれの立場から株主総会をめぐって奮闘する姿を描いたストーリーと共に、株主総会の各段階におけるチェックポイントを確認することができます。本書は、ストーリー仕立てではありますが、総会準備・運営の段階ごとの関係法令・規則の解説はきわめて充実した内容になっています。各章では、対処しなければならないトラブルや課題が生じますが、ベーシックな法的事項や実務対応は「解説」として、近時の論点など幅を広げる事項は「COLUMN」としてきめ細やかに解説されていますので、経験の浅い担当者からベテランの担当者まで幅広い方々に役立つ工夫がされています。

本書は、一般的な株主総会実務解説書ではなかなか書かれない会社関係者の対応の留意事項がストーリー仕立ての工夫により随所に盛り込まれています。例えば、第１章では、役員に対して株主総会の説明を行う様子が描かれていますが、説明資料と共に説明スクリプトが展開されています。自社の説明のあり方を確認する際の参考にすることができ、こういった内容も株主総会担当の方々には実務的に大いに役立つものと確信しています。

本書が多くの株主総会担当の方々のお役に立つことを願ってやみません。

令和４年11月

三井住友信託銀行株式会社

フェロー役員　ガバナンスコンサルティング部長　茂木　美樹

はしがき

「株主総会物語」シリーズは初版の出版から早や10年が経ちました。初版『株主総会物語』と2016年に出版された『新・株主総会物語』は、最新の実務を盛り込んだ株主総会のハンドブックであると同時に、読んで楽しい本にしようというコンセプトのもとにストーリーを設定しました。幸い、多くの方々からご好評をいただくことができました。このたび、その後の法改正や株主総会をめぐる実務の大きな変化を踏まえ、『最新・株主総会物語』を上梓することになりました。

新版も基本的なコンセプトは変わっていませんが、この種の書籍では珍しくストーリー部分をすべて漫画としました。今回のストーリーは、大学の同級生3名がそれぞれ就職した企業で株主総会に関わるというものです。ストーリー部分では株主総会の各ステージにおける顕著な事象を描写するにとどめ、解説部分を充実させました。株主総会の準備から本番、総会終了後の対応に至るまで、ステージごとに重要論点を解説しています。株主総会資料のサンプルやコラムを多数収録し、株主総会の実像の理解がより深まるように工夫しました。本書では、いわゆる参加型バーチャル株主総会をモデルとしておりますが、出席型バーチャル株主総会やバーチャルオンリー型株主総会についても第8章で必要な解説を加えました。また、会社法の改正やコーポレートガバナンス・コードの改訂、株主提案や委任状争奪戦、機関投資家の動向等、昨今の実務傾向も可能な限り盛り込んでいます。

今後株主総会のあり方はどのようになっていくのでしょうか。新版でも、第8章にて、「バーチャル株主総会」と題して、近い将来の株主総会の姿を予想しています。そこでは、メタバースで株主総会を開催し、株主がアバターとなって参加・投票する様子が描かれていますが、そのような株主総会が実現するのも、それほど先のことではないかもしれません。

近時、株主総会のあり方を分析するときは、「組織体としての株主総会」と「会議体としての株主総会」を区別して論じる傾向があります。しかし、いずれにしても、株主総会が企業活動の中で重要な役割を担っていることに変わりはありません。そして、その運営には様々な人が関わり、その人たちの努力、貢献が欠かせないものです。私たち著者は、株主総会の運営に関わっておられるすべての方々に敬意を表するとともに、そのような方々が本書を手に取っていただければ嬉しく思います。

最後に、新版においても献身的に著者らをバックアップしてくださった株式会社商事法務の玉澤芳樹氏には、この場を借りて厚く御礼を申し上げます。

令和 4 年 11 月

編著者
弁護士　田子　真也
弁護士　坂本　倫子
弁護士　泉　　篤志
弁護士　伊藤　広樹

『新・株主総会物語』

推薦の言葉

株主総会を取り巻く環境は、会社法改正、コーポレートガバナンス・コードの適用開始等により、ここ数年大きく変わり続けています。会社においては、株主との対話促進のために、招集通知の内容をいっそう充実させるとともに情報をより早期に開示したり、インターネットによる議決権行使を可能としたり、機関投資家株主の株主総会出席に関する方針整備をしたりとさまざまな取組みを行っています。

本書は、総会準備・運営の段階ごとに章立てがなされており、各章ごとに異なる株主総会のストーリーが展開されます。読者は、ストーリーの主人公にご自身を重ね合わせながら株主総会のチェックポイントを確認することができます。また、各章ごとに異なる株主総会を舞台にしていますので、必要とする章だけを読んでも知識を深めることが容易です。本書は、ストーリー仕立てではありますが、総会準備・運営の段階ごとの関係法令・規則の解説はきわめて充実した内容になっています。各章では、対処しなければならないトラブルや課題が生じますが、ベーシックな法的事項や実務対応は「解説」として、近時の論点など幅を広げる事項は「COLUMN」としてきめ細やかに解説されていますので、経験の浅い担当者からベテランの担当者まで幅広い方々に役立つ工夫がされています。

本書は、一般的な株主総会実務解説書ではなかなか書かれない会社関係者の対応の留意事項がストーリー仕立ての工夫により随所に盛り込まれています。たとえば、第３章には、招集通知に落丁があった場合の可能な限りのリカバリーの対応がリアルに描かれています。こういった内容も株主総会担当の方々には実務的に大いに役立つものと確信しています。

第８章の近未来株主総会は、株主が株主総会会場に行かなくともスマートフォン等のエレクトロニックデバイスを使って株主総会に参加することができるという未来の株主総会について書かれたものです。本書に書かれたものほどハイスペックなものではないと思いますが、すでに米国では通信回線を通じて参加することを可能とする株主総会を開催する会社も見られるところです。本邦においても、株主総会プロセスにおいていっそうの電子化を進める検討がなされており、このような方法が可能となる日も遠くないかもしれません。第８章は、株主や株主の利便性向上の観点からどのようなことが可能かのイメージ作りに役立つものと思います。

本書が多くの株主総会担当の方々のお役に立つことを願ってやみません。

平成 28 年 11 月

三井住友信託銀行株式会社

証券代行コンサルティング部　部長　木内　知明

同部　審議役　茂木　美樹

『新・株主総会物語』

はしがき

初版の出版から早や4年が経ちました。初版の『株主総会物語』は、最新の実務を盛り込んだ株主総会のハンドブックであると同時に、読んで楽しい本にしようというコンセプトで作られました。幸い、多くの方々からご好評をいただくことができ、このたび、装いも新たに『新・株主総会物語』として上梓することができました。

新版も基本的なコンセプトは変わっていませんが、ストーリーはすべて書き直しました。今回のストーリーは、前回のように一社の担当者たちの一貫した物語ではなく、章ごとに異なる会社が登場します。その方が実務の勘所を自然な形でストーリーに盛り込むことができると思ったからです。また、会社法の改正やコーポレートガバナンス・コードの導入などにより実務も変化しつつあり、そのような動きもすべて盛り込んだつもりです。

今後も株主総会は時代の流れとともにさまざまな面で変わっていくと思われます。現時点でも株主総会の開催日ないし基準日の問題や、さらなる電子化の問題が議論されています。10年後、20年後の株主総会はどうなっているのでしょうか。

新版でも、初版同様、第8章にて、近未来株主総会と題して、将来の株主総会の姿を予想しています。そこではAIが大活躍しています。シンギュラリティの向こうには、AIが株主総会を仕切る時代が来るのでしょうか。そうかもしれません。ただ私たち著者は、資本主義の根幹を支える株式会社の最重要機関である株主総会の運営に携わっておられる人たちに、限りない愛着を感じ敬意を抱いています。だからこそ、各章ごとに人間たちの織り成すストーリーを語り、本書の副題を「8つのストーリーで学ぶ総会実務」としているのです。実は初版のときに、本書を映画化しようという話もあったくらいです。

本物の株主総会も表面的には淡々と流れているように見えて、実はその裏では泥臭い人間模様があったりするわけです。そうした株主総会の妙味が、本書の独特の構成によって、少しでも描出できていたとしたら大変うれしく思います。ぜひ、読者諸氏のご批判を仰ぎたいと思います。

最後に、新版においても献身的に著者らをバックアップしてくださった株式会社商事法務の水石曜一郎氏には、この場を借りて厚く御礼を申し上げます。

平成 28 年 11 月

編著者代表

弁護士・東京大学客員教授　田路　至弘

『株主総会物語』

推薦の言葉

近年は、上場会社の株主総会担当者が３年から５年で変わることは珍しいことではなくなりました。実際に、本書の主人公である後藤善夫と同様、営業一筋で管理部門には全く縁のなかった方が、突然に株主総会担当を命ぜられる例も相当数見受けられるところです。

本書は、後藤善夫が人事異動で株主総会担当を命じられて以降の取り組みを、株主総会日程構築、書類作成、賛成票獲得、リハーサル、本番の株主総会運営、株主総会後の実務の各段階ごとに読みやすい物語として進めていきます。株主総会実務の経験が浅い方は、後藤善夫の行動をご自身に重ね合わせながら、準備の時期に遅れがないか確認することができます。物語にちりばめられたベーシックな法的事項や実務対応は「解説」として、さらに近時の論点など幅を広げる事項は「COLUMN」としてきめ細やかに説明されていますので、経験の浅い担当者からベテランの担当者まで幅広い方々に役立つ工夫がされています。

また、本書では、一般的な株主総会実務解説書にはなかなか書かれない担当者の心構えや気概といった大切な事項が、随所に盛り込まれています。例えば「議長が議場で振り向いて指示を仰ぐ相手はあなた（後藤）です。法律面でのアドバイスは、私（岩永田弁護士）があなたにいたします。すべての情報を総合的に考慮して、あなたが最終決定をして議長に指示を送るのです。私はそういう総会のやり方をお勧めしています。」（20頁）、「でかいことを言うようだけど、いまの社会を支えているのは資本主義のシステムだよな。その資本主義を支えているのは株式会社だ。その株式会社の最も重要なことを決めるのが株主総会だ。総会担当っていうのは、言ってみれば、資本主義社会の根幹を支えてるんだよ。」（141頁）等登場人物の言葉として語られており、これらも読者の皆様の心の支えとなるはずです。

本書が、多くの株主総会担当の方々のお役に立つことを願ってやみません。

平成24年11月

三井住友信託銀行株式会社

証券代行コンサルティング部　部長　斎藤　　誠

同部　法務チーム長　茂木　美樹

『株主総会物語』

はしがき—本書の楽しみ方

株主総会に関する本は、近時数多く出版されています。弁護士による好著も少なくありません。そんな中で私たちが敢えて総会本を世に出したいと考えた動機が二つありました。一つは、世の中一般の人たちに、株主総会がいったいどういうものなのかを正確に知って頂きたいということです。もう一つは、株主総会をがんばって運営しておられる担当者の皆様方にエールを送りたいと思ったことでした。

このような二つの意義を持った本にするために、この種の本としては異例なのですが、物語を設定することにしました。

テーマで分割した章ごとにストーリーを展開させることによって、株主総会という一見難しい手続について、一般の方々にも比較的容易にご理解頂けるのではないかと思いますし、現実に株主総会の運営を担当されている方々や役員の皆様方にも、改めて株主総会の諸論点について、新鮮な気持ちでお読み頂けるものと思います。

解説部分は、実際の総会運営にお役立て頂けるよう、実務で問題となる論点に関し、関係法令についての学説判例や最新のデータを取り上げて判りやすく解説し、ハンドブック的にご利用頂ける内容となっています。

主人公である後藤善夫は、不動産事業会社の大阪支社の営業のエースだったのですが、ある日突然、本社東京での株主総会担当を命ぜられます。株主総会についてはズブの素人である後藤は、二人の若い部下たちと、さまざまな経験を積みながら株主総会についての知識を深めていきます。そして数年後、従来の株主総会の枠組みをはるかに超えた近未来型総会を成功させるところで物語のエンディングを迎えます。

株主総会について初心者の方々には、各章のストーリーだけを第１章から順を追ってお読み頂くと、株主総会の全体像がよくご理解頂けるものと思います。索引にもぜひ目を通してみて下さい。

株主総会を会社の職務として担当されている方々にも、各章のストーリーには興味をもって頂けるものと思います。

株主総会について何も知らない主人公後藤が、素朴な疑問を連発したり、素人ゆえに暴走したりします。そのような疑問なり行動は、社会的な常識の裏返しに他なりません。株主総会の実務は、度重なる法改正や時代時代の社会背景によって、紆余曲折の道を辿ってきました。実務的に当然と思われていることも、社会常識に照らすと何かオカシイと感じられることは珍しくなく、実は、さまざまな理由があって今日のような株主総会の運営方法が成り立っているのだということを、ストーリーを通して改めて感じて頂けたらと思います。

最終章である第8章では、少し大げさに近未来的な株主総会を描いてみました。このような株主総会を著者らが推奨しているわけではないのですが、やろうと思えば現行法の枠内でも、このような株主総会は可能であり、工夫の仕方によっては株主に感動を与えられるような総会運営をなしうることを表現したかったのです。

最後に、このような型破りな本の編集をご担当下さいました株式会社商事法務書籍出版部の浅沼亨、水石曜一郎の両氏からは貴重なアドバイスと企画から編集校正に至るまで多大なるご尽力を頂きました。また、雑誌編集企画部の牧島真理さんからは、執筆の過程で心のこもった激励を頂き、校正にもご協力頂きました。三氏には心より御礼を申し上げます。

平成24年11月

著者代表
弁護士　田路　至弘

目次

凡　　例

〈法令等の略称〉

会	会社法
施	会社法施行規則
計	会社計算規則
商登法	商業登記法
商登規	商業登記規則
金商法	金融商品取引法
金商法施行令	金融商品取引法施行令
開示府令	企業内容等の開示に関する内閣府令
委任状勧誘府令	上場株式の議決権の代理行使の勧誘に関する内閣府令
振替法	社債、株式等の振替に関する法律
振替法施行令	社債、株式等の振替に関する法律施行令
産競法	産業競争力強化法
CG コード	コーポレートガバナンス・コード

〈文献の略称〉

民集	大審院民事判例集・最高裁判所民事判例集
下民集	下級裁判所民事裁判例集
判時	判例時報
判タ	判例タイムズ
金法	金融法務事情
金判	金融・商事判例
ジュリ	ジュリスト
商事	旬刊商事法務
別冊商事	別冊商事法務
資料版商事	資料版商事法務

第1章

プロローグ
（株主総会の全体像）

202〇年３月24日

とある京都鴨川沿いの
高級ホテル
〇〇年度卒業
K大学法学部卒業式謝恩
卒業
おめでとう
あ、先生
ありがとう
ございます
優秀な
仲良し３人組は
どこに就職する
のかな？

私はX電機に
決まりました
南川真希
私は東京大手町に
本社があるY生命
投資部門に
配属希望してます
小野桜子
私はアメリカに
行って仕事を
探します
コンサルティング
の仕事がしたい
なぁ～
青山パトリシア

この仲の良い３人が３年後、
X電機の株主総会を舞台に激烈な
争いを繰り広げることになるとは
誰にも予想できなかった…

第１節　株主総会の概要

202Y 年４月１日

３月決算の上場会社にとって５月という時期は、その年の株主総会の準備が着々と進行している時期である。役員らは、この頃から具体的な準備を始めることが多く、役員全員が集まる取締役会に合わせて、この時期に定時株主総会のキックオフ的な説明会が行われることが少なくない。

202Y年5月9日

第150回定時株主総会について

総務部

それでは、総務部長の私から第150回定時株主総会の概要についてご説明申し上げます。

第１　株主総会の概要

➢日程
- 開催日時
  202Y年6月29日（水曜日）午前10時（受付開始：午前9時）
  場所：本社大会議室
- 株主提案権
  ⇒行使期限　5月6日（金曜日）　本年は行使なし
  ＊株主総会日の8週間前（会303条2項）

➢開催方法
- ハイブリッド参加型バーチャル株主総会
  リアル株主総会の開催に加え、リアル株主総会の開催場所に在所しない株主が、株主総会への法律上の「出席」を伴わずに、インターネット等の手段を用いて審議等を確認・傍聴することができる株主総会まずは日程の確認ですが、本年の定時株主総会は、6月29日に開催されます。

従来、いわゆる集中日といわれていた日ですが、近年は、分散化傾向が顕著でありまして、6月総会の会社に関しては、6月初旬から月末にかけて、特定の日に集中するような傾向は従来ほどは強くありません。

気になる株主提案でありますが、行使期限がすでに到来しておりまして、今年は株主提案はございませんでした[1]。なお、本年はいわゆるハイブリッド参加型バーチャル株主総会による開催となりますので、例年との相違点等については別途ご説明いたします。

> ## 第1　株主総会の概要
>
> ➢株主総会の目的事項
>
> • 報告事項
>
> 1. 第150期（202X年4月1日から202Y年3月31日まで）事業報告の内容および計算書類の内容報告の件
> 2. 第150期（202X年4月1日から202Y年3月31日まで）連結計算書類の内容報告ならびに会計監査人および監査役会の連結計算書類監査結果報告の件

> ## 第1　株主総会の概要
>
> ➢株主総会の目的事項
>
> • 決議事項
>
> 第1号議案　剰余金の配当の件
> 普通決議①（会309条1項、当社定款○条）
> 出席した議決権を行使することができる株主の議決権の過半数で成立
> 第2号議案　取締役7名選任の件
> 普通決議②（会341条、当社定款○条）
> 議決権を行使することができる株主の議決権の3分の1以上を有する株主が出席して、その議決権の過半数で成立
> 第3号議案　取締役報酬額改定の件
> 普通決議①（会309条1項、当社定款○条）
> 出席した議決権を行使することができる株主の議決権の過半数で成立

1　株主提案権の行使期限である株主総会の日の8週間前（会303条2項）の日が休日である場合の取扱いについては第2章46頁参照。

次に株主総会の目的事項でありますが、レジュメに記載しておりますとおり、報告事項が２件と決議事項が３件です。今年は特殊なものはございません。

第１　株主総会の概要

➢議事進行
- 一括審議方式による進行
  報告事項・決議事項とも一括して説明した後に株主の発言を受け付け、その後は採決のみ行う（⇔個別審議方式）
- シナリオ案(1/2)
  定刻5分前　事務局からの注意事項の説明
  定刻4分前　事務局入場
  定刻1分30秒前　役員入場
  定刻（午前10時）事務局によるアナウンスで議長に合図

第１　株主総会の概要

➢議事進行
- シナリオ案(2/2)
  1. 開会宣言（議事進行の説明を含む）
  2. 定足数に関する報告（事務局によるアナウンス）
  3. 監査報告
  4. 報告事項の報告（スライド・ナレーション利用）
  5. 議案の上程・説明（スライド利用）
  6. 質疑応答・審議の方法の採決
  7. 事前質問への回答（もしあれば）
  8. 質疑応答
  9. 議案の採決
  10. 閉会宣言
  11. 新任役員の紹介
  12. 散会

議事進行につきましては、報告事項および決議事項をすべて説明した後に一括して株主発言を受け付ける、いわゆる一括審議方式で行います。

シナリオの進行については、例年と同じでありますが、今年は、議案につきましてもスライドとナレーションによる説明を行う予定です。

第１　株主総会の概要

➢議事進行・質疑応答への対応
○○社長（議長）
・議事進行
・株主からの質問の整理
・質問内容に応じた担当役員の指名
・動議対応
・（質疑応答時）経営方針、経営戦略、経営計画等の説明
・（必要に応じて）担当役員の回答への補足説明
○○専務（営業全般）
○○常務（海外事業担当）
○○常務（総務関連、リスク統括関連）
…

質疑応答への対応につきましては、議長には、基本的には議事整理に専念していただき、回答につきましては、ここに記載しております担当分野によって回答者を議長が指名するというやり方でご対応いただきます。

第１　株主総会の概要

➢非常事態への対応
・感染症拡大時の対応
・地震への対応
・システム障害等により中継が中断した場合の対応
・その他の非常事態（雷による停電・大雨・爆破予告等）

➢その他留意事項
・株主総会においての基本姿勢
・出席時における役員の心得
・答弁に当たっての留意点
・動議への対応

システム障害等により中継動画の配信が中断してしまった場合、速やかに中継を復旧させることができるよう体制を整えますが、原則としてリアルの株主総会はそのまま進行させることを予定しています。

その他の留意事項につきましては、後日、役員向け説明会で顧問弁護士から詳しく説明してもらうことになっています（本章 16 頁参照）。

第２　株主総会をめぐる最近の動向等

➢株主総会の一般的傾向
- ・開催日の分散化傾向
- ・所要時間の短縮化
- ・株主提案の増加

➢質問事項の傾向：主な質問事項は多い順に以下のとおり
- ・経営政策、営業政策
- ・配当政策、株主還元
- ・役員報酬
- ・株価動向
- ・財務、リストラ、人事労務

続いて、株主総会をめぐる最近の動向をご説明いたします。概況としましては、開催日の分散化、所要時間の短縮化が見られますが、発言株主数は横ばいという傾向のようです。

株主からの質問事項ですが、これは例年、上位３位は変わっておりません。最近マスコミで他社の経営トップの人事や社外取締役についていろいろといわれておりますので、今年は要注意かもしれません。

第２　株主総会をめぐる最近の動向等

➢他社の状況（202X.3期）（1/2）

お土産を廃止したP社の出席株主数が約4割減少したほかは概ね前年並み

	P社	Q社	R社
開催日	6月○日	6月△日	6月□日
会場	本社会議室	◎◎会館	◇◇ホテル
所要時間（前年比）	54分（－6分）	39分（＋3分）	70分（＋13分）
出席者（前年比）	148名（－122名）	98名（＋5名）	223名（＋15名）
質問者数（質問数）	6名（11問）	2名（3問）	8名（14問）
事前質問状	1名4問	1名2問	なし
ビジュアル化ナレーション	スライドあり	ビデオあり	スライドなし
服装	正装	クールビズ	クールビズ
お土産	202X年より廃止	なし	菓子（お帰り時）

第２　株主総会をめぐる最近の動向等

➢他社の状況（202X.3期）(2/2)

	P社	Q社	R社
議決権株主数	・・・	・・・	・・・
総議決権個数 総行使個数 （行使割合）	・・・	・・・	・・・
外国人持株比率	・・・	・・・	・・・
配当額	・・・円	・・・円	・・・円
株主優待	なし	3月末	3月末
招集通知発送日 （総会日まで）	・・・ （中○日）	・・・ （中○日）	・・・ （中○日）
英訳対応	あり	あり	あり
202Y.3期の株主総会開催予定日	6月○日	6月△日	6月□日

同業他社の状況については、スライドのとおりです。Ｐ社は昨年お土産を廃止しました関係で、来場者数が大幅に減少しております。そのほかに大きな変動はないようです。

第３　当社株主総会に向けた準備状況

➢当社の状況

	第147期	第148期	第149期
所要時間 （前年比）	65分 （＋3分）	51分 （－14分）	55分 （＋4分）
出席者 （前年比）	239名 （＋25名）	218名 （－21名）	135名 （－83名）
質問者数 （質問数）	10名 （17問）	7名 （11問）	7名 （13問）
事前質問状	2名8問	1名2問	なし
議決権株主数	・・・	・・・	・・・
総議決権個数 総行使個数 （行使割合）	・・・	・・・	・・・
外国人持株比率	・・・	・・・	・・・

第３　当社株主総会に向けた準備状況

➤株主の異動状況

	202Y年3月末	202X年3月末比
株主数	○○○名	+○名
議決権株主数	△△△名	+△名
発行済株式総数	□□□千株	—
議決権数	◇◇◇個	+◇個
外国人保有株数	☆☆☆千株	+☆千株
特殊株主の株付状況		

次に、当社の本年定時株主総会に向けた準備状況についてご報告申し上げます。株主の異動状況ですが、スライドの記載のとおり、外国人保有株数が若干増加しております。なお、株主からウェブサイト経由で事前質問を受け付けている同業他社もありますので、来年以降、当社でも採用するかどうかを検討したいと考えております。

第３　当社株主総会に向けた準備状況

➤議決権行使方法および集計
- 当社指定の議決権行使ウェブサイトおよび自己名義では保有しない国内外の機関投資家のための議決権電子行使プラットフォームを採用
- 事前の行使結果の集計は証券代行機関に委託

➤今後の予定(1/2)
- 電子提供措置の開始予定日　6月１日（水曜日）
- 招集通知の発送予定日　6月８日（水曜日）
  - ＊招集通知の法定期限は6月14日（火曜日）（会299条1項、325条の4第1項）
  - ＊動画配信を行う web サイトにアクセスするためのID・PWを招集通知に記載
- 招集通知発送後の電話対応
- 株主総会資料（要約）の英訳版の掲載

議決権行使の方法は、議場での行使、書面投票、および当社指定のウェブサイトにおける電子投票によりますが、自己名義では保有しない国内外の機関投資家の議決権行使の利便性を高めるため、プラットフォームも併用しております。事前の議決権行使結果の集計につきましては、証券代行機関であります○○信託銀行に委託しております。

第３　当社株主総会に向けた準備状況

➢議決権行使方法および集計

・当社指定の議決権行使ウェブサイトおよび自己名義では保有しない国内外の機関投資家のための議決権電子行使プラットフォームを採用

・事前の行使結果の集計は証券代行機関に委託

➢今後の予定(1/2)

・電子提供措置の開始予定日　6月１日（水曜日）

・招集通知の発送予定日　6月８日（水曜日）

＊招集通知の法定期限は6月14日（火曜日）（会299条1項、325条の4第1項）

＊動画配信を行う web サイトにアクセスするためのID・PWを招集通知に記載

・招集通知発送後の電話対応

・株主総会資料（要約）の英訳版の掲載

第３　当社株主総会に向けた準備状況

➢今後の予定(2/2)

・議決権行使・定足数の確保

10千株以上の株主への訪問と議決権行使依頼

包括委任状の確保・株主総会出席依頼

当社役員・従業員の議決権行使書の回収

・議長シナリオその他の対応要領の作成

・想定問答の作成

・閲覧謄写請求への対応（株主名簿、会計帳簿、議事録等）

＊ 第114 期計算書類等については、株主総会2週間前である6月14日から備置開始（会442条1項1号、2項1号）

・要注意株主の動向把握

今後の予定ですが、株主総会資料の電子提供、招集通知の発送はそれぞれ法定期限より１週間ほど前倒しで行う予定であります。株主総会資料の英訳版も併せて掲載いたします。また、株主総会の動画配信を行うウェブサイトに株主がアクセスするための ID・PW は招集通知に記載してお知らせすることとしております。議決権行使の促進につきましては、大株主等への訪問その他例年どおりの対策を実施いたします。

想定問答の作成は、各事業部等ですでに開始しており、また、早い部署につきましては、勉強会も開始されているようです。要注意株主の動向把握については、証券代行機関からの報告を待っている状況であり、別途ご報告いたします。

第３　当社株主総会に向けた準備状況

➢会場設営
・仮設席を含めて最大○席を準備
＊第2会場および仮設席を増設
・当日支援者の待機場所確保
＊公認会計士、警察官、証券代行機関、弁護士等
・プロジェクター、マイク等の設備技術者の待機
➢当日の株主受入準備体制
・各部への人員派遣協力依頼
・グループ会社への協力依頼
・駐車場の確保
・熱中症対策（給湯室にペットボトルを用意）

第３　当社株主総会に向けた準備状況

➢警備体制
・警察官派遣依頼済み
・会場周辺、駐車場警備体制
・館内不審物等の事前チェック
・会場内警備体制
・担当者間の連絡体制強化（インカム準備）
➢地震への対応
・会場レイアウト（通路スペース確保）
・会場の天井（照明）の落下防止対策
・避難経路の案内図作成・避難時誘導員の配置
・救護用具の用意（担架等）

会場設営ですが、昨年、お土産を廃止した影響により出席者は大きく減少したものの、それでも第二会場は８割方埋まったという状況でしたので、今年は、第一、第二会場とも席数を増やし、さらに仮設席も準備しまして、最大○席を確保しております。当日は、監査法人の公認会計士、顧問弁護士が臨場し、○○先生には第一事務局に入っていただきます。警察官ですが、○○警察署から私服警察官２名を派遣いただく予定です。総会の中継やスライドを利用する関係で技術者も数名待機することになっております。当日の株主の入場を迎える体制および警備の体制につきましては、スライド記載の項目について準備を進めているところです。

第３　当社株主総会に向けた準備状況

➢株主総会リハーサル
・（1回目）6月22日（水）、（2回目）28日（火）
・2回目は社外取締役・社外監査役も参加
・内容
◎全シナリオの訓練
◎想定問答に基づく質問答弁訓練
◎弁護士による動議、不規則発言、退場措置等の対応訓練
◎株主案内およびマイク等の稼働点検

リハーサルですが、6月22日と28日の2回を予定しております。リハーサルの内容につきましては例年どおりとなります。

第３　当社株主総会に向けた準備状況

➢その他
・お土産は昨年に廃止
・服装は役員、事務局とも全員正装（上着ネクタイ着用）
・株主総会後の事後処理
◎決議通知発送（株主総会当日午後）
◎議決権行使書の備置（会311条3項、312条4項）
◎剰余金支払（6月30日）
◎有価証券報告書の提出（金商法24条）（6月30日）
◎臨時報告書の提出（議決権行使結果の開示）
（開示府令19条2項9号の2）（6月30日）
◎株主総会議事録作成・備置（会318条1項～3項、施72条）
◎商業登記変更申請（会915条1項）

その他の事項ですが、お土産は昨年から廃止いたしております。服装は上着ネクタイ着用といたします。株主総会後になすべき事項としては、決議通知の発送、臨時報告書の提出のほか、スライドに記載した各事項について対応いたします。私からのご説明は以上となります。

第２節　株主総会の意義と各役員の役割

202Y 年５月 12 日

2022年5月13日

X電機株式会社　御中

株主総会の意義と各役員の役割

○○法律事務所

○○法律事務所の△△です。本日は役員の皆様に、株主総会の意義と各役員の役割に関して説明します。
説明に当たりスライドを準備してきましたので、こちらをご覧いただきながらお聞きいただければと思います。

第１　株主総会の意義等

- 株主総会の意義と2つの目的事項
  - 株式会社の基本的事項を決定する最高意思決定機関
    ⇒決議事項
    - 本年は剰余金配当議案、取締役選任議案および取締役報酬額改定議案
  - 株式会社の基本的事項に関する情報を提供する機会
    ⇒報告事項
    - 事業報告、連結計算書類ならびに会計監査人および監査役会の連結計算書類監査結果報告
    - 計算書類報告

まずは株主総会の意義等について説明します。

株主総会には２つの意義があります。１つは意思決定、もう１つは情報提供です。これに応じて、株主総会の目的事項には、決議事項と報告事項の２つが置かれます。

それぞれの意義についてご説明します。

株主総会の機能という観点に着目すると、株主総会は株式会社の基本的事項を決定する最高意思決定機関であり、それが決議事項と結びつきます。

御社の場合、本年の決議事項は、剰余金配当議案、取締役選任議案および取締役報酬額改定議案です。

加えて、株主総会には株式会社の基本的事項に関する情報を提供する機会という機能もあり、この機能との関係で、報告事項が定められています。

御社の場合、本年の報告事項は、事業報告、連結計算書類ならびに会計監査人および監査役会の連結計算書類監査結果報告と計算書類報告となっています。

第１　株主総会の意義等

- 株主総会の最重要目標～会社が最低限目指すべきこと～
  - 会社提案の議案の可決
  - 株主総会決議に関する各種訴訟に耐えうる株主総会の運営

株主総会において会社が何を目指すべきか、これは役員の皆様に明確に把握しておいていただきたいと思います。

最重要目標は、会社の提案した議案につき株主の賛成を得て、無事決議することです。そのためには、法的にまったく瑕疵のないように株主総会を運営しなければなりません。株主総会の決議は、その内容や手続に瑕疵がある場合、会社法に定める株主総会決議取消訴訟によって取り消されうるのですが、そのような決議取消の原因を作らないように最大の注意を払う必要があります。

第１　株主総会の意義等

- コーポレートガバナンス・コード（CGコード）
  - CGコードの概要
    - 5つの基本原則
      - 株主の権利・平等性の確保
      - 株主以外のステークホルダーとの適切な協働
      - 適切な情報開示と透明性の確保
      - 取締役会等の責務
      - 株主との対話
    - 有価証券上場規程上の位置づけ
    - 2021年6月改訂
      - 取締役会の機能発揮
      - 企業の中核人材における多様性（ダイバーシティ）の確保
      - サステナビリティ（ESG要素を含む中長期的な持続可能性）をめぐる課題への取組み

もっとも、決議が取り消されなければそれでよいという考え方では不十分で、これはあくまで最低限の目標です。

皆様もご存知のコーポレートガバナンス・コード、以下これを「CG コード」と呼ぶことにしますが、これには①株主の権利・平等性の確保、②株主以外のステークホルダーとの適切な協働、③適切な情報開示と透明性の確保、④取締役会等の責務、⑤株主との対話の５つの基本原則が定められており、東京証券取引所の有価証券上場規程により、CG コードの趣旨・精神の尊重が求められています。また、CG コードの各原則を実施するか、実施しない場合にはその理由をコーポレート・ガバナンス報告書において説明する必要があるともされています。

CG コードでは、株主総会のあり方についても多くの原則や補充原則を置いており、役員の皆様にはこの内容も踏まえた対応が求められます。

なお、CG コードは 2021 年６月に改訂がなされ、取締役会の機能発揮などにも対応した内容となりましたが、株主総会とは直接関連する内容ではないため、今回の説明からは割愛いたします。

第１　株主総会の意義等
- コーポレートガバナンス・コード（CGコード）
  - 株主との対話の場としての株主総会
    - 原則1－2　株主総会における権利行使

上場会社は、株主総会が株主との建設的な対話の場であることを認識し、株主の視点に立って、株主総会における権利行使に係る適切な環境整備を行うべきである。

- 「株主との建設的な対話」とは、株主総会における質疑応答の充実と、株主による議決権行使の実質的な確保
- 「環境整備」としては、株主への十分な情報提供が重要（補充原則1－2①等）

CG コードには、上場会社は、株主総会が株主との建設的な対話の場であることを認識せよ、とあります。すなわち、会社には、株主総会の場で、十分に株主に説明をし、株主の意見表明の機会を確保することが求められます。

役員の皆様には、株主総会は株主との建設的な対話の場であるということを強く意識していただき、十分に質疑時間を確保することや、株主からの質問に対しては、単に説明義務を果たすだけでなく、わかりやすく懇切丁寧な説明を行うことに意を用いていただかなければなりません。

第１　株主総会の意義等
- コーポレートガバナンス・コード（CGコード）
  - 株主総会とCGコードとの関係
    - 株主総会の準備に直接関係する
      - 招集通知の早期発送・発送前開示（補充原則1-2②）、開催日の適切な設定（補充原則1-2③）、議決権の電子行使・招集通知の英訳（補充原則1-2④）等
    - 株主への説明や当日の質疑応答に関係する
      - 資本政策の基本的な方針（原則1-3）や情報開示の充実（原則3-1）等
    - 決議事項に関係する
      - プライム市場上場会社における3分の1以上の、その他の市場の上場会社における2名以上の独立社外取締役の確保（原則4-8）等

続いて株主総会と CG コードとの関係について説明します。

まず、CG コードの内容は株主総会の準備に直接関係します。具体的には招集通知の早期発送・発送前開示、開催日の適切な設定、議決権の電子行使・招

集通知の英訳などです。

次に、CG コードの内容は株主への説明や当日の質疑応答にも関係します。具体的には、資本政策の基本的な方針や情報開示の充実などです。

最後に、CG コードの内容は決議事項にも関係します。具体的には、プライム市場上場会社においては 3 分の 1 以上の、その他の市場の上場会社においては 2 名以上の独立社外取締役を選任する必要があることなどです。御社においても、この要請に応じた数の独立社外取締役候補者を確保する必要があるということです。

第 1　株主総会の意義等

- 株主総会の議事
  - 議長があらかじめ準備されたシナリオに従って議事を進める
    - 詳細は「株主総会における議長の役割について（議長用）」において別途説明
    - 一括審議方式と個別審議方式とがあるが貴社は一括審議方式を採用
  - シナリオの構成例
    - 開会宣言
    - 定足数に関する報告
    - 報告事項の報告（監査報告を含む）
    - 議案の上程
    - （事前質問に対する一括回答）
    - 質疑応答
    - 採決
    - 閉会宣言

次に株主総会の議事について説明します。

株主総会は、会議体ですので、一定のルールに従って議事を進めていかなければなりません。どの会社でもそうですが、議事は、あらかじめ十分に検討され吟味されたシナリオに沿って進められていきます。

シナリオには大きく分けて、2 つの方式があります。違いは、株主の発言機会を 1 か所にまとめるのか、そうでないのかという点です。一括審議方式は、それを 1 か所にまとめる方法であり、議長からの報告事項の報告および決議事項の一括上程までを一気に進めてしまい、その後に株主からの質問に対応し、質疑を終えたら、あとは議案の採決のみを行うという方法です。個別審議方式は、報告事項の報告の後や、決議事項の各議案を上程するごとに、株主に発言の機会を与えるという進め方です。現在はどちらかというと一括審議方式をとる会社の方が多いようですが、個別審議方式をとる会社もあります。

一括審議方式をとる場合のシナリオの構成例を挙げております。こちらにあるように、開会宣言、定足数に関する報告、監査報告を含む報告事項の報告、議案の上程、事前質問があればそれに対する一括回答、質疑応答、採決、閉会宣言、という流れを経るのが一般的ではないかと思います。

第２　各役員の役割

- 役員の説明義務、出席義務
  - 株主総会での説明義務
    - 取締役、会計参与、監査役および執行役は、株主総会において株主から特定の事項について説明を求められた場合には、当該事項について必要な説明をしなければならない（会社法314条）
    - 株主総会の目的事項（決議事項、報告事項）を審議するに当たって必要な情報を株主に提供する義務
    - 説明義務違反の場合、決議取消事由となりうる

続きまして、各役員の役割について、説明義務および出席義務を中心に解説します。

取締役および監査役の皆様は、株主総会での株主からの質問に対し、必要な説明をしなければならないという会社法上の義務を負っており、その前提として株主総会への出席義務を負っています。この説明義務は非常に重要でありまして、説明義務に違反すると、株主総会の決議取消事由になりえます。

御社におかれましては、伝統的に、株主からの質問に対しては、説明義務の範囲にこだわらず、できるだけ丁寧な答弁をする方針ですが、場合によっては答弁を拒否する事態もあります。

第２　各役員の役割

- 役員の説明義務、出席義務
  - 株主に対する説明を拒否できる場合
    - 質問が株主総会の目的事項（決議事項、報告事項）と関係しない場合（例：個人的な苦情）
    - 説明することにより株主共同の利益を著しく害する場合（例：企業秘密）
    - 説明するために調査が必要な場合（ただし、株主から事前に通知があった場合、調査が著しく容易である場合は説明を拒否できない）
    - 説明をすることにより会社その他の者の権利を侵害することになる場合（例：他者のプライバシー侵害）
    - 実質的に同一の事項について繰り返し説明を求められた場合
    - その他、株主が説明を求めた事項について説明をしないことにつき正当な理由がある場合

答弁を拒否しても説明義務違反にならない例が、このスライドに挙げているような場合です。

まず、株主総会の目的事項に関係しない場合とありますが、実際の株主総会で、これを理由にして回答しないという場合はまれです。普通は、株主総会に直接関係のないような事項であっても真摯に回答します。たとえば、御社の株主総会では過去、日本の伝統芸能についてどう考えているのか、という質問が出たことがあり、この質問はどう考えても株主総会の目的事項とは直接は関係がないのですが、役員の方が御社の社会貢献活動について説明することによって切り抜けたということがありました。

次に、株主共同の利益を著しく害する場合、たとえば、御社がまだ一般に公表していないような企業秘密に関する質問の場合などは、答弁を差し控えるということがあります。

また、説明するために調査が必要な場合も答弁を拒否できます。たとえば、手元に資料がなく、正確な数値等を答えられない場合ですが、こちらについては、株主から事前に通知があった場合や、調査が著しく容易である場合などは答弁を拒否できないとされています。

さらに、説明することにより会社その他の者の権利を侵害することになる場合、たとえばプライバシーを侵害してしまうような場合ですとか、守秘義務に違反するような場合なども、答弁を差し控えなければなりません。

ほかにも、実質的に同一の事項について繰り返し説明を求められたような場合や説明をしないことにつき正当な理由がある場合も答弁を拒否できるとされています。

実際に答弁を拒否できる場合に該当するかは判断が難しい場合もあります。その際は私の方でアドバイスさせていただきますので、判断に迷った際は無理をせず事務局とご相談いただければと思います。

第２　各役員の役割

- 役員の説明義務、出席義務
  - 説明義務の法的範囲（履行しなければ決議取消事由となりうる範囲）
    - 決議事項
      - 議案の賛否の合理的判断に必要な情報
      ⇒具体的には、株主総会参考書類の記載程度
    - 報告事項
      - 報告事項の内容の理解に必要な情報
      ⇒具体的には、附属明細書の記載程度

次に説明義務の範囲について説明します。これは裁判例や法令の解釈により、次のとおり考えられています。

決議事項に関する説明に関しては、議案の賛否の合理的判断に必要な程度ということになっておりまして、具体的には、株主総会参考書類に記載されている程度のことを説明すれば足りるということです。上場企業の株主総会では多くの株主が書面投票により議決権を行使するわけですが、会社法施行規則に、議案の説明として株主総会参考書類にどこまで記載するのかが決められておりまして、会社法は、そのような書類を読めば、議案の賛否を判断するのに十分だろうと考えているわけです。そのため、株主総会の議場で出た質問に対しても、株主総会参考書類に書いてあるようなことを回答すれば十分ということになります。

次に報告事項についての質問に関する説明義務の範囲ですが、これは報告事項の内容の理解に必要な程度の説明をすればよいとされておりまして、具体的には、事業報告や計算書類の記載について敷衍する程度の説明があれば足りるとされており、細かく説明するとしても附属明細書に記載されている程度のことまで回答をすれば十分です。

第２　各役員の役割

- 役員の説明義務、出席義務
  - 説明義務とCGコードとの関係
    - CGコードによって株主総会での説明義務（会社法上のルール）が拡大するわけではない

    ⇒株主総会参考書類・事業報告・（連結）計算書類・附属明細書に該当または関連しない限り、説明義務の範囲外
    - もっとも、CGコードで説明が求められている事項や、CGコードの実施状況、実施していない事項についての実施しない理由等は、「株主との建設的な対話」を促進する観点から、丁寧に説明を行う
  - 株主総会への出席義務
    - 取締役、会計参与、監査役および執行役には、説明義務を果たす前提として、正当な理由がある場合を除き、株主総会に出席する義務がある

説明義務と先ほどご説明しましたCGコードとの関係についてもご説明します。

この点、CGコードがあるからといって、株主総会での説明義務が拡大するわけではありません。説明義務はあくまでも会社法上のルールであり、CGコードによりそのルールに変更が生じるわけではないからです。

そのため、質問に係る事項が株主総会参考書類・事業報告・計算書類・附属明細書に該当または関連しない限り、説明義務の範囲外であることに変わりはありません。

しかし、CGコードで説明が求められている事項や、CGコードの実施状況、実施していない事項についての実施しない理由などは、「株主との対話」を促進する観点から、丁寧に説明を行うべきであると考えます。

なお、先ほども軽く触れましたが、取締役、会計参与、監査役および執行役には、説明義務を果たす前提として、正当な理由がある場合を除き、株主総会に出席する義務があります。

第２　各役員の役割

- 各役員による回答の要領
  - 回答者の決定
    - 回答分担
      - 議長が、質問内容に応じ、あらかじめ定められた回答分担に従い、回答者を指名
      - 株主の指名に従う必要はない
    - 分担外の指名
      - 万一分担外の質問について指名された場合でも、指名された役員が知っている範囲で自信を持って回答する（万が一全く回答できない場合には、事務局に相談）
      - 質問内容によっては「ご質問のうち○○についてご回答いたします。」と回答の範囲を限定してもよい
      - 回答に不足がある場合には議長が次の回答者を指名するので心配無用

次に実際の株主総会において、役員の皆様が株主からの質問に対して回答するに際し、頭に入れておかなければならない事項についてご説明します。

回答者の決定についてですが、御社では、議長には議事進行に徹していただくため、株主からの質問には、事前に割り振られた担当分野に基づき、議長以外の役員の皆様方で答弁をしていただくことになっています。

その回答者は議長が指名します。ときどき株主が、具体的な取締役名を挙げて、その取締役に答えてほしいなどということがありますが、議長はそれに従う必要はありません。あくまでも議長が指名した役員が答弁するのですが、議長が間違って担当外の役員を指名しても、その役員の方にはお答えいただくことになります。その場合、ご自身の知っている範囲でお答えいただければ十分です。その回答では足りないと事務局が判断した場合、事務局から議長に対し、取締役名を挙げて、この取締役からさらに回答してもらってくださいと指示を出すことになりますので、ご心配には及びません。もっとも、もしどうしても全く回答できないような場合には、その場で事務局にご相談ください。

第2　各役員の役割

- 各役員による回答の要領
  - 回答の具体的な手順
    - メモをとりながら株主の質問を聴く
    - 自身の回答分担に関係があると感じた段階から、準備してきた想定問答を参照しつつ、回答の心づもりをしながら議長の指名を待つ
    - 議長による指名後、起立し、「担当取締役の○○です。」と名乗ってから回答する
    - 想定問答のある質問であっても、棒読みの印象にならないよう、回答者自身の言葉で説明するように心がけ、視線はできるだけ株主席へ向ける
    - 回答終了後、「以上ご回答申し上げました。」と締めくくり、着席する

回答の具体的な手順ですが、まずはすべての株主からの質問についてメモをとってください。回答する準備にもなりますし、株主席に対して、役員が株主の質問を真剣に聴いているという、よい印象を与えることができます。

往々にして株主の質問は話があっちに行ったりこっちに行ったりして、最初に言い出したことと最終的な質問が食い違っていることがあります。ですから、株主が話し出した最初の話題がご自分の担当分野と異なるからといって決して気を緩めてはいけません。気を緩めないためにも、どんな話であろうとも株主の質問が終わるまでメモをとり続けてください。

そして議長からの指名があります。議長からの指名がありましたら、必ず「担当取締役の○○です。」と名乗ってから回答するようにお願いします。回答は、わかりやすい表現で丁寧に説明することを心がけてください。事前の想定問答と同じ回答で済ませられる場合であっても、棒読みにならないよう注意し、視線はできるだけ株主に向けてください。回答が終わりましたら、「以上ご回答申し上げました。」と締めくくって、着席してください。

第2　各役員の役割

- 留意事項
  - 株主が理解しがたい業界用語、技術用語、社内用語などは使用しない
  - 業績予想などの将来のことについては、公表している範囲内で回答する
  - 増配・復配・業績修正など将来に関する不確定な事項については約束しない
  - 個人的苦情などの質問は柔らかく避ける
  - 意見に対しては、「貴重なご意見ありがとうございました。今後の参考とさせていただきます。」といった回答により、論争を避ける

留意事項です。社内用語や業界用語などは株主が理解できるとは限らないので避けるようにしてください。

業績予想などの将来のことについては、御社がリリースしているものもありますので、その範囲内で回答してください。

また、増配、復配、業績修正などといった将来に関する不確定な事項は約束をしないようにしてください。

個人的苦情を述べる株主もいますが、その場合は、苦情の対象が、たとえば御社の製品の品質であった場合には、品質管理の方法などについて述べつつ、株主の指摘については今後の参考とさせていただく、というように、具体的な苦情への回答は柔らかく避けるようにしてください。

質問ではなく意見と解される発言に対しても同様に、それが御社の考え方に反するものであったとしても、「貴重なご意見ありがとうございました。今後の参考とさせていただきます。」といった回答により、論争を避けてください。

第２　各役員の役割

- 回答の心得
  - 担当業務について株主に直接説明し、業務遂行状況を積極的にアピールできる絶好の機会と考え、自信を持って回答する
  - 回答の程度は、説明義務の範囲＋ αとして、丁寧な印象を与える説明を心がける
  - 株主との誠実かつ積極的な対話を基本とし、説明義務のない質問でも、株主の理解を得られるよう、誠意を持って回答することを基本とする

まとめとして回答の心得を申し上げます。

株主総会は、担当業務について株主に直接説明し、業務遂行状況を積極的にアピールできる絶好の機会ととらえていただき、堂々と自信を持って説明してください。その際、どこまで回答するかについては、説明義務の範囲＋αとして、丁寧な印象を与える説明を心がけてください。

説明義務については先ほど説明しましたが、それは最低限説明を尽くすべきことが何かという話であって、それだけやればよいということではありません。あくまでも株主総会は株主との誠実かつ積極的な対話を行う場であるとの考えを基本とし、説明義務のない質問でも、株主の理解を得られるよう、誠意を持って回答するようにしてください。

第３　ハイブリッド参加型バーチャル株主総会

- 参加型バーチャル株主総会とは
  - 株主に対し、リアルの株主総会の会場とは別の場所から、インターネット等を通じて「参加」（傍聴）することを認める株主総会
  - 当日は株主限定でライブ配信を行う
- 法的整理
  - 「参加」する株主は出席株主として取り扱われず、議決権行使は認められない
  - 「参加」する株主による質問や動議も認められない
  - 当日のコメントも受け付けない
- 留意点
  - ライブ配信における発言や態度（動画）が切り取られ、SNS等で拡散するリスク

→前3枚のスライドを参考にして、より発言等には留意する

最後に、今回御社はハイブリッド参加型バーチャル株主総会の形式で株主総会を開催されますので、ハイブリッド参加型バーチャル株主総会についてもご説明します。

ハイブリッド参加型バーチャル株主総会とは、会場においてリアル株主総会を開催しつつ、株主に対し、会場とは別の場所から、インターネット等を通じて「参加」することを認める株主総会をいいます。

御社でも株主に限定する形で株主総会当日の様子をライブ配信し、それを視聴する形で株主が「参加」することを認めます。

先ほど「参加」という点を強調しましたが、この「参加」は株主総会への「出席」とは取り扱われないところに参加型バーチャル株主総会の特徴があります。すなわち、「参加」した株主は、法的には出席株主として取り扱われず、議決権行使も認められません。

「参加」した株主が質問したり動議を出したりすることも認められません。いわば株主にオンラインでの「傍聴」を認めるものです。

一方、会社によっては、法的な質問とは区別されるコメントを当日受け付けるところもありますが、御社ではこのコメントも受け付けないと伺っております。このような対応でも法的には問題ありません。

留意点ですが、参加型バーチャル株主総会では、ライブ配信される役員の発言や態度が切り取られ、SNSなどで拡散するリスクがあることを心に留めておいてください。そのため、前3枚のスライドに記載した回答の要領や留意事項などを参考にして、いつも以上に発言などには留意するようにしてください。

以上で私からの説明を終わります。

第３節　株主総会における議長の役割

202Y年５月16日

株主総会で発生するさまざまな事態に対応するためには、議長ご自身に、議長の法的権限により、何をどこまでできるのかということを深く理解していただく必要があります。そのような観点で、今日の私の説明をお聴きいただきたいと思います。それでは、株主総会における議長の役割に関して、スライドに沿ってご説明します。

202Y年6月○日
X電機株式会社　御中
株主総会における議長の役割について
○○法律事務所

第１　株主総会における議長の役割
•シナリオに従った明確な議事進行
•動議への対応

本日、社長に議長の役割としてご理解いただきたいポイントは２つです。

１つは、シナリオに従った明確な議事進行をしていただくということです。議長は、あらかじめ準備されたシナリオに従って、会社法上認められた議長の権限に基づき、議事を明確に整理しなければなりません。この際、議長の権限行使が違法、不公正な場合は、決議の取消事由にもなり得ますので、注意が必要です。

もう１つは、動議対応です。動議とは、株主総会の目的事項および株主総会の運営等に関し株主総会の決議を求める旨の意思表示を言います。動議は、不適法な動議であることが明白でない限り受け付けて採決を行いますが、動議の種類により、採決するタイミング・方法が異なります。このように、動議の処理は難しいため、ここで特に取り上げています。

では、まずシナリオに従った明確な議事進行というところから説明させていただきます。

第2　シナリオに従った明確な議事進行

- 議長は、会社法上の権限に基づき、準備したシナリオに従って議事を進める。

※議長の会社法上の権限

・議事進行整理権（会315条1項）

例：発言者（株主、取締役等）の指名と発言の許可、動議の採決
質疑の打切り、決議事項の採決

・議場秩序維持権（会315条1項・2項）

例：不規則発言を行う株主に対する制止・警告・退場命令

株主総会は、会議体であり、一定の決まりに基づいて運営されます。この会議体は、株式会社の最高意思決定機関ですから、株主が議決権を円滑に行使できるよう、フェアな議事進行を行い、決議という形の意思決定をさせることが議長の大きな役割であるということができます。

では何がフェアな議事進行かということですが、これは民主主義の歴史的な発展とともに形成されてきた議会制民主主義の手続が模範となっているといわれています。日本では、国会法に定める手続が模範となります。そうはいっても、難しく考える必要はなく、そうした模範となる手続をもとに、このように株主総会の議事を進行すれば問題がないといわれるような、一定のシナリオが

実務上確立されています。社長には、株主総会の議長として、このシナリオの構成をしっかりと理解していただきたいのです。

社長には、あらかじめ事務局との協議によって作成したシナリオに基づいて議事を進行していただくことになりますが、その際には、議長に与えられた権限をしっかり理解していただく必要があります。なぜなら、そのような権限に基づいてこそ、議長が、準備したシナリオどおりに議事を進めることができるからです。議事進行を邪魔する株主がいれば、この権限に基づいて妨害を排除していただかなければならないのです。

会社法上、議長には、議事進行整理権と議場秩序維持権が与えられています。この権限を適切に行使して、株主の言動を制御することが最重要ポイントとなります。

議長からみて、不確定要素は、株主の言動のみです。したがって、株主の言動をどうやって会議体のルールに乗せて整理するかが重要であり、言い換えれば、株主の言動さえコントロールできれば、適切な議事進行が保障されることになるといえます。

第2　シナリオに従った明確な議事進行

- 議事進行整理の要領
  - 報告事項と決議事項
    - 報告事項・決議事項が株主総会の目的事項
    - ２つの審議方式（一括審議方式・個別審議方式）
      ⇒貴社は一括審議方式を採用
  - スライドの活用と原稿読み上げ時の注意事項
    - 報告事項の報告の際にスライドとナレーションを活用する会社は多い
    - 原稿を読み上げる際には、なるべく株主席に対して顔をあげることを意識
  - 株主の発言の管理
    - 原則として、議案の上程・質疑応答の説明までは株主の発言を許さない
    - 質疑応答時は許可を受けた株主にのみ発言させる

では、議事進行整理の要領について、ポイントごとに説明します。

まず、株主総会の目的事項である報告事項と決議事項の観点から議事進行について理解いただきたいと思います。

御社が採用する一括審議方式では決議事項の上程（審議の対象とすること）に至るまで、原則として株主に発言を許す必要はありません。もう１つの進め方は個別審議方式となりますが、その違いは、端的にいいますと、質疑をどのタイミングで行うかという点にあります。個別審議方式は、報告事項の報告

がなされた時点でそれについて質疑がなされ、複数議案がある場合に議案ごとに質疑を行うやり方であるのに対して、一括審議方式は、複数議案があるときでも、すべて一括してあらかじめ上程し、質疑は、報告事項およびすべての決議事項についてなされるというやり方です。一括審議方式によれば、報告事項の報告とすべての議案が上程された上で、株主からの質疑が、報告事項およびすべての決議事項について、順不同になされることを許容することになります。個別審議方式の場合には、いくつかのバリエーションがありますが、基本的には、報告事項の報告がなされた時点で報告事項についての質疑がなされ、次に第１号議案が上程され、それについての質疑がなされ、その質疑が終わった時点で採決がなされ、決議が成立したら、次に第２号議案の上程を行うという具合に、ステップバイステップで議事進行がなされます。

昭和の時代の株主総会は、基本に忠実に個別審議方式によっていました。ところが昭和 56 年の商法改正により、総会屋への利益供与が禁止されるに至り、株主総会の議事進行を総会屋が妨害することが多くみられるようになりました。妨害のやり方としては、とにかく多数の質問や動議を投げかけて長時間の株主総会に持ち込むという戦術がとられました。そこでそれに対する会社側の対抗措置として、株主の発言する時間帯を１か所に集中させ、一定時間質疑を行った後は、審議を打ち切り、あとは決議事項の採決のみを行う一括審議方式が開発されたのです。この審議方式について、かつて株主から法律違反であるとして決議取消訴訟が提起され、裁判所で争われたことがありましたが、結局その訴訟は最高裁まで行って会社勝訴で終わりました。すなわち、一括審議方式には裁判所もお墨付きを与えているということです。最近では一括審議方式を採用する会社が過半数を占めるようになっていますが、個別審議方式を採用している会社も依然として相当数あります。どちらがよいとは一概にはいえないと思いますが、報告事項またはどの議案についての質問も同時に許される一括審議方式が、株主にとってわかりにくいかというと、そうともいえないと思っています。個別審議方式を採用した場合、一般の株主にとって、自分の質問が報告事項またはどの決議事項に関連する事柄なのか、判断に困ることもありますし、実際に審議を聴いていても、一括審議方式で議事が混乱するということは当職の経験上ありません。

次に、スライドの活用と注意事項です。

近年は、事業報告や計算書類の報告に関して、口頭で説明するだけでなく、ビジュアルに図式化して説明する方がわかりやすいということで、議長が原稿を読み上げるのではなく、スライドを使い、壇上のスクリーンに画像を映し出して、あらかじめ録音されたナレーションによって説明する方法を採用する会社も多く見られます。議案の説明についてもスライドを用いて行う会社も珍しくありません。わかりやすさという点では、このような方法は優れているといえます。

ただ、事業報告の中の、会社が対処すべき課題については、スライドとナレーションによる報告では、何か他人事のように聞こえてしまい好ましくないという意見もあり、この部分だけは議長が自ら肉声で語るという会社は多いです。御社のシナリオもそのようになっていますが、社長には、原稿の読み上げに徹するということではなく、なるべく株主席に対して顔を上げて、真摯な態度で課題の克服に努力している印象を与えるよう努めていただきたいと思います。

次に、株主の発言を具体的にどのようにしてコントロールしていくかという点をお話します。

まず出発点として、一括審議方式を採用しますので、すべての議案の上程および質疑応答方法の説明が終わるまでは株主の発言を許さず、質疑応答の終了後も株主の発言を許さないということが原則となります。そして質疑応答の時間に入ってからは、議長の議事整理権に基づき、議長が許可した株主にのみ発言させるということが肝要です。

株主の中には、議長の指名を待たずに勝手に発言する者もいます。このような発言を不規則発言といいます。不規則発言を行う株主に対しては、まず発言を制止し、なお発言を続ける場合には、警告をしていただき、それでも発言をやめない場合には、退場命令を出していただきます。

発言を許可した株主には、受付で議決権行使書と引換えに交付される株主票に記載された株主番号を明らかにさせてください。いきなり質問に入る株主もいますので、その場合はいったん株主の発言を遮って、株主番号をいってもらってください。なお、株主の氏名を確認しないのは、株主のプライバシーに配慮するためで、このような運用をとる会社は少なくありません。

長々と発言する株主に対しては、途中で介入し、簡潔な質問を促してください。中には、演説のように意見を述べたり、当社の経営と関係ないような抽象的質問をしたりする株主もいますので、その場合には、具体的な質問をするように促し、従わない場合には発言を制限してください。このあたりの議事の進め方については、当職が事務局を通じて都度アドバイスさせていただきます。

第2　シナリオに従った明確な議事進行

- 議事進行整理の要領
  - 株主の質問に対する対応
    - 質問の内容を要約した上で回答者を指名
    - 質問の趣旨が不明確なときは明確にさせる
    - 「株主との建設的な対話」を心がける
  - 回答者の指名と留意事項
    - 事前に準備した回答分担に従い回答者を指名
    - 回答漏れがある場合には、自ら補足説明をしたり、回答者に補足説明をさせるなどの対応が必要
  - 質疑終了のタイミング・方法
    - 事務局が質疑打ち切りの判断をして議長に合図する
    - 質疑を終了して採決に移る旨を議場に諮り、同意を得て進行する

次に株主の質問に対する対応についてです。

株主から質問がなされたら、議長において、その質問の趣旨を要約した上で、回答者を指名していただきます。議長が質問の趣旨を要約する目的は、回答漏れを防止することと、回答者が回答内容を準備する時間を確保することにあります。

趣旨が不明確な質問については、質問内容を明確にさせてください。不明確なまま回答しますと、質問に対してきちんと説明していなかったということで、質問の内容次第では説明義務違反となって、決議取消のリスクを負うことになります。

法的には説明義務のない質問に対しても、明らかに株主総会の目的事項と関係がない質問を除き、できる限り回答者を指名して回答していただくことになります。これはCGコードでいわれているような、株主総会を『株主との建設的な対話』の場とするということでもあります。

なお、すでになされた質問と重複している質問には、『すでに回答済みです。』として、まったく回答しないという対応は可能です。

次に回答者の指名について説明します。

回答する役員を指名するに当たっては、株主からの指名に従う必要はありません。事前に準備された回答分担に従って回答者を指名していただきます。

たとえば、株主が社外取締役を指名しても、議長は社内取締役を回答者に指名してもかまいません。ただし、社外取締役以外に回答困難な質問については、社外取締役を指名することになります。

指名した役員の答弁後に、説明義務の範囲に照らして回答漏れがある場合には、議長から、再度その役員にこれこれの点についても答弁してください、と

いう形で補充させるか、他の役員を指名するか、あるいは議長自身でお答えいただくか、いずれかの形で説明義務違反にならないように対応が必要となります。もっとも、回答に補足が必要と判断したときは事務局から札（メモ）を入れますのでご安心ください。

最後は、質疑終了のタイミングとその方法に関してとなります。

質疑の後は議案を採決することになるのですが、質疑をいつ終了させてよいのかという問題があります。

この点については、まず、単純に株主からの質問が途切れれば、当然、その時点で質疑を終了してかまわないということになります。

質問が続く場合には、基本的に質疑を継続することになりますが、いつまでもだらだらと質疑をやっているわけにもいきませんので、必要な審議が尽くされたと考えられる時間が経過すれば、質疑を打ち切ってよいと解されています。

質疑の打切りというのは、株主総会の決議取消事由に密接に関係してきますので、非常に神経を使う場面でありまして、原則としては、事務局、最終的には当職が、議案の賛否決定に必要な審議が尽くされたと判断したときに、議長に合図を送ります。その場合、議長から、質疑を終了して採決に移る旨を議場に諮り、株主の賛同を得た上で質疑の終了を宣し、採決に入ることになります。採決に入りましたら、株主から質問があっても、これを受ける必要はありません。

第3　動議への対応

• 動議とは

⇒株主総会の目的事項および株主総会の運営等に関し株主総会の決議を求める旨の意思表示

① 手続に関する動議：株主総会の運営、議事進行に関する動議
例：議長不信任、株主総会の延期・続行、休憩、議長の裁定に対する異議等

② 議案に関する動議：決議事項である議案の修正に関する動議
例：取締役選任（候補者の変更、選任数の削減）等

続いてご理解いただきたいもう1つのポイントである動議についてご説明します。

動議とは、一般的には、株主総会の目的事項および株主総会の運営等に関し株主総会の決議を求める旨の意思表示と定義付けられております。これは①手続に関する動議（株主総会の運営、議事進行に関する動議）と②議案に関する動議（決議事項である議案の修正に関する動議）という２種類の動議に分類することができます。

> ## 第３　動議への対応
>
> • 動議対応の手順
>
> ⇒動議の提出であることを確認した上で、以下のとおり対応
>
> ①　不適法であることが明白な動議（例：開会宣言直後の休憩動議）
> ⇒議長が却下する
>
> ②　手続的動議（例：議長不信任動議）
> ⇒会社法上、必ず取り上げる必要がある動議（議長不信任動議、調査者選任動議、延期・続行の動議、会計監査人の出席要求動議）については、その場で動議反対に賛成を求めて採決を行い、動議を否決する
> ⇒それ以外の動議は、議長の裁量で採否を判断できる（通常は却下）
>
> ③　議案に関する動議（修正動議）
> ⇒採決段階で原案と一括して採決するとして、一旦預かる
> ⇒採決段階で、原案を先議の上可決することにより、自動的に修正動議を否決する

動議対応の手順について具体的に説明します。

株主から動議が出されることは頻繁にはありませんが、それでもときどきは出ているようです。動議と認められるような発言がありましたら、まず動議の提出か否かを尋ね、動議の提出であることを確認できましたら、定められた手順で処理していただきます。

まずは、たとえば、①のような開会宣言直後に提出された休憩動議といったものですが、こういう動議は理由がないことが明らかですので、不適法な動議として、議場に諮らずに、議長の判断で却下していただいて結構です。

問題は、②や③といった、一応理由があるかもしれない動議についてです。

手続に関する動議のうち、必ず取り上げる必要のある動議、これを必要的動議といいますが、これはその場で取り上げ、議長は動議に反対である旨を述べた上で、「動議反対」に賛成を求める形で議場に諮り、動議を否決してください。たとえば、議長不信任の動議については、開会直後や報告事項の報告中である場合を除き、その場で動議を取り上げて、議長から、議長としては動議には反対であり、このまま議事を進行したい旨を述べていただき、「動議反対」に賛成を求めて採決を行い、動議を否決することになります。具体的な口上は「ただいま○○の動議が提出されましたが、議長としては、そのような必要はなく、

このまま議事を進行したいと考えます。このまま議事を進行することにご異議はございませんでしょうか。ご異議のない株主様は拍手をお願いいたします。」といったようなものです。必要的動議には、議長不信任の動議の他、調査者選任動議、延期・続行の動議、会計監査人の出席要求動議があります。なお、これ以外の手続的動議については、議場に諮らずに議長の裁量で採否を判断することができ、通常は却下することになりますが、議事の円滑進行の観点から、念のため議場に諮り、否決することでも構いません。

次に、議案に関する動議についてお話しします。たとえば第１号議案の剰余金の配当が少なすぎるので１円増額せよ、などという動議ですが、このような議案の内容を修正する動議については、原案の採決の時に併せて採決する旨を告知していったん預かることとし、議案採決段階で原案を先議し、可決することにより、自動的に修正動議は否決されます。議案の内容を修正する動議の中にも不適法なものもあり、これを審議する必要はありません。これらについては、実際にリハーサルで練習する必要がありますので、またそのときにご説明申し上げます。

第４　議長の心得および留意点のまとめ

- 議事進行の主導権を常に確保してシナリオに従った明確な議事進行を行う。
- 動議を除き、質疑応答以外には、株主に発言させない。
- 指名した株主以外の発言を許さない。
- 指名した株主については出席番号を確認する。
- 質疑応答時でも、長時間の質問や不明確な質問には介入して株主の発言を整理する。
- 株主からの質問に対しては、質問の趣旨を要約してから回答者を指名する。
- 質疑終了時期を適切に見極める（事務局を信頼する）。
- 動議と思われる発言があった場合、まず動議か否かを確認する。
- 明らかに不適法な動議でない限り、議場に諮って否決すればよい。
- 手続に関する動議と議案に関する動議を見極め、適切に対応する。

最後に議長の心得についてまとめてあります。繰り返して説明することはいたしませんが、一つひとつの項目について、理解を確認していただきたいと思います。

そしてリハーサルでは、的確に議事を進行していただけるよう、十分に練習をしていただきます。本番は事務局が万全の態勢で議長をバックアップいたしますので、何の心配もございません。よろしくお願いいたします。

第5 ハイブリッド参加型バーチャル株主総会の留意点

- 本年はリアル株主総会と並行して、インターネット等による遠隔地からの株主の「参加」を認める参加型バーチャル株主総会で開催

⇒「参加」する株主はインターネット等から審議等を確認・傍聴できるのみであり、インターネット等を通じた議決権行使や質問はできない。

⇒そのため、議長による議事進行はリアル株主総会と基本的に変わらない。

- 留意点
  - 発言等が動画として切り取られてSNS等で流出するリスクがある。
  - 「参加」している株主との間でも建設的な対話の実現を目指す。

  ⇒これらを意識して丁寧な議事進行を心掛ける必要がある。

補足として、本年はハイブリッド参加型バーチャル株主総会により実施されますので、その留意点を説明しますが、「参加」する株主は質問や動議を提出することはできませんので、議長による議事進行は基本的にリアル株主総会と変わりません。とはいえ、カメラの向こう側にはオンライン視聴している株主が多数いるわけですから、「参加」している株主との関係でも建設的な対話の実現を目指してください。

また、特にオンライン視聴の場合には、株主が密かに動画をキャプチャーする等して発言が切り取られ、SNS で拡散されるといったリスクがあります。これらの点を意識して、議長には丁寧な議事進行を行うよう心掛けていただく必要があります。

第2章

株主総会は日程が命!!

第１節　日程表

202Y年４月15日

●解説

1　基準日以後のスケジュールと各項目の解説

株主総会の準備においては、たとえば招集通知の発送時期（会299条1項）など期間が法定されているものがあり、当該法定期間を遵守できなかった場合には、招集手続の法令違反として株主総会決議の取消原因（会831条1項1号）となるおそれがある。また、株主総会の開催は、法務局や財務局といった行政機関や証券取引所における手続にも関係しており、かかる手続において法定期間を遵守できなかった場合には、会社にとって種々の不利益が発生する可能性がある。たとえば、役員変更の登記（会915条1項、911条3項13号・22号）のように法定期間の不遵守が過料の制裁につながるおそれすらある（会976条1号）。さらに、すでに述べたとおり、近年では、CGコードにおいて、株主が株主総会議案の十分な検討時間を確保することができるよう、招集通知の早期発送や発送前の電子開示が求められるとともに（CGコード補充原則1-2②）、株主との建設的な対話の充実やそのための正確な情報提供等の観点を考慮し、株主総会開催日をはじめとする株主総会関連の日程の適切な設定が要請されている（同③）。

また、株主総会の準備は、株主総会担当部署のみで完結することは稀であり、他の部署や、証券代行機関、顧問弁護士、印刷会社等の関与が必要となる作業もあるため、これらの関係者との間でもスケジュールを共有しておく必要がある。

このような観点から、株主総会の準備において、早期の段階でスケジュールを策定し、関係者との間で認識を共有して、各関係者の役割分担を確定しておくべきである。ただし、準備の過程で計画が遅れてもリカバリーできるようにするため[1]、ゆとりを持ったスケジュールを設定することも必要である。

以下では、3月決算の上場会社を念頭に、大まかなスケジュールを提示する。なお、会社の規模や予定する議案によって、必要となる手続やそのスケジュールも変わりうるので、文献[2]等を参考にして、顧問弁護士等にも確認の上で、自社の実情に合ったスケジュールを作成すべきであることはいうまでもない。

1　たとえば、招集通知の発送予定日を株主総会開催日の2週間前に設定した場合、印刷トラブルで納品が遅れた場合にリカバリーすることができなくなり、重大な影響が生じるおそれもあるため、招集通知の発送予定日は余裕を持って設定すべきである。

2　株主総会のスケジュールに関する文献については、毎年1回発行されている別冊商事法務編集部編『株主総会日程（別冊商事法務）』が詳しく、また、会社規模や決算期別のスケジュール例が豊富に記載されており、参考になる。

モデルスケジュール案（3月決算会社）[3,4]

	日付	項目	条文	
(1)	202X 年 6 月	会場予約		
(2)	翌年 2 月	決算日程の打ち合わせ等		
(3)	2 月初中旬	取締役会		
(4)	3 月 31 日	基準日[5]（書面交付請求期限）	会 124 条 1 項・2 項	
(5)	4 月 2 週目	期末株主確定、株主統計等を証券代行機関から受領		
(6)	4 月 14 日	取締役が計算書類および附属明細書を作成し、監査役および会計監査人に提出	会 435 条 2 項・436 条 2 項 1 号、計 59 条 2 項・125 条	
(7)	4 月 21 日	取締役が事業報告および附属明細書を作成し、監査役に提出	会 435 条 2 項・436 条 2 項 2 号、施 129 条	
(8)	4 月 27 日	取締役が連結計算書類を作成し、監査役および会計監査人に提出	会 444 条 3 項・4 項、計 61 条・125 条	

3　本モデルスケジュール案は、株主総会資料の電子提供制度を利用した株主総会を前提としている。

4　本モデルスケジュール案は、法定期限を前提に作成しているが、実務的にはゆとりを持ったスケジュールを策定することが望ましい。

5　基準日を定めたときは、当該基準日の 2 週間前までに公告をする必要がある（会 124 条 3 項本文）が、定款に基準日を定めている場合には公告は不要である（同項ただし書）。上場会社では、定時株主総会についてかかる定款規定が定められていることが一般的である。なお、定時株主総会と同時期に、基準日株主の特定が必要となる種類株主総会をも開催する場合には、定款に上記のような定めがない限り、基準日公告を行う必要があり、当該株主総会まで 3 か月の期間の確保も必要となり（同条 2 項）、注意を要する。

	留意点等
	自社外の会場の場合、人気がある会場については前年度株主総会終了後ただちに予約を行うべきである[6]。
	この時期から株主総会準備に着手する会社が多い。
	株主総会のスケジュールや主要事項を取締役会に説明する。
	基準日は事業年度末に設定されるのが一般的である。
	株主総会は基準日から３か月以内に開催する必要がある。
	貸借対照表、損益計算書、株主資本等変動計算書、個別注記表。
	提出に際して、任意に取締役会決議を経る会社もある。
	会計監査人設置会社でも、会計監査人による監査は不要。
	提出に際して、任意に取締役会決議を経る会社もある。
	連結貸借対照表、連結損益計算書、連結株主資本等変動計算書、連結注記表。
	提出に際して、任意に取締役会決議を経る会社もある。

6　ハイブリッド参加型バーチャル株主総会を導入する場合、事業年度末以前に、配信業者の要否の決定、通信回線の確認、事前質問の受付や当日のコメント機能の要否を決定した上で、視聴サイトを構築し、当日の運営方針を策定しておくことが考えられる。また、株主総会の３か月前までには、本人確認方法等について検討し、事前申込手続の要否についても検討しておくべきである（ハイブリッド参加型バーチャル株主総会の導入スケジュールについて、東京株式懇話会「バーチャル総会の運営実務」（https://www.kabukon.tokyo/activity/data/study/study_2021_06.pdf）（2021 年 10 月 22 日）参照）。

(9)	5月3日/6日[7]	株主提案権の行使期限	会303条・305条	
(10)	5月13日	会計監査人から会計監査報告の内容を特定監査役、特定取締役へ通知	計130条	
(11)	5月13日	決算取締役会、株主提案に対する取締役会の意見決定	会298条、施63条・93条	
(12)	5月13日	決算発表	有価証券上場規程404条	
(13)	5月21日	特定監査役から監査報告の内容を特定取締役、会計監査人に通知	計127条・132条	
(14)	5月22日	計算書類承認取締役会	会436条3項・444条5項	
(15)	6月7日	電子提供措置	会325条の3第1項、2項	

7　株主総会の日（6月29日）の8週間前の日である5月3日は国民の祝日と定められており休日となる（国民の祝日に関する法律2条、3条1項）。株主総会の日の8週間前の日が休日である場合に株主提案権の行使期限がいつになるかについては議論がありうるところであるが、実務上の取扱いとしては株主の権利行使を容易にする方向に解釈することとして、同月4日、5日も国民の祝日と定められているため、翌営業日である同月6日とすることが考えられる（大阪地判平成24・2・8判時2146号135頁参照）。

	株主は、株主総会の日(26)の8週間前までに請求しなければならない（定款で短縮可）。
	提案できる株主の資格は、総株主の議決権の100分の1以上の議決権または300個以上の議決権を6か月前から引き続き有する株主（定款で保有期間および議決権割合または個数を減少させることは可能である）。
	計算書類の全部を受領した日の翌日から4週間を経過した日まで[8]に通知する。
	株主総会の招集の決定。日時および場所等を定める。
	取締役会決議後「直ちに」その内容を開示する。
	会計監査報告を受領した日の翌日から1週間を経過した日まで[9]に通知する。
	会計監査人および監査役会における全員の意見が適法・適正意見である場合は、この段階で計算書類が確定する。
	株主総会の日(26)の3週間前の日または招集通知の発送日(16)のいずれか早い日から株主総会の日後3か月を経過する日までの間、株主総会資料について電子提供措置をとらなければならない。ただし、議決権行使書については、招集通知に添付する場合には、電子提供措置は不要。

8　日、週、月または年によって期間が定められているときは、その期間が午前0時から始まる場合を除き、期間の初日は算入しないこととされている（民法140条）。本モデルスケジュール案では、会計監査人が午前0時以外の時間帯に計算書類を受領することを前提に、会計監査人が4月14日に計算書類を受領した場合、同日は算入されず、翌日の4月15日を起算日として4週間後の応当日の前日である5月12日を4週間目の日としている。そして、上記のとおり「経過した日まで」とされているため、4週間目の翌日である5月13日中に会計監査人は当該通知を行わなければならない。

9　前掲注8参照。

(16)	6月14日	招集通知発送	会299条・301条・302条、325条の4、施65条・73条・94条	
(17)	6月14日	招集通知等株主宛発送物の東証への提出	有価証券上場規程施行規則420条	
(18)	6月14日	独立役員届出書の東証への提出	有価証券上場規程施行規則436条の2	
(19)	6月14日	退職慰労金内規の備置等の適切な措置	施82条2項	
(20)	6月14日	計算書類、事業報告、附属明細書、監査役会および各監査役の監査報告ならびに会計監査人の会計監査報告の本支店での備置	会442条	
(21)	6月14日	決議通知、報告書、配当金関係書類印刷開始		
(22)	6月15日	リハーサル		
(23)	6月24日	質問書（到着分）整理、説明準備	会314条、施71条	
(24)	6月28日	質問書最終整理	会314条、施71条	
(25)	6月28日	議決権行使書の最終集計	会311条・312条、施69条・70条	
(26)	6月29日	定時株主総会	会124条・296条・309条・438条・444条・454条	
(27)	6月29日	取締役会	会362条	

10　議決権行使書または電磁的方法による議決権行使の期限として、「特定の時」を定めることが認められているが、同期限は、株主総会の日時以前の時であって、会社法第299条1項の規定により通知をした日から2週間を経過した日以後の時に限られるとされている（会298条1項5号、施63条3号ロ・ハ）。そのため、株主総会の前日のいずれかの時点をこの「特定の時」と定めた場合、招集通知発送の日から株主総会

	株主総会の日(26)の2週間前までに発送[10]。ただし、議決権を有しない株主に対する発送は不要。書面交付請求した株主には交付書面も同封。
	提出は、発送日までに行う必要がある。
	内容に変更が生じる場合のみ提出が必要となる。
	退職慰労金の具体的金額または支給基準を株主総会参考書類に記載すれば、かかる措置は不要。
	原本を本店に5年間、写しを支店に3年間、備え置かなければならない。連結計算書類の備置は不要。 株主総会の日(26)の2週間前の日から備置。
	会社ごとの事情によるが、本番の会場を使って本番と同様に通しで行う会社が多い。また、リハーサルの回数についても、問題株主の出席が予定されているなど懸案事項がある会社については、リハーサルを複数回行う会社もある。その他、事務局ないしバックヤードの訓練や質疑・動議対応等の議長の議事整理のみに特化したリハーサルを設定する会社もある。
	議決権行使書は、「特定の時」をもって議決権行使期限とする旨を定めたときは当該時刻、当該定めがない場合には株主総会日(26)の前営業日の営業時間終了時までに会社に提出することが必要。
	基準日(4)から3か月以内に開催する。
	代表取締役を選定する。

の日までの間に中15日間を置くことを要する。本モデルスケジュール案では、この「特定の時」を定めていない、すなわち、議決権行使書または電磁的方法による議決権行使の期限を株主総会の前日の営業時間の終了時（施69条）としていることを前提に招集通知発送の日から株主総会の前日（同日を含む）まで14日間確保することとしている。

⑻	6月29日	監査役会	会335条・387条・390条	
⒆	6月29日	決議通知、報告書、配当金関係書類の発送		
⒇	6月29日	有価証券報告書を提出	金商法24条1項・27条の30の2以下、開示府令15条以下	
(31)	6月30日	配当金支払開始	会457条	
(32)	6月30日	臨時報告書提出	金商法24条の5第4項・24条1項1号・2号、開示府令19条2項9号の2	
(33)	6月30日	委任状・議決権行使書の備置	会311条	
(34)	6月30日	定時株主総会の議事録作成、備置	会318条、施72条	
(36)	7月10日	配当金源泉税徴収分の納付	所得税法181条、地方税法71条の31	
(35)	7月13日	本店における変更登記	会915条	
(37)	7月29日	配当金支払調書の提出	所得税法225条1項2号	
(38)	7月30日	配当金支払期間終了		
(39)	9月29日	決議取消の訴え提訴期限	会831条	

	各監査役の役割分担・監査方法等の決議、監査役への報酬配分の協議等。
	議決権を有しない株主を含め、全株主に発送する。
	事業年度開始の日から3か月以内に提出。有価証券報告書提出会社は決算公告不要（会440条4項）。
	配当金支払については証券代行機関に委託するケースが多い。
	議決権行使結果が記載された臨時報告書を遅滞なく提出することが必要。
	株主総会の日(26)から3か月間、本店に備え置かなければならない。
	株主総会の日(26)から原本を本店に10年間、写しを支店に5年間備え置かなければならない。
	支払った月の翌月10日までに納付しなければならない。
	登記事項に変更が生じた場合には、株主総会の日(26)から2週間以内に変更の登記をしなければならない。
	支払確定日(31)より1か月以内に所轄税務署長宛に提出する。
	任意に設定できる。
	株主総会決議の日(26)から3か月以内に提訴する必要がある。

2　株主総会の開催時期

株主総会の開催日は、株主としての権利を行使する上での基準日を定めることにより、基準日から３か月以内とする必要がある（会 124 条２項かっこ書）。定款に事業年度末日を基準日として定めた場合には、事業年度終了後３か月以内に株主総会を開催する必要があるところ、実務上、多くの会社が毎年３月末日を事業年度末としているため、６月末に株主総会が集中する結果となっている。その中でも、毎年、株主総会が集中するいわゆる「集中日」がある。これは、税務申告期限や有価証券報告書の提出期限が同様に事業年度終了後３か月以内となっていることから、その提出日を確保する（株主総会の翌日に提出できる）ことと株主総会までの準備期間を最大限確保することとの見合いで、６月の最終営業日の前営業日（その日が月曜日である場合には、その前週の金曜日）に株主総会が集中するためである[11]。もっとも、近年では、複数の株主総会に参加する株主のニーズを満たすため、分散化することにより掛け持ち役員の出席等をしやすくするため、また、会場を確保するためといった現実的な理由等から、集中日開催を避ける傾向にあり、集中率はおおむね年々減少傾向となっている[12]。また、CG コードにおいて、株主との建設的な対話の充実やそのための正確な情報提供等の観点を考慮し、株主総会開催日をはじめとする株主総会関連の日程の適切な設定が求められている（CG コード補充原則 1-2③）ことを意識して、集中日開催を避ける例も認められる（もっとも、集中日開催であるからといって、ただちに当該補充原則に反することにはならない）。なお、集中日開催については適法性が争われた裁判例（野村證券損害賠償請求事件[13]）があるが、その判決では適法性が認められている。

すでに述べたとおり、実務上は、定款に事業年度末日を基準日として定め、事業年度終了後３か月以内に株主総会を開催する取扱いが一般的であるが、法的には事業年度末日を基準日とする必要はない。株主総会における株主による議決権行使の検討期間の確保等の観点から、たとえば、３月決算の会社において基準日を４月末日に設定して、定時株主総会を７月に開催するというス

11　かつては総会屋の出席を排除するために、あえて株主総会開催日を「集中日」に設定するという実務もあった。

12　日本取引所グループ「3 月期決算会社株主総会情報」（https://www.jpx.co.jp/listing/event-schedules/shareholders-mtg/index.html）参照。なお、2015 年頃までは集中日開催が全体の 40％前後で推移していたところ、2015 年 6 月の CG コードの策定後に一段と低い水準で推移することとなり、2015 年 3 月期、2022 年 3 月期と続けて 30％を下回っている。

13　神戸地尼崎支判平成 12･3･28 判タ 1028 号 288 頁。

ケジュールも法的には採用可能であって、検討に値するとされている[14]。現状では、事業年度末日を基準日とする実務が定着していることから、株主総会開催日を後ろ倒しにした場合の実務上の懸念点等に関して関係者のコンセンサスが得られているとはいいがたい[15]が、今後、実務が大きく変わる可能性もあることから、議論の状況を注視する必要がある。

COLUMN

議決権行使を促進するスケジュールと株主総会プロセスの電子化等

(1) 議決権行使を促進するスケジュール

株主総会開催までの手続の中には、法定期間が定められているものがあり、この法定期間を遵守する必要があることは先に解説したとおりであるが、この法定期間が遵守される範囲で、議決権行使を促進することを目的としてスケジュール設定を工夫する余地がある。

たとえば、株主総会の開催日について、株主の出席の便宜を図るため、集中日を避けたり、土曜日ないし日曜日に開催したりするということも考えられる[16]。

また、招集通知を法定の期日（会 299 条 1 項）前に発送し、または発送前に電子開示を行うことで、株主の議決権行使に関連する検討の時間を確保し、株主との対話を促進するとともに、株主が株主総会において議決権を行使することをより容易にするという工夫も考えられる[17]。

---

14 経済産業省の 2015 年 4 月 23 日付「持続的成長に向けた企業と投資家の対話促進研究会報告書」76 頁以下、三笘裕＝濱口耕輔「コーポレートガバナンス・コードを踏まえた株主総会対応」商事 2064 号（2015）64 頁。

なお、2020 年には、新型コロナウイルス感染症の影響による決算業務の遅れ等により同年 3 月期決算の東証上場国内会社のうち 20 社が、定款上の基準日とは異なる基準日を設定した上で 7 月以降に定時株主総会を開催したが（日本取引所グループ・前掲注 12)、2021 年および 2022 年においては 0 社であった。

15 剰余金の配当について株主総会決議を要する会社においては株主総会開催日を後ろ倒しにすることにより配当の時期が遅れることや、法人税の確定申告期限への影響等が指摘されている。株主総会開催日の後ろ倒しについては、CG コードの策定過程においても議論があったものの、最終的には CG コードでは触れられなかった。

16 商事法務研究会編『株主総会白書 2021 年版〔商事 2280 号〕』41 ～ 42 頁によれば、「集中日をできるだけ避ける」という要素を重視して株主総会の開催日時を決定した会社は、回答会社の 45.2%（791 社）存在するとのことである。また、「開催の曜日」を重視して株主総会の開催日時を決定したと回答した 192 社の中で「土曜日・日曜日」とあえて休日を選択した会社は、20 社存在するとのことである。

スケジュールの前倒しを行った場合、早期準備が必要となるため会社の負担が増し、また、監査日程の見直しや招集通知の印刷日程の前倒し等により社外の関係者との調整も必要となるが、これらの調整が可能であるならば、議決権行使を促進するという観点からスケジュール設定することも1つの選択肢となるだろう。

(2) 株主総会プロセスの電子化

株主総会資料の電子提供制度が令和元年改正会社法により創設され、2022年9月1日に施行された（第3章73頁以下で詳しく紹介する）。同制度を導入することで、紙媒体の株主総会資料（株主総会参考書類、事業報告、監査報告、計算書類および連結計算書類）を原則的に廃止することが可能となった。

また、特に信託銀行等の名義で株式を保有する機関投資家や海外投資家において、当該投資家と信託銀行等や常任代理人とのやりとりに時間を要するために実質的な議案検討期間が限られているとの問題意識に基づき、議決権行使プロセスの電子化促進について議論がなされてきた。CGコード補充原則1-2④においても、「上場会社は、自社の株主における機関投資家や海外投資家の比率等も踏まえ、議決権の電子行使を可能とするための環境作り（議決権電子行使プラットフォームの利用等）や招集通知の英訳を進めるべきである。」として、議決権電子行使プラットフォームの利用等の議決権行使プロセスの電子化が推奨され、特に、プライム市場上場会社については、「少なくとも機関投資家向けに議決権電子行使プラットフォームを利用可能とすべきである。」とされている。CGコードの改訂等を受け、議決権電子行使プラットフォームの利用は広がりを見せており、今後も利用の拡大が予想される[18]。

17　CGコード補充原則1-2②においても、「上場会社は、株主が総会議案の十分な検討期間を確保することができるよう、招集通知に記載する情報の正確性を担保しつつその早期発送に努めるべきであり、また、招集通知に記載する情報は、株主総会の招集に係る取締役会決議から招集通知を発送するまでの間に、TDnetや自社のウェブサイトにより電子的に公表すべきである。」とされている。また、たとえば、ISS・後掲注24）27頁では、買収防衛策（ポイズンピル）の導入・更新議案に対する賛成を推奨する形式的要件の1つとして、「株主が買収防衛策の詳細を検討した上で、経営陣に質問する時間を与えるために、招集通知が総会の4週間前までに証券取引所のウェブサイトに掲載されている」ことを挙げる等、議案の検討時間を確保することを求める例もある。

18　株式会社ICJ（https://www.jpx.co.jp/equities/improvements/voting-platform/tvdivq0000005yw6-att/nlsgeu0000006q7c.pdf）によれば、2022年3月末時点において、議決権電子行使プラットフォームに参加している上場会社は、東証上場会社全体の44.9%（1690社）であり、プライム市場に限れば85.3%（1567社）に上る。

(3) 有価証券報告書の提出時期

有価証券報告書は、定時株主総会後に提出するのが一般的であるが、定時株主総会前に提出することも可能である(開示府令17条1項1号ロかっこ書参照)。しかしながら、現状、定時株主総会前に有価証券報告書を提出する会社は少数にとどまっている[19]。

有価証券報告書を定時株主総会前に提出することの意義としては、株主に定時株主総会前に情報提供を行うことで議決権行使の促進につながるということが考えられるが、その反面として、①有価証券報告書の作成日程を前倒しすることが必要となり、監査法人とも監査日程の調整が必要となる、②有価証券報告書記載事項について定時株主総会当日の質問に対する準備が必要となる、といった負担が懸念される[20]。このような意義と負担を踏まえ、有価証券報告書を定時株主総会前に提出するか否かを検討すべきであろう。

なお、電子提供制度下では、有価証券報告書提出会社は、法定の電子提供措置開始日までに電子提供措置の対象となる事項(議決権行使書を除く)を有価証券報告書に記載し、EDINETを通じて開示することにより、電子提供措置の実施が不要となるため(EDINET特例)、この点でも有価証券報告書を定時株主総会前に提出することの意義を見出すことはできる。もっとも、電子提供措置開始日(株主総会の日の3週間前、または招集通知の発送日のいずれか早い日)という早期に有価証券報告書を提出することの実務上のハードルは高いといえ、かかる対応を採用する会社はただちに増えることはないと推測される。

19 商事法務研究会編・前掲注16) 161頁によれば、定時株主総会前に有価証券報告書を提出していない会社は、回答会社全体の95.3%(1667社)と多数を占め、前年から0.2ポイント減少したのみで大きな変化はみられない。
20 中村直人編著『株主総会ハンドブック〔第4版〕』(商事法務、2016) 328頁等参照。

第2節　法改正対応

202Y年6月16日

Y生命近くの喫茶店にて
がんばってる？
総会周りの仕事
結構大変でしょ？
びっくり
した～
まさか
こんなところで
桜子と会うとは
ね～

いろいろ
勉強させて
もらってるわ
セミナー行ったり
弁護士さんに
レクチャーして
もらったり

特に今年は
法改正とか
いろいろ
あったし…

そうそう、今回の
御社への反対推奨は、
パトリシアからの
連絡なのよ！
えぇ～っ!?

COLUMN

株主総会担当者の仕事

株主総会担当者といっても、1年中株主総会の準備をしているわけではない。また、上場会社においては、株主との建設的な対話を促進するための方針を検討・開示等すべきとされており（CGコード原則5-1）、株主との建設的な対話を実現するために、株主総会担当者の業務がこれまで以上に多様化することが予想されるところである。

株主総会担当者が株主総会の準備以外にどのような業務を行っているかは、会社ごとに異なるため一般化はできないが、株主総会に関連するような業務を例示するならば、以下のようなものを挙げることができよう。

（1）株主対応

株主総会における質問対応とは別に、配当関連等の株主権に関連する事項だけでなく、会社の業績や事業内容、株主総会当日のお土産の有無等について、株主からの日常的な問い合わせに対応する業務である。上場会社においては、その持続的な成長と中長期的な企業価値の向上に資するため、株主総会の場以外においても株主との間で建設的な対話を行うべきとされており（CGコード基本原則5）、株主からの対話の申込みに対しては、会社の持続的な成長と中長期的な企業価値の向上に資するよう、合理的な範囲で前向きに対応すべきとされている（同原則5-1）ことを踏まえると、電話等による一般株主からの問い合わせに対して、回答する法的義務があるわけではないものの、IR活動の一環として、可能な限り前向きな姿勢で回答することが望ましいといえる。

また、株主総会に出席した株主が株主総会議事録を閲覧し、会社に対してその内容が実際と異なる旨の指摘をする事例もみられるが、株主総会担当者としては、これに対応する必要があるだろう。

（2）IR説明会・施設見学会

会社によって開催の有無や頻度は異なるだろうが、上場会社においては、四半期決算後に、その内容を踏まえ、自社の業績や事業計画等を説明するためのIR説明会（あるいは、決算説明会）が開催されることがある。なお、上場会社では、株主との建設的な対話を促進するための方針の中で、個別面談以外の対話の手段（たとえば、投資家説明会やIR活動）の充実に関する取組みを記載することが要求されている（CGコード補充原則5-1②ⅲ）。従来のIR説明会は、アナリストや機関投資家向けに行われるイベントであったが、近年は個人株主向けのイベントとして開催している会社もあり、また、自社のウェブサイトにおいてIR説明会の様子を撮影した動画を配信している会社もある。

また、会社によっては、個人株主向けの工場・施設見学等を企画するところもあり、その企画の立案から当日の株主の引率に至るまでを株主総会担当者が行うこともある。上記のような本来のIR説明会とは異なるが、このような活動を通じて、個人株主に会社をより具体的に知ってもらい、いわば会社のファンを増やすことにもつながる。このようにして、個人株主の継続保有率を高めていくことで、安定株主層の確保を実現することもできるため、決しておろそかにはできない活動といえる。

(3) 機関投資家等対応

安定株主比率の低下とともに存在感を増すのが、機関投資家の存在である。2014年2月26日に策定・公表されたスチュワードシップ・コード(2017年5月29日改訂、2020年3月24日再改訂)[21]では、「機関投資家は、投資先企業との建設的な『目的を持った対話』を通じて、投資先企業と認識の共有を図るとともに、問題の改善に努めるべきである。」とされており(スチュワードシップ・コード原則4)、同コードを受け入れている機関投資家[22]からの対話の申入れについても適切に対応する必要がある。特に、2018年6月1日に策定・公表された「投資家と企業の対話ガイドライン」(2021年6月11日改訂)では、スチュワードシップ・コードおよびコーポレートガバナンス・コードが求める持続的な成長と中長期的な企業価値の向上に向けた機関投資家と企業の対話において重点的に議論することが期待される事項が挙げられており、留意が必要である。また、会社にとっても、特に定時株主総会において株主の賛否が分かれ可

21 スチュワードシップ・コードに関する有識者検討会(2019年度)(https://www.fsa.go.jp/news/r1/singi/20200324/01.pdf)参照。2017年5月29日改訂では、アセットオーナーによる実効的なチェック、運用機関のガバナンス・利益相反管理等、パッシブ運用における対話等、議決権行使結果の公表の充実、運用機関の自己評価等が盛り込まれる等の改訂が行われた。また、2020年3月24日再改訂では、運用機関における議決権行使に係る賛否の理由や、対話活動およびその結果や自己評価等に関する説明・情報提供の充実、ESG要素等を含むサステナビリティを巡る課題に関する対話における目的の意識、企業年金のスチュワードシップ活動の後押し、議決権行使助言会社における体制整備、それを含む助言策定プロセスの具体的公表、企業との積極的な意見交換、年金運用コンサルタントにおける利益相反管理体制の整備やその取組状況についての説明等が盛り込まれ、新たに機関投資家向けサービス提供者に適用される原則8が追加される等の改訂が行われた。

22 金融庁(https://www.fsa.go.jp/singi/stewardship/list/20171225.html)によれば、2022年9月30日現在、受入れ表明をした機関投資家は合計322名存在するとのことである。

決されるかどうかが懸念される議案（近時では、買収防衛策の更新や社外役員の選任議案等が挙げられる）の上程が想定される場合には、なるべく早い段階での、機関投資家や主要株主に対する丁寧な説明と説得が欠かせない。機関投資家は、それ自体が議決権行使基準を設けている場合もあれば[23]、議決権行使助言会社等の推奨基準[24]を議決権行使に際して参酌する場合も多いとされる[25]。また、そもそも海外株主については、その背後にいる実質株主の調査が必要な場合もあり、その場合には外部のアドバイス機関等の助言を得ることが多い。

いずれにせよ、かつての持合いによる安定株主の存在が期待できない状況に置かれている会社が増えつつある中で、機関投資家等から確実に会社提案議案への賛成を得ることはきわめて重要である。

(4) スケジュール調整

株主総会や会社の規模にもよるが、株主総会の開催や事前準備には、役員および株主総会担当部署の従業員のみならず、他部署の従業員や、顧問弁護士、証券代行機関の担当者等の会社外の関係者が関与するのが通常である。したがって、株主総会担当者としては、これら関係者のスケジュール調整を行うということも重要な仕事の１つである。

まず、株主総会当日について、役員のみならず、社員株主として出席してもらう予定の従業員、会場における受付や警備を担当する従業員や、臨席予定の弁護士のスケジュールを押さえる必要がある。特に、臨席予定弁護士については、株主総会が集中日付近に行われる場合には、すでに他社の株主総会の臨席予定が入ってしまう可能性もあるため、注意が必要である（6月総会の場合では、早い会社で前年の秋頃からスケジュールの打診がある）。

23　たとえば、企業年金連合会（https://www.pfa.or.jp/activity/shisan/shisan07.html）参照。

24　ISS（Institutional Shareholder Services Inc.）「2022年版日本向け議決権行使助言基準」（https://www.issgovernance.com/file/policy/active/asiapacific/Japan-Voting-Guidelines-Japanese.pdf）、グラス・ルイス（Glass Lewis & Co）「Japan 2022 Policy Guidelines」（https://www.glasslewis.com/wp-content/uploads/2021/12/Japan-Voting-Guidelines-GL-2022.pdf?hsCtaTracking=898224c4-0005-4b27-a16a-bf14a667323d%7C0f0ef09c-ec1d-4e8f-8674-1c864c49a265）「2021年版議決権行使助言方針（日本語版）」（https://www.glasslewis.com/wp-content/uploads/2020/11/Japan-Voting-Guidelines-GL-Japanese.pdf）参照。

25　スチュワードシップ・コード原則5では、機関投資家は、議決権の行使について明確な方針を持つことが要請されている。

また、リハーサルを実施する会社においては、株主総会当日に出席する予定の者に加え、証券代行機関の担当者や、リハーサルを手伝ってもらう従業員を確保する必要がある。

さらに、事前準備においては、計算書類や監査報告書の作成には監査役（会）や会計監査人の協力が不可欠であり、その前提となる基礎資料は会社の経理担当部署が作成するのが通常である。また、想定問答の作成には、会社の各担当部署の関与が必要となることが通常であり、シナリオについては議長（予定者）との間での調整も必要となる。

最後に、招集通知等の印刷を印刷会社等に外注する場合には、外注先との間で、できあがり予定を調整する必要もある。

以上は一例であるが、株主総会当日の運営や事前準備には、役員や株主総会担当部署の従業員のみならず、他部署の従業員、証券代行機関の担当者、株主総会に関する法律事務を依頼する予定の弁護士等、さまざまな関係者が関与することが想定され、これら関係者は必ずしも会社の株主総会当日の予定や当該会社における株主総会準備のスケジュール感を把握しているとは限らない。これら関係者のスケジュール調整が遅れてしまったために、必要な人員が配置できなかったり、準備の遅滞や準備不足となってしまったりする可能性もあるため、株主総会担当者においては、スケジュール調整の重要性を十分に認識する必要がある。

(5) その他

以上に加えて、招集通知の作成・確認をはじめとするさまざまな書類との格闘もある（第3章79頁以下で詳しく紹介する）ことから、上記はほんの一例にすぎないが、株主総会を的確かつ適正に開催・運営するためにはさまざまな対応が必要となり、多くの関係者の協力が必要となる。株主総会の運営面では、通常、株主総会前日までの機関投資家対応の側面と、株主総会当日における個人株主対応の側面がハイライトといえる[26]。

26 菊池伸ほか「<座談会>近年の動向からみる株主総会のあり方」商事1973号（2012）42頁〔北浦一也発言〕参照。

●解説

1　法令・証券取引所規則の改正への対応

ここまで読み進めていただいた読者にはおわかりのことと思われるが、株主総会において遵守すべき法令等は、会社法のみならず、金融商品取引法や、会社法･金融商品取引法に関連する政省令等もあり、また、証券取引所規則といった自主規制ルールも存在する。これら株主総会に関する法令等については、株主総会の準備期間中に改正がなされる可能性もあり、準備の過程でこのような改正を踏まえた対応が必要となる場合もある。たとえば、2015 年 6 月に CG コードの策定に伴う有価証券上場規程等の改正が施行された際には、招集通知（株主総会参考書類)･事業報告の作成､想定問答の検討等を行うに当たり、各社において CG コードの内容を意識した対応がとられ、また、2021 年 6 月に CG コードが改訂された際には、たとえば、各取締役の知識・経験・能力等を一覧化したいわゆるスキル・マトリックス等の開示が求められる（CG コード補充原則 4-11 ①）等の改訂を踏まえた株主総会参考書類等の作成を検討する必要が生じる等、株主総会実務に影響を与えることとなった。

株主総会担当者としては、日ごろから、旬刊商事法務等の株主総会に関する雑誌を購読し、また、証券代行機関ないし顧問弁護士からもたらされる情報を通じて、株主総会に関連する法令等の改正情報に注意を払っておくことが必要である。

2　法律事務所の活用

多くの上場会社の株主総会においては、弁護士が事務局に臨席している。臨席する弁護士の役割は、株主からの質問対応を含め、株主総会の議事進行が法的に問題なく行われているかをチェックするとともに、必要に応じて、議事進行を修正する、質問への対応を助言する等のために議長に対する札出し（議長への助言が書かれたメモを回すこと）を促し、ときには自ら札出しを行うことにある。特に、株主からの質問に対する説明義務を尽くしているかという判断を行い、必要であれば適切なタイミングで質疑の打ち切りをアドバイスすることは、弁護士に期待される重要な役割の 1 つである。

もっとも、弁護士ひいては法律事務所を活用する場面は、何も株主総会本番に限られるものではない。すなわち、準備段階においても、招集通知、議案を含む株主総会参考書類、事業報告といった書類のチェック（CG コード補充原則 1-2 ④により、近時は招集通知の英訳の作成・チェックを行う場合も増えている)、想定問答集やシナリオのチェック、議事運営等に関する個別の問題の検討、さらにはリハーサルにおける質問株主役と議長・事務局の議事進行に関する講評・改善点の助言、株主総会議事録、決議通知、議決権行使結果に関する臨時報告書のチェック等を弁護士に行わせることにより、株主総会の運営の適法性を担保できるのである。

特に近年、CG コードの改訂等を踏まえた株主との建設的な対話の促進、バーチャル株主総会の活用、大規模災害や感染症拡大の中での株主総会の実施、株主の賛否が拮抗する議案の提出等、株主総会運営に関する新しい取組みや課題が次々と現れている。会社としては、従来の株主総会実務に拘泥することなく、より株主の目線に合わせた創造的な株主総会の運営を目指して新たな試みを実践し、あるいは新しい課題を適切に解決していく上でも、弁護士のサポートを得ることがますます重要となっている。

3　他社の株主総会への出席やセミナーの活用

株主総会担当者としては、自社の株主総会を運営する上での参考とすべく、他社の株主総会に出席するケースも多い。他社の株主総会の運営を目の当たりにすることで、それまで気づいていなかった課題、自社の株主総会の運営上も注意すべき点や応用できる実務等、さまざまな発見が期待できる。また、株主総会担当者となったばかりの者にとっては、株主総会というものがどういうものであるかというイメージや大まかな流れをつかむためにも、他社の株主総会に出席することは有益であろう。なお、他社の株主総会といっても千差万別であるから、なるべく自社と同業種で株主総会の雰囲気も近く、出席株主数の規模が自社と同程度のものを選別するのが望ましいが、創造的な株主総会運営を目指すのであれば、先進的な試みを取り入れている会社の株主総会に出席することも検討すべきである。

さらに、株主総会実務の動向や必要な手続等を理解する上では、株主総会をテーマとするセミナーに参加することも株主総会運営の一助となるであろう。

第３節　総会のかく乱要因

202Y 年６月 16 日

●解説

1　反省会で次年度の課題を洗い出す

出席株主数、質問の数、問題株主の有無等、各社なりに株主総会の例年の傾向というものがあり、これに合わせた対策は従前から講じているであろうが、一方で、会社の業績、会社を取り巻く状況、株主総会のトレンド、株主の顔ぶれ等が刻一刻と変化していく中で、例年どおりの対応を行うだけでは、足元をすくわれてしまう。

そのため、株主総会後には、次年度の株主総会の参考とすべく、その年度の株主総会を十分に分析し、本番前の準備段階から本番終了後に至るまでの課題をしっかりと洗い出す必要がある。実際に反省会を開くか、どのレベルで行うか（事務局のみで行うか、議長である社長等も交えて実施するか、また、臨席した弁護士も加えるか等、さまざまなパターンが考えられる）といった点は会社ごとに異なりうるが、次年度の株主総会のための課題を明らかにすることは、どの会社にも求められることであろう。また、反省会においては、他社の動向等も可能な限りリサーチの上[27]比較検討できれば、よりいっそう有益であろう（このような他社の動向等の比較という観点からは、たとえば6月総会の会社であれば、年度明けに株主総会検討会という位置付けで行うことも考えられる）。

2　株主総会決議取消訴訟とは

①株主総会の招集の手続または決議の方法が法令もしくは定款に違反し、または著しく不公正なとき（会831条1項1号）、②株主総会の決議の内容が定款に違反するとき（同項2号）、③株主総会の決議について特別の利害関係を有する株主が議決権を行使したことによって、著しく不当な決議がされたとき（同項3号）には、株主、取締役、清算人、監査役、執行役等は、訴えをもって裁判所に対し株主総会決議の取消を請求することができる。

株主総会決議取消訴訟は、株主総会決議の日から3か月以内に訴えを提起することを要する（会831条1項柱書）。また、株主総会決議取消訴訟に対し認容判決（決議取消を認める旨の判決）がなされた場合、当該判決の確定により、訴訟当事者のみならず、その他の第三者に対しても効力を有する（これを対世効という。会838条）。そのため、被告である株式会社は請求を認諾すること（原告の請求を認めること）はできず、また、訴訟当事者は認容判決

27　他社の動向等のリサーチには、商事法務研究会から毎年12月初頭頃に旬刊商事法務の臨時増刊号として発刊される『株主総会白書』が有益である。

と同内容の和解をすることもできないと解されている[28]。

また、株主総会の招集手続または決議方法に法令または定款に違反するという手続上の瑕疵が存在する場合（会831条1項1号）、①その違反する事実が重大ではなく、かつ、②決議に影響を及ぼさないものであると認めるときには、裁判所は、株主総会決議取消訴訟に係る請求を棄却することができる（会831条2項）。これを裁量棄却といい、決議の成立に影響が及ばないような軽微な瑕疵が存在するにすぎない場合には、株主総会決議の法的安定性を優先する制度である（詳細については第7章346頁参照）。

3　株主の権利の行使に関する利益供与の罪

会社法970条は、株主の権利の行使に関する利益供与の罪を定める。

本罪の主体は、取締役、会計参与、監査役、執行役、民事保全法56条に規定する仮処分命令により選任された取締役、監査役もしくは執行役の職務を代行する者、会社法346条2項等の規定により選任された一時取締役（監査等委員会設置会社にあっては、監査等委員である取締役またはそれ以外の取締役）、会計参与、監査役、代表取締役、委員（指名委員会、監査委員会または報酬委員会の委員をいう）、執行役もしくは代表執行役の職務を行うべき者、支配人、またはその他の株式会社の使用人とされている。なお、特別背任罪では「事業に関するある種類又は特定の事項の委任を受けた使用人」（会960条1項7号参照）と規定されているのと異なり、利益供与の罪においては使用人の範囲に限定がない。

また、問題となる「株主の権利の行使に関し」の要件については、まず、「株主の権利」とは、株主の権利一般をいうと解されていることから、議決権や代表訴訟提起権等の共益権だけでなく、株式買取請求権のような自益権も含まれると考えられる。また、「権利の行使」については、積極的な行使であると、消極的な行使（すなわち不行使）であるとを問わない。

28　西村英樹＝馬渡直史「株主総会決議取消し、不存在確認、無効確認の訴え」東京地方裁判所商事研究会編『類型別会社訴訟Ⅰ〔第3版〕』（判例タイムズ社、2011）389頁（Q31）。

COLUMN

反社会的勢力への対応[29]

いわゆる総会屋をはじめとする反社会的勢力が株主総会に介入するケースは、従前と比べて減少しているものの、まったく根絶されたわけではない。証券代行機関からもたらされる株付け情報に注意するとともに、かかる反社会的勢力が自社株主となった場合には、その対応について、以下の点に留意する必要がある。

まず、株主権行使に関し利益を供与した場合には利益供与の禁止（会120条）に該当し、違反した場合には民事責任（同条4項、会423条1項等）が発生するのみならず、刑事責任（会970条1項）も発生する[30]。反社会的勢力株主への対応については、株主総会当日のみならず、日常的な対応にも注意を払い、かかる利益供与は絶対にしないよう注意する必要がある。

次に、事前準備として、会場の警備体制、警察官の臨場要請、受付の人員配置、マイクの配置、役員席と株主席の配置といった会場設営を工夫し、反社会的勢力株主の言動による議事進行の妨害や、役員ないし他の出席株主への危害を防止する対策を検討することも必要となる。また、危険物等の持込みが予想される場合には、株主総会当日の入場の段階で、手荷物検査を実施するということも考えられる。なお、手荷物検査は無制限に正当化されるものではなく、一定の状況下においてのみ正当化される点には注意を要する[31]。

さらに、実際に反社会的勢力株主が株主総会に臨席して発言をする場合には、議長の議事整理権ないし秩序維持権（会315条）を適切に行使し、た、説明義務の適切な履行（会314条、施71条）[32]によって、議事進行の妨害を排除することができる。

そして、上記の対応では不十分となるおそれがあることが予想される場

29　株主総会における反社会的勢力対応については、本村健＝泉篤志「株主総会に係る留意点」金法1901号（2010）86頁参照。なお、同解説は金融機関における株主総会を念頭に置いているものの、他の一般事業会社の株主総会についても参考になる。

30　66頁参照。近時においても、2022年3月、株主総会の円滑な進行の見返りとして観劇券を渡したとして会社の役員および社員が書類送検される事例が発生している（なお、その後同役員および社員は不起訴となった）。

31　九州電力事件・福岡地判平成3・5・14判時1392号126頁、東北電力事件・仙台地判平成5・3・24資料版商事109号64頁。

32　説明義務の範囲については、第5章209頁以下参照。

合には、反社会的勢力株主を債務者として、株主総会出席禁止の仮処分を申し立てることを検討する必要がある[33]。

万が一、反社会的勢力株主への対応が必要となれば、近年は総会屋の減少とともに、対応に精通した弁護士も減少しているなか、通常の株主総会業務を依頼する弁護士に加えて、各弁護士会の民暴委員会に所属する等その分野の対応に実績のある弁護士も起用してセカンドオピニオンを得ておくことも有益であろう。

33　株主総会への出席禁止仮処分の申立てに対し、債務者（株主）が所持品検査を受け武器類を所持しないことを証明しない限り株主総会に出席してはならないとの条件付きで認容決定をした例として、中国銀行事件・岡山地決平成20・6・10金法1843号50頁がある。

第3章

株主総会は書類が命!!

第１節　株主総会に関する書類

202Y年６月９日

●解説

1　招集書類の重要性

株主総会に関わる書面にはさまざまなものがあるが（本章72頁）、特に株主総会の招集に当たって株主に提供する必要のある書類（以下「招集書類」という）については、以下の各観点を踏まえて作成することが重要となる。

（1）招集書類に不備があった場合の法的リスク

招集書類の法定記載事項に不備があった場合、株主総会の招集手続が法令に違反していたとして、株主総会の決議取消事由となりえ（会831条1項1号）、また、不備の程度によっては、そもそも株主総会の招集自体が有効になされたものとみることができず、当該招集手続に基づく株主総会決議は不存在（会830条1項）であると評価されるおそれもある。そのため、招集書類を作成するに当たっては、まずはその法定記載事項の遺漏がないかを確認することが重要である。特に、法定記載事項に関する改正があった場合や、例年とは異なる議題の株主総会参考書類を作成する場合には、法定記載事項を適切に記載しているかを慎重に確認する必要がある。

（2）株主に対する情報開示の充実

上場会社の場合、株主総会は株主との建設的な対話の場であることを認識した上で、株主総会において株主が適切な判断を行うことに資すると考えられる情報を、必要に応じ適格に提供することが求められているところ（CGコード原則1-2、CGコード補充原則1-2①）、招集書類は、CGコード等を踏まえた株主との建設的な対話のための情報を統合的に開示するという観点からも重要な意義を有している。

たとえば、2021年改訂CGコードでは、サステナビリティの基本方針の策定および取組の開示（CGコード補充原則4-2②、3-1③）、取締役会において決定された事業ポートフォリオに関する基本的な方針等の開示（CGコード補充原則5-2①）、中核人材の登用等における多様性の確保に関する開示（CGコード補充原則2-4①）、取締役の有するスキル等の組み合わせの開示（CGコード補充原則4-11①）等が求められるようになった。これらを踏まえて、多くの会社において、事業報告や株主総会参考書類において、法定記載事項の記載のみならず、株主との建設的な対話に資する情報等を任意的に記載する等、その内容を拡充しているところである。

このように、招集書類は株主に対する積極的な情報開示機能をも有するため、当然ながら記載内容の正確性はきわめて重要である。特に、会社が公表する決算短信、有価証券報告書、統合報告書、コーポレート・ガバナンスに関する報告書、ウェブサイト等の記載内容と齟齬が生じないように留意する必要がある。

なお、事業報告や株主総会参考書類の記載内容が一般的には株主総会における説明義務の範囲を画することになることを念頭に置きつつ、株主総会でこれらの記載内容に関する事項について質問があった場合には、どの程度説明するかをあらかじめ検討しておくことが望ましい。

2　事前に株主に対して交付する書類群（計算書類、招集通知等）

（1）計算書類関係

ア　計算書類（会 435 条 2 項）

貸借対照表、損益計算書、株主資本等変動計算書および個別注記表からなり、招集通知の添付書類の 1 つである。

イ　連結計算書類（会 444 条 1 項・3 項）

連結貸借対照表、連結損益計算書、連結株主資本等変動計算書および連結注記表からなり、招集通知の添付書類の 1 つである。

有価証券報告書を提出する大会社では作成が義務付けられている。

ウ　事業報告（会 435 条 2 項）

会社の状況に関する事項等を記載した書類であり、招集通知の添付書類の 1 つである。

エ　附属明細書（会 435 条 2 項）

計算書類に附属するものと事業報告に附属するものがあるが、いずれもその内容を補足するものであり、通常は 1 つの書類として作成する。なお、株主には送付されない。

オ　監査役（会）監査報告（会 436 条 1 項・2 項、444 条 4 項、381 条 1 項、390 条 2 項 1 号）

監査役（および監査役会）の①計算書類および附属明細書、②連結計算書類、ならびに、③事業報告および附属明細書に対する監査の方法およびその内容、ならびに監査の結果等を記載するもので、計算書類と事業報告に対する監査報告は、招集通知の添付書類である。連結計算書類に対する監査報告についても、実務上は任意に添付している。

カ　会計監査報告（会 436 条 2 項 1 号、444 条 4 項、396 条 1 項）

会計監査人設置会社において、会計監査人は、①計算書類および附属明細書、ならびに、②連結計算書類を監査するものであるところ、計算書類に対する会計監査報告は、招集通知の添付書類である。上記**オ**と同様、連結計算書類に対する会計監査報告についても、実務上は任意に添付している。

（2）招集通知関係

ア　狭義の招集通知（会 299 条）

株主総会招集に関して取締役会で決議する事項（株主総会の日時および場所、

その目的事項等）を記載した書面で、株主総会の日の2週間前までに株主に発する必要がある。

※参加型バーチャル株主総会の場合の案内事項

参加型バーチャル株主総会の場合、招集通知の必要的記載事項ではないが、通常の記載事項に加えて、参加の方法や参加する場合の取扱い、注意事項等についても、招集通知に記載することが通例である。

記載場所としては、狭義の招集通知の次に記載する例が多いが、招集通知の議決権行使に関する案内、裏表紙等に記載する方法や、招集通知に同封する別紙において記載する方法も考えられる。

イ　株主総会参考書類（会301条1項）

株主が議決権行使書や電磁的方法により議決権の行使を行う場合に参考にする議案の内容および参考情報が記載される。

ウ　議決権行使書（会301条1項）

株主総会に出席できない株主が書面によって議決権を行使できるようにするために作成される。株主は議案ごとの賛否を記載して会社に提出することにより、議決権を行使する。

エ　包括委任状（会310条1項、金商法施行令36条の2）

主に手続的動議に対して議長が意図する採否に至るように、株主が議決権（動議に対する議決権を含む）を行使する一切の権限を委任する旨の委任状である。委任状勧誘府令の適用がある場合、法定の様式に沿った委任状と併せて勧誘参考書類を交付する必要があり、また、これらに加えて、勧誘の趣旨や委任状の記入方法等を記載した案内文書等も交付されることがある。

（3）電子提供制度（会325条の2から7）

電子提供措置（①株主総会参考書類、②議決権行使書、③計算書類および事業報告、④連結計算書類の内容等を自社のホームページ等のウェブサイトに掲載する等の措置）をとる旨の定款の定めを設けた上で、電子提供措置をとり、株主に対して当該ウェブサイトのアドレス等を株主総会の招集通知に記載等して通知した場合には、株主に対して①から④の書類を適法に提供したこととされる制度である。

令和元年改正会社法により新たに設けられた制度で、2022年9月1日に施行された。

電子提供制度を利用する場合、上記ウェブサイトのアドレス等、一定の事項を記載した招集通知（なお、招集通知に通常記載する事項の一部については記載を省略することができる）を送付することになる。他方で、電子提供制度を利用する場合でも、株主は、会社に対し、電子提供措置により提供される情報を記載した書面の交付を請求することができ（書面交付請求）、その場合には請求された書面の交付も必要になる。もっとも、定款で定めることにより、一部の事項（ウェブ開示制度の対象事項と概ね同一の事項）については、当該書面への記載を省略することができる。

電子提供制度を利用する場合でも、議決権行使書については、招集通知に添付することにより電子提供措置をとる必要がなくなる（会325条の3第2項)。議決権行使書を本人確認資料として利用する観点や、個人株主の議決権行使比率の低下防止の観点も踏まえ、従前どおり書面で議決権行使書を送付する発行会社が多いのではないかと考えられる。

また、上場会社の場合、電子提供制度の利用が義務付けられている。

3　株主総会運営に関連して作成される内部の書類群

（1）株主総会議事進行要領（略）
（2）議長シナリオ（略）
（3）会場見取り図（略）
（4）想定問答集（略）
（5）株主総会で使用する株主向け説明用資料（投影資料等）（略）

4　株主総会招集に関する決議等に関連する書類の概要

（1）取締役会議事録（会369条3項）

株主総会の招集や計算書類等の承認をする取締役会決議に関する議事の経過の要領およびその結果等を記載する議事録である。

（2）証券取引所の適時開示（有価証券上場規程402条等）

株主総会に上程する議案を決定する取締役会決議が会社の正式な意思決定となる場合には、一部の議案（定款の変更等）についてはその時点で証券取引所の適時開示の対象となる。

（3）独立役員届出書（有価証券上場規程施行規則436条の2）

証券取引所によって確保が義務付けられている独立役員（一般株主と利益相反が生じるおそれのない社外取締役または社外監査役）に関する事項を記載したもので、独立役員の異動がある場合等に証券取引所に提出する必要がある。

5　株主総会後に作成される書類群[1]

(1) 決算公告（会 440 条 1 項・4 項）

大会社は、定時株主総会の終結後、遅滞なく貸借対照表および損益計算書を公告しなければならないが、有価証券報告書の提出会社はこれを省略できる。

(2) 決議通知、株主通信

法律上必須ではないが、上場会社では、通常、株主総会終結後に株主総会の決議結果を株主に送付している。また、これに併せて、会社の PR 目的で事業報告や計算書類と同じような内容を記載した報告書（株主通信という名称が用いられることが多い）を送付することもある。

(3) 臨時報告書（開示府令 19 条 2 項 9 号の 2）

決議事項に関する議決権の行使結果として、賛成、反対および棄権の議決権数等を集計して開示するものである。

(4) 株主総会議事録（会 318 条 1 項）

株主総会の議事の経過の要領およびその結果等、会社法施行規則 72 条 3 項が定める事項を記載する議事録である。

(5) 取締役等の変更の登記（会 915 条 1 項、商登法 54 条）等の申請書

株主総会において取締役または監査役が選任され、または任期満了によって退任する等、登記事項に変更が生じた場合には、本店所在地において 2 週間以内に変更登記することが必要となる。

(6) 配当金関係書類

株主総会により剰余金の配当が決議された場合、株主に対して配当金を支払うために配当金領収証や配当金計算書等が配当金関係書類として決議通知とともに株主に送付される。

1　書類の具体的な内容については、第 7 章参照。

COLUMN

招集通知に印刷漏れがあった場合の対処方法

(1) 事実関係の確認

予定していた記載内容に問題はなかったものの、印刷時において印刷漏れがあったことが判明した場合、まずは事実関係を確認することが必要であろう。どれだけの数の招集通知について、どの部分に印刷漏れがあったのか、印刷漏れがあった招集通知を発送した株主は特定できるのかといった事情により、事態の深刻さは大きく変わってくる。たとえば、印刷漏れがあったのは会社が任意に追記した情報が記載されたページのみであり、実際に発送された招集通知は、法定記載事項（電子提供措置を採用している場合、会社法325条の4第2項および会社法施行規則95条の3に定める事項）を網羅したものとなっているということであれば、後記**(2)**の法的リスクの問題は生じない。この場合は、株主に対する任意の対応として、招集通知の追送や印刷漏れについての開示の要否等を検討することになろう。

(2) 想定される法的リスク

仮に、印刷漏れにより、招集通知に法定記載事項が欠落した状態で株主に発送されてしまった場合、どのような法的リスクがあるのか。この場合、株主総会の招集手続が法令に違反していたとして、株主総会の決議取消事由となりうる（会831条1項1号）。また、印刷漏れの程度が著しい場合（たとえば、法定記載事項の全部が欠落した状態）には、そもそも株主総会の招集自体が有効になされたものとみることができず、それに基づいてなされた株主総会決議は不存在であると評価される（会830条1項）こともありえないではない。

(3) 法的リスクの低減策

印刷漏れが判明した場合、株主総会決議が取り消されたり、不存在と評価されたりするリスクを低減するにはどうすべきか。

仮に、印刷漏れが判明した時点で招集通知の発送期限（電子提供措置を採用している会社の場合、株主総会の日の2週間前までである（会325条の4第1項））が到来していない場合は、当該期限までに印刷漏れのない招集通知を発送し直す（印刷漏れのある招集通知の送付先の株主が不明である場合、全株主が送付先となる。以下同じ）ことで、上記リスクをゼロにすることが可能となる。

これに対して、印刷漏れが判明した時点で招集通知の発送期限が過ぎているケースではどうか。

この場合、印刷漏れのない招集通知を発送し直したとしても、株主総会決議が取り消されるリスクをゼロにすることはできない。すなわち、かかる場合、印刷漏れのない招集通知を発送し直すことで、招集通知に法定記載事項が記載されていないという瑕疵は治癒されるが、招集通知期間の不足という、株主総会の決議取消事由（会831条1項1号）となりうる別の瑕疵が残ることとなる。

それでは、ウェブ修正（詳細は本章84頁および第4章193頁参照）の方法を利用し、漏れのない招集通知を会社のウェブサイトに掲載することで、瑕疵を治癒することはできないか。

この点、会社法改正前の実務では、狭義の招集通知記載事項の誤記・印刷ミスについても、ウェブ修正による修正が許容されるとの見解が示されており[2]、かかる見解に従えば、改正後においても、①招集通知と併せて会社のウェブサイトにおいて修正後の事項を掲載する旨を通知しておき、②実際にウェブサイトに正しい招集通知を掲載することで、瑕疵を治癒しうると考えられる。

もっとも、狭義の招集通知については、株主総会参考書類等と異なり、法令上、ウェブ修正が認められることを前提とした明文の定めはなく、ウェブ修正が認められない可能性も否定はできない。また、この点を措いても、法令条文上は、「修正後の事項を株主に周知させる方法」が株主に通知されていることがウェブ修正の前提となっているところ（施65条3項・133条6項、計133条7項・134条7項）、招集通知に印刷漏れがある場合、「修正後の事項を株主に周知させる方法」（＝上記①）自体に印刷漏れが生じていること（またはその可能性が否定できないこと）も考えられる。このような場合には、漏れのない招集通知をウェブサイトに掲載したとしても、瑕疵の治癒が認められないリスクがあると考えられる。さらに、ウェブ修正が認められる範囲については、誤植、その他の比較的重要でない事項の修正に限られると解されており、印刷漏れの程度によってはウェブ修正による治癒が認められない場合もありうる。

そこで、株主総会決議取消訴訟が提起された場合に裁量棄却の主張が認められる可能性を高めるべく、印刷漏れのない招集通知の再発送およびウェブサイトへの掲載以外の措置も講じておくのが最善策であろう。

すなわち、決議取消事由の中でも、招集手続または決議の方法に法令または定款の違反がある場合（今回は招集手続の法令違反）については、裁

2　武井一浩＝郡谷大輔『会社法・金商法実務質疑応答』（商事法務、2010）93頁［郡谷大輔＝松本絢子］。

判所は、その違反が重大でなく、かつ決議に影響を及ぼさないものであると認めるときは、決議取消の請求を棄却することができるとされている（裁量棄却、会831条2項）。したがって、仮に印刷漏れが判明した時点で招集通知の発送期限が過ぎている場合であっても、可能な限りの方策を尽くし、違反が重大でなく、かつ決議に影響を及ぼさないことを基礎付ける事実を積み重ねることにより、事後的に決議取消訴訟を提起された場合に裁量棄却となる蓋然性をできる限り高めるべきであろう。

たとえば、印刷漏れのない招集通知の再発送およびウェブサイトへの掲載に加え、①適時開示の方法により印刷漏れに関する説明を行う、②議場において印刷漏れのない招集通知を出席株主全員に配布する等の方策が考えられる（加えて株主総会の場で、議長から株主に対し、印刷漏れの内容、招集通知の再発送、ウェブサイトへの掲載および適時開示を行ったこと、ならびに議場でも印刷漏れのない招集通知を配布したこと等を説明するのが丁寧であろう）。

第２節　招集書類

202Y 年 4 月 10 日

●解説

1　招集通知

証券コード○○○○
20xx年6月xx日

株主各位

東京都港区港南○丁目1番地1
X電機株式会社
（代表）取締役社長○○○○

第○回定時株主総会招集ご通知[3]

拝啓　平素は格別のご高配を賜り厚く御礼申し上げます。
　さて、当社第○回定時株主総会を下記のとおり開催いたしますので、ご通知申し上げます。
　なお、当日ご出席されない場合は、以下のいずれかの方法によって議決権を行使することができますので、お手数ながら後記の株主総会参考書類をご検討いただき、いずれの場合も、20xx年6月xx日（○曜日）午後6時までに議決権を行使してくださいますようお願い申し上げます[4]。
[郵送による議決権行使の場合]
　同封の議決権行使書用紙に議案に対する賛否をご表示の上、上記の行使期限までに到着するようご返送ください。
[インターネットによる議決権行使の場合]
　当社指定の議決権行使ウェブサイト（https://www.○○○○）にアクセスしていただき、同封の議決権行使書用紙に表示された「議決権行使コード」および「パスワード」をご利用の上、画面の案内にしたがって、議案に対する賛否をご入力ください。
　インターネットによる議決権行使に際しましては、○頁の「インターネットによる議決権行使のご案内」をご確認くださいますようお願い申し上げます。
　なお、議決権行使書とインターネットによる方法とを重複して議決権を行使された場合は、インターネットによる議決権行使を有効なものといたします[5]。
敬　具

記

1．日　時　20xx年6月xx日（○曜日）午前10時[6]
2．場　所　東京都港区港南○丁目1番地1当社○階会議室[7]

3　全国株懇連合会「招集通知モデル」（平成18年8月25日全国株懇連合会理事会決定、2021年7月26日改正）参照。
4　会298条1項3号・4号、施63条3号ロ・ハ。
5　施63条4号ロ。
6　会298条1項1号。
7　会298条1項1号。

3. 目的事項[8]

報告事項

1. 第○期（20xx年4月1日から20xx年3月31日まで）事業報告、連結計算書類ならびに会計監査人および監査役会の連結計算書類監査結果報告の件[9]

2. 第○期（20xx年4月1日から20xx年3月31日まで）計算書類報告の件[10]

決議事項

第1号議案　剰余金の配当の件

第2号議案　取締役3名選任の件

第3号議案　取締役報酬額改定の件

以　上

○当日ご出席の際は、お手数ながら同封の議決権行使書用紙をご持参いただき、会場受付にご提出くださいますようお願い申し上げます。

○事業報告、連結計算書類および計算書類ならびに株主総会参考書類の記載事項に修正が生じた場合には、当社ウェブサイト（https://www.○○○○）にて、修正後の内容を掲載させていただきます[11]。

○本招集ご通知に際して提供すべき書類のうち、連結注記表および個別注記表につきましては、法令および定款第15条の規定に基づき、当社ウェブサイト（https://www.○○○○）に掲載しておりますので、本招集ご通知添付書類には記載しておりません[12]。

○本総会におきましては、当日会場にご来場いただけない株主様も、後記のインターネット等の手段を用いて、株主総会当日の議事進行の状況をライブ配信でご確認いただくことができます。

インターネット等の手段を用いた株主総会への参加に関するご案内[13]

1. インターネット等の手段を用いた株主総会への参加とは

本総会におきましては、当日会場にご来場いただけない株主様にも、インターネット等の手段を用いて、株主総会当日の議事進行の状況をライブ配信でご確認いただくことができます（以下、インターネット等の手段を用いて株主総会にご参加いただくことを「バーチャル参加」といい、バーチャル参加いただく株主様を「バーチャル参加株主様」といいます）。もっとも、バーチャル参加株主様は、株主総会に「出席」したものとは取り扱われない点、ご承知おきください。

また、通信環境の影響により、ライブ配信の画像や音声が乱れ、あるいは一時断絶される等の通信障害が発生する可能性がございます。

8 会298条1項2号。

9 会438条3項、444条6項・7項・4項。

10 会439条。

11 施65条3項。

12 計133条4項、134条4項。

13 東京株式懇話会「バーチャル総会の運営実務」（2021年10月22日）22～24頁参照。

2. バーチャル参加に必要となる環境
バーチャル参加を行うためには、株主の皆様におかれて、以下の環境を整えていただく必要がございます。

＜ 略 ＞

3. バーチャル参加の方法（システムへのログイン方法）
バーチャル参加を希望される株主様は当社から株主様宛に送付します○○に記載する ID およびパスワードを用いて、当社ウェブサイト上（https：//www.○○○○）から当社所定のバーチャル参加システムにログインいただきますようお願いいたします。
ログインの方法およびバーチャル参加システムの具体的な使用方法は、別添「○○」をご参照ください。

4. その他留意事項
バーチャル参加株主様は、当日採決に参加し議決権行使を行うことはできないため、上記でご案内した方法にて事前に議決権を行使いただきますようお願い申し上げます。
また、バーチャル参加株主様につきましては、お土産をお渡しすることはできませんので、あらかじめご了承ください。
上記に関するより詳細な情報、システム障害等の事情変更への対応その他のお知らせにつきましては、適時当社ウェブサイト上（https：//www.○○○○）に掲載いたしますので、こちらの内容も併せてご覧ください。

5. 相談窓口
バーチャル参加に関して、パソコンやスマートフォンの操作方法等がご不明な場合は、電話によるお問い合わせにも対応しております。
議決権行使書をお手元にご準備の上で、以下にお問い合わせください。

＜ 略 ＞

インターネットによる議決権行使のご案内

＜ 略 ＞

（1）招集通知の方式

招集通知の様式、紙質等について、法令上特段の制限はない。言語については、法解釈上は日本語によることが当然であり、株主がたとえ外国人であっても、日本語による招集通知を出せば足りるとされているものの、CG コードでは、自社の株主における機関投資家や海外投資家の比率を踏まえ英訳を進めるべきとされ（CG コード補充原則 1-2 ④）、また、その海外投資家等の比率も踏まえ、合理的な範囲において、英語での情報の開示・提供を進めるべきとされている（CG コード補充原則 3-1 ②）。さらに、プライム市場上場会社については、2021 年改訂 CG コードにより、開示書類のうち必要とされる情報について、英語での開示・提供を『行うべき』とされており（CG コード補充原則 3-1 ②）、このような改訂の趣旨や特にプライム市場上場会社に対しては海外投資家からの投資も期待されていること等を踏まえると、プライム市場上場会社は基本的には招集通知の英訳を実施すべきということになるだろう。

(2) 招集通知の発信日付

招集通知を発送する日（発信日付）を記載する。法定の発送期限（公開会社においては原則として株主総会当日の2週間前であり、発送日から株主総会当日までの間に中14日間を空けておく必要がある。会299条1項）内に招集通知を発したことを明らかにする意味もある。

(3) 招集権者

会社の所在地、商号、ならびに招集権者である取締役の役位および氏名を記載する。

(4) 題名

「定時株主総会」か「臨時株主総会」であるかの区別を明記する。定時株主総会の場合は、「第○期」または「第○回」としていつの定時株主総会であるかを特定して記載する。

(5) 冒頭文

書面投票制度または電子投票制度を採用する会社の場合、出席依頼文言に続けて、議決権行使書の返送やインターネット等による議決権行使の方法、行使期限を記載する。

(6) 招集の決定事項

ア　開催日時および開催場所

開催日時および開催場所は、必要的記載事項である（会299条4項、298条1項1号）。開催場所については、会場の住所、建物の名称および具体的場所（階数、会場の名称等）を記載する。

イ　目的事項

株主総会の目的事項は、招集通知の必要的記載事項であり（会299条4項、298条1項2号）、具体的な記載方法としては、報告事項と決議事項に分けて、それぞれ該当する事項を列記する方法が一般的である。

(ア) 報告事項

特に決まった様式は定められていない。

本サンプルのように、計算書類に関する事項と連結計算書類に関する事項をそれぞれ区分して記載する会社のほか、事業報告、計算書類および連結計算書類等に関する事項をすべて一括して記載する会社も多い。前者の場合、事業報告は、その内容が企業集団に関する事項を中心としているか、事業報告作成会社に関する事項を中心としているか等に応じて、計算書類に関する事項と並べて報告事項とするか、あるいは、連結計算書類に関する事項と並べて報告事項としている。

なお、事業報告とそれ以外の事項を区分して記載する会社もある。

(イ) 決議事項

決議事項に関しては、決議事項の「議題」を記載する。複数の決議事項がある場合には、「第1号議案」「第2号議案」といった連番を付して記載するのが一般的である。決議事項が1つの場合には、「第1号議案」とせずに、単に「議案」とする。

株主総会の審議は、通常、招集通知に会議の目的事項として記載された順序に従って行われることから、株主総会の議事の順序に合わせて決議事項を記載するのが通例である。

そして、議案の順序は、重要性、議案相互間の関連性等に応じ、適宜配列を検討するため、たとえば、ある議案が承認されることが別の議案の前提条件となる場合、前提条件となる議案を先順位に配列する必要がある。

こうした議案配列の結果、剰余金の配当議案、定款変更議案等が先順位とされ、これに役員選任議案が続き、役員報酬議案(報酬等の改定議案、退職慰労金の贈呈議案等)は後順位とされることが多い。

議案の株主提案がなされている場合、会社提案議案に引き続いて、株主提案議案を記載し、両者を区別する趣旨でそれぞれ「会社提案」「株主提案」と表示する会社が多い。なお、株主提案がない場合には、あえて「会社提案」との表示はしないことが一般的である。株主提案の詳細については第4章第4節参照。

(7) その他の欄外の記載

ア　議決権行使書の提出

来場者の株主資格を確認する方法としては、株主に対して送付される議決権行使書を持参した者を株主として扱い、会場に入場させるという取扱いが一般的であり、その周知のために、招集通知の欄外に、当日出席の際は同封の議決権行使書を持参し会場受付に提出するよう記載することが通例である。

イ　ウェブ修正

招集通知の発送後に株主総会参考書類、事業報告、計算書類および連結計算書類の記載事項に修正すべき事情が生じた場合に備えて、修正事項を株主に周知させる方法を招集通知に記載しておくことが可能であるが(施65条3項・133条6項、計133条7項・134条7項)、その方法としては修正後の事項をインターネットのホームページに掲載することによって株主に周知させることが許容されている。かかる修正方法はウェブ修正と呼ばれているが、ウェブ修正を採用する場合には、招集通知にその旨とインターネットのホームページのアドレスを記載することになる(その他ウェブ修正の詳細については本章

84 頁および第 4 章 193 頁参照）。

ウ　ウェブ開示

ウェブ開示制度は、株主総会参考書類、事業報告、個別注記表、株主資本等変動計算書および連結計算書類といった株主に提供すべき事項について、これをインターネットのホームページに掲載し、当該ホームページのアドレスを株主に対して通知することにより、当該事項は株主に対して提供されたものとみなし、当該事項について招集通知とともに書面等で提供することを省略できる制度である（施 94 条 1 項・133 条 3 項・計 133 条 4 項・134 条 4 項）。ウェブ開示制度を利用している場合、その旨の説明を招集通知の欄外に記載することになる。

なお、電子提供制度（会 325 条の 2 から 7。その概要については本章 73 頁参照）を導入する場合、電子提供措置をとる旨の定款の定めが必要になるが、電子提供制度の導入後は現行法のウェブ開示制度を利用する必要がなくなるため、当該定款の定めの新設と同時に、ウェブ開示に関する定款の定めを削除することが通例である。

（8）参加型バーチャル株主総会の場合

参加型バーチャル株主総会の場合、招集通知の必要的記載事項ではないものの、参加型バーチャル株主総会の案内として、主に以下の事項について招集通知に記載することが通例である。

① 参加方法に関する事項…インターネット等の手段を用いて参加できること、株主側で手配する必要のある環境、当日の参加方法（URL、ID・パスワード等）、株主総会中のコメントを認める場合におけるコメントの送信方法[14]、事前登録制を採用する場合における参加の事前登録の方法

② 参加する場合の取扱い…法的には「出席」とは扱われないこと、コメントを認める場合でも「質問」には該当せず、動議や採決への参加もできないこと、議決権を行使するには当日代理人に行使させるか、事前に書面または電磁的方法で行っておく必要があること

③ その他注意事項…通信障害等が発生し、映像や音声が乱れる可能性や配信が停止される可能性があること、問い合わせ先等

14　株主総会中のコメントに関する事項とは別に、インターネットにより事前質問を受け付ける場合に事前質問に関する案内（受付期間、事前質問の方法等）を記載する例も見られる。

COLUMN

コロナ禍での株主総会

2020 年より流行した新型コロナウイルス感染症によってそれ以前までの株主総会の運営実務は大きく変革を迫られることになった。コロナ禍での株主総会では、感染拡大防止の観点から、従前の対応事項に加えて、たとえば以下の事項等について検討・対応することになる。いずれの事項も感染状況を踏まえてその採否等について検討する必要があり、情勢を的確にとらえ株主総会の機能を損なわないよう、適切な感染拡大防止対策を講じることが望まれる。なお、検討に当たっては経済産業省・法務省の「株主総会運営に係る Q&A」(2020 年 4 月 28 日最終更新) 等も参考になる。

(1) 会場の設営

会場の設営に当たっては、①一定の距離を確保した座席の配置、②会場内の換気、③備品・設備 (株主・スタッフ配布用のマスク、消毒用アルコール、サーモグラフィー、非接触型体温計、アクリル板、フェイスシールド、手袋、議決権行使書の受渡用トレー等) の準備、④マイクの配置・消毒等について、対応を検討する。

(2) 受付事務

受付においては、マスク着用の要請、検温の実施・問診票の記入等による感染の兆候確認、アルコール消毒の要請を行うことが考えられる。

(3) 株主に対する事前周知・来場自粛要請

株主に対しては、招集通知やホームページにおいて、来場自粛の要請、書面投票・電子投票の推奨、発熱がある場合には入場を断ること、検温の実施、マスク着用依頼等について案内を記載し、感染防止対策のためにとる制限について周知を図ることになる。特に従前の株主総会実務と異なる点としては、感染拡大防止の観点から、株主に来場を控えるよう呼びかけるという点が特徴的である。

(4) 入場制限

来場した株主に対して、議場の定員を超過した場合の入場制限、検温の実施等により感染が疑われる体調不良者の入場制限、マスク着用を拒否する者の入場制限等を行うことが考えられる。また、事前登録制、すなわち、株主総会への出席を希望する株主に事前登録を依頼し、事前登録者を優先的に入場させる等の措置を講じる例も存在する。

(5) 総会の議事進行

総会の議事進行についても、開催時間を短縮するため、監査報告・報告事項・決議事項の説明をそれぞれ短縮することや、株主の質問数や時間を合理的な範囲で制限すること等が検討され、そのために従前のシナリオの見直しも必要になる。

また、当日役員やスタッフに感染者が出た場合のセカンドプランも準備が必要である。

(6) お土産、懇親会等

お土産の配布や懇親会・説明会等のイベントの開催も基本的には実施を控えることになる。

2 事業報告

事業報告[15]
○年4月1日から
○年3月31日まで

Ⅰ 企業集団の現況に関する事項

1. 事業の経過およびその成果[16]

当連結会計年度のわが国経済は、……(略)

このような環境の下、当社の家庭電器事業については、……(略)

これらの結果、当期の営業収益は○○○○百万円、経常利益は○○○百万円、当期純利益は○○○百万円となりました。

(家庭電器事業)

当連結会計年度は、○○により家庭機器の需要が大きく増加しました。(略)その結果、家庭電器事業の営業収益は○○○○億円(前年度比○○億円の増加)となりました。

(メカトロニクス事業)

(略)

(半導体・デバイス事業)

(略)

(その他事業)

(略)

2. 設備投資等の状況[17]

当連結会計年度は、新工場の建設等を中心として、総額○○○○百万円の設備投資を行いました。

3. 資金調達の状況[18]

当連結会計年度は、当社において○年9月○○日に第○回無担保社債200億

15 全国株懇連合会「事業報告モデル」(平成18年8月25日全国株懇連合会理事会決定、2021年1月22日改正)参照。

16 施120条1項4号。

17 施120条1項5号ロ。

18 施120条1項5号イ。

円を発行いたしました。
　なお、当連結会計年度末の有利子負債は、借入金の約定弁済等により、前連結会計年度末に比べ○○○百万円減少し、○○○○百万円となりました。

4. 対処すべき課題[19]
　今後のわが国経済は、○○により緩やかな景気拡大が期待される一方、……（略）
　当業界におきましては、……（略）

5. 財産および損益の状況の推移[20]

区分	第○期（○年度）	第○期（○年度）	第○期（○年度）	第○期（○年度）
営業収益（百万円）	○○○○	○○○○	○○○○	○○○○
経常利益（百万円）	○○○	○○○	○○○	○○○
当期純利益（百万円）	○○○	○○○	○○○	○○○
1株当たり当期純利益（円）	○○.○○	○○.○○	○○.○○	○○.○○
総資産（百万円）	○○○○	○○○○	○○○○	○○○○
純資産（百万円）	○○○○○	○○○○○	○○○○○	○○○○○
1株当たり純資産額（円）	○○.○○	○○.○○	○○.○○	○○.○○

6. 重要な子会社の状況[21]

会社名	資本金	議決権比率	主要な事業内容
株式会社X電機マニュファクチャリング	500百万円	100.00%	電子機器の製造・販売
Xソリューションズ株式会社	500百万円	100.00%	ソフトウェア、サービス、情報処理機器の販売
株式会社X電工	100百万円	100.00%	製品の販売・電気工事の請負

7. 主要な事業内容[22]

主要な事業	事業内容
家庭電器事業	冷蔵庫、エアコン、照明器具、液晶テレビ、電子レンジ等の家庭用電機製品の製造・販売
メカトロニクス事業	メカトロニクス製品の企画・設計・製造
半導体・デバイス事業	半導体および半導体関連商品の製造・販売
その他事業	資材調達事業・物流事業・ハウジングシステム事業その他

19　施120条1項8号。
20　施120条1項6号。
21　施120条1項7号。
22　施120条1項1号。

8．主要な営業所[23]

会社名	名称	所在地
X 電機株式会社	本店	東京都港区
	大阪支店	大阪府大阪市中央区
株式会社 X 電機マニュファクチャリング	本店	東京都港区
X ソリューションズ株式会社	本店	東京都港区
株式会社 X 電工	本店	東京都港区

9．使用人の状況[24]

（1）企業集団の使用人の状況

使用人数	前連結会計年度末比増減
○○○（○○）名	+○名

（注）使用人数は就業人員（当社グループから当社グループ外への出向者を除き、当社グループ外から当社グループへの出向者を含みます）であり、臨時使用人数は（　）内に年間の平均人員を外数で記載しております。

（2）当社の使用人の状況

使用人数	前連結会計年度末比増減	平均年齢	平均勤続年数
○○○（○○）名	+○名	○○．○歳	○○．○年

（注）使用人数は就業人員（当社から社外への出向者を除き、社外から当社への出向者を含みます）であり、臨時使用人数は（　）内に年間の平均人員を外数で記載しております。

10．主要な借入先[25]

借入先	借入額
株式会社○○○銀行	○○○○百万円
株式会社○○○銀行	○○○○百万円

（1）事業報告の構成

事業報告は、その記載事項が会社法施行規則に定められているものの、この記載順序に合わせる必要はなく、適宜、株主にとって理解しやすいよう各社の判断による順序で記載すれば足りる。なお、事業報告を作成する際に参考になるものとして、全国株懇連合会の事業報告モデルおよび日本経済団体連合会の事業報告モデルが作成されている。それらの構成は以下のとおりであり、会社法施行規則の条文ごとに大項目を設ける構成となっている。

23　施 120 条 1 項 2 号。
24　施 120 条 1 項 2 号。
25　施 120 条 1 項 3 号。

全国株懇連合会の事業報告モデル	日本経済団体連合会の事業報告モデル
1. 企業集団の現況に関する事項 2. 会社の株式に関する事項 3. 会社の新株予約権等に関する事項 4. 会社役員に関する事項 5. 会計監査人の状況 6. 会社の体制および方針	1. 株式会社の現況に関する事項 2. 株式に関する事項 3. 新株予約権等に関する事項 4. 会社役員に関する事項 5. 会計監査人に関する事項 6. 業務の適正を確保するための体制等の整備に関する事項 7. 株式会社の支配に関する基本方針に関する事項 8. 特定完全子会社に関する事項 9. 親会社等との間の取引に関する事項 10. 株式会社の状況に関する重要な事項

(2) 事業報告の記載事項（総論）

ア　事業報告の記載事項は、会社法施行規則 118 条から 126 条までに列挙されているが、すべての会社の事業報告で記載を要するのは、会社法施行規則 118 条が定める、①株式会社の状況に関する重要な事項（計算書類およびその附属明細書ならびに連結計算書類の内容となる事項を除く）、②内部統制システムについての取締役会の決議があるときは、その決議の内容の概要および内部統制システムの運用状況の概要、③会社支配に関する基本方針が定められているときは、その内容の概要、④特定完全子会社[26]を有するときは、その特定完全子会社に関する事項、⑤親会社等[27]との取引があるときは、その取引に関する事項である。

これに加えて、公開会社では、会社法施行規則 119 条が定める、①株式会社の現況に関する事項、②株式会社の会社役員に関する事項（社外役員に関する事項を含む）、③株式会社の役員等賠償責任保険契約[28]に関する事項、④株式会社の株式に関する事項、⑤株式会社の新株予約権等に関する事項を記載する。このうち、①株式会社の現況に関する事項については、事業報告作成会社が当該事業年度に係る連結計算書類を作成している場合には、当該株式会社お

26　当該事業年度の末日において、事業報告作成会社およびその完全子会社等における事業報告作成会社のある完全子会社等の株式の帳簿価額が事業報告作成会社の当該事業年度に係る貸借対照表の資産の部に計上した額の合計額の５分の１（定款でこれを下回る割合を定めた場合はその割合）を超える場合における当該完全子会社等をいう（施 118 条４号）。

27　①事業報告作成会社の親会社、または、②事業報告作成会社の経営を支配している者（法人であるものを除く）として法務省令（施３条の２第２項・３項）で定めるものをいう（施２条１項、会２条４号の２）。

よびその子会社からなる企業集団の現況に関する事項を記載することができる（施120条2項）。

また、会計参与設置会社については会社法施行規則125条が、会計監査人設置会社については会社法施行規則126条がそれぞれ記載すべき事項を定めている。

これらの事項について記載すべき事項がない場合には記載を要しないが、その旨を明記する事例もある。

イ　本解説では、一般的な上場会社を念頭に、取締役会、監査役会および会計監査人を設置する公開会社を前提とし、また、株式会社の現況に関する事項は、企業集団の現況に関する事項を記載するものとする。

ウ　監査等委員会設置会社および指名委員会等設置会社についても、事業報告の記載事項は、基本的には監査役会設置会社と同様であるが、異なる記載が求められる事項については、都度その内容に言及する。なお、監査等委員会設置会社とは、監査役は設置されず、取締役によって構成される監査等委員会が設置される機関設計を行う株式会社（会2条11号の2、327条4項）をいい、指名委員会等設置会社とは、監査役は設置されず、取締役によって構成される指名委員会、監査委員会および報酬委員会が設置され（会2条12号、327条4項）、執行役が業務を執行する機関設計を行う株式会社（会418条）をいう。

（3）株式会社の現況に関する事項

ア　事業の経過およびその成果（施120条1項4号）

「事業の経過およびその成果」は、当連結会計年度における企業集団としての事業の概括的情報として、事業の遂行状況と結果を記載する。一般的には、国内外の経済状況、会社が属する業界の状況を記載の上、企業集団の状況（生産、仕入および販売等、売上高、当期純損益等）を記載することが多い。

事業セグメントが分かれている場合には、事業セグメントごとに記載することが困難な場合を除き、その事業セグメント別に区別して記載することが一般的である。

その他、当連結会計年度において発生した重要な出来事、すなわち経営上の

28　会社が、保険者との間で締結する保険契約のうち役員等がその職務の執行に関し責任を負うことまたは当該責任の追及に係る請求を受けることによって生ずることのある損害を保険者が塡補することを約するものであって、役員等を被保険者とするもの（当該保険契約を締結することにより被保険者である役員等の職務の執行の適正性が著しく損なわれるおそれがないものとして法務省令で定めるものを除く）をいう（施2条2項68号、会430条の3第1項）。いわゆるD&O保険の保険契約等である。

重要な契約の締結・解約、重要な研究開発活動、重要な固定資産の取得・処分等も、その重要性に応じた分量で記載することが考えられる。

なお、2021 年改訂 CG コードでは、サステナビリティの基本方針の策定および取組みの開示が求められることとなった（CG コード補充原則 4-2 ②、3-1 ③）。具体的には、2021 年改訂 CG コードにおいて女性管理職の登用が例示されていることから、男女別の従業員数、女性管理職の比率、目標値、取組状況、女性管理職人数と比率の推移グラフ等を「使用人の状況」（施 120 条 1 項 2 号）において記載する例がみられる。また、2021 年改訂 CG コードにおいて人的資本への投資等の開示も規定されていることを受けて、「対処すべき課題」（施 120 条 1 項 8 号）において、人事戦略を記載したり、人権尊重に対する取組みを記載する例がある。さらに、プライム市場上場会社に適用される TCFD またはそれと同等の枠組みに基づく開示についても、「対処すべき課題」においてその概要を記載する例がみられる。

イ　設備投資等の状況（施 120 条 1 項 5 号ロ）

企業集団全体で、生産能力の大幅な増強につながる設備の新設・拡充・改修（重要な設備投資計画を含む）、生産能力に重要な影響を及ぼす固定資産の売却、撤去または災害等による滅失があれば、その内容等を簡潔に記載する。その他に、本社社屋や大規模データセンターの建設等、将来の業績を予測する上で重要なものについて記載することが考えられる。

ウ　企業再編等（施 120 条 1 項 5 号ハ～ヘ）

当連結会計年度中に行われた、①事業の譲渡、吸収分割または新設分割、②他の会社（外国会社を含む）の事業の譲受け、③吸収合併（会社以外のものとの合併（当該合併後当該株式会社が存続するものに限る）を含む）または吸収分割による他の法人等の事業に関する権利義務の承継、および、④他の会社（外国会社を含む）の株式その他の持分または新株予約権等の取得または処分のうち、重要なものを重要性に応じて記載する。

エ　資金調達の状況（施 120 条 1 項 5 号イ）

当連結会計年度中に経常的な資金調達ではない増資または社債発行その他の重要な借入等があった場合に、その内容を簡潔に記載する。

オ　対処すべき課題（施 120 条 1 項 8 号）

企業集団の事業の維持・発展のために対処すべき主要課題を当連結会計年度の業績等を踏まえて記載する。これは、現時点における対処すべき課題を報告するものであるから、事業報告作成時点における対処すべき課題を記載することになる。対処すべき課題を「なし」とすることは一般的な実務では想定されず、実際、各社において創意工夫を凝らしている項目でもある。

なお、2021 年改訂 CG コードでは、上場会社は、取締役会において決定された事業ポートフォリオに関する基本的な方針や事業ポートフォリオの見直しの状況の開示が求められることとなったため（CG コード補充原則 5-2 ①）、この点を対処すべき課題に記載することが考えられる。その他、CG コードにおいて、中期経営計画が目標未達に終わった場合には、その原因や自社が行った対応の内容を十分に分析し、株主に説明することが求められることから（CG コード補充原則 4-1 ②）、この点を対処すべき課題に記載することも考えられる。

カ　直前三事業年度の財産および損益の状況（施 120 条 1 項 6 号）

「直前三事業年度」とは、当連結会計年度より前の三事業年度を指すが、当連結会計年度と対比する趣旨で、当連結会計年度を含めた四事業年度分を記載することが多い。

「財産……の状況」としては、総資産または純資産の記載を要するが、その両方を記載する事例が多い。

また「損益の状況」として、売上高、当期純利益および 1 株当たり当期純利益の額のほか、営業利益や経常利益等を記載する例も多い。

各連結会計年度の前期比較等の説明は求められていないが、財産および損益の状況に大きな変動があった場合には、その主要な要因を記載することが考えられる。

なお、当該事業年度における過年度事項（当該事業年度より前の事業年度に係る貸借対照表、損益計算書または株主資本等変動計算書に表示すべき事項をいう）が会計方針の変更その他の正当な理由により当該事業年度より前の事業年度に係る定時株主総会において承認または報告されたものと異なっているときは、修正後の過年度事項を反映した事項とすることができる（施 120 条 3 項）。

キ　重要な親会社および子会社の状況（施 120 条 1 項 7 号）

会社が他の会社等の子会社であるときは、「重要な親会社……の状況」として、親会社との関係を開示することを要するが、具体的には、親会社の持株比率、親会社との取引の状況その他の事業上の関係等を記載することが考えられる。令和元年改正会社法により、親会社との間に「当該株式会社の重要な財務及び事業の方針に関する契約等」が存在する場合には、「重要な親会社……の状況」として「その内容の概要」を記載する必要があることが規定された。これは、上場子会社の少数株主保護の議論等を通じて、親会社との関係を株主に情報開示する必要性が広く認められることから設けられたものである。なお、ここでいう「契約等」とは、親会社と子会社との間で合意されたものを意味し、契約という形態でされたものに限られないとされており、また、少数株主保護のための措置を講ずることを親会社との間で合意等をしている場合には、その内容の概要等を記載することが考えられるとされている。

また、子会社についても主要な事業内容、資本金、その持株比率ないし議決権比率、事業の概況等を記載し、子会社の増減があった場合にはその旨を記載することが考えられる。開示の対象は重要な子会社に限られているところ、この重要性の有無については、連結対象または持分法適用対象となる子会社であるか否かや子会社の規模（資本金等）を踏まえて判断することが考えられる。

ク　主要な事業内容（施 120 条 1 項 1 号）

複数の事業セグメントを有している場合には、それぞれの事業の内容を記載する。

ケ　主要な営業所および工場（施 120 条 1 項 2 号）

企業集団の主要な拠点（営業所および工場等）や主要な子会社の名称およびその所在地を記載する。所在地の記載は都道府県または都市名までとし、海外展開している場合には、所在する国名までとすることが一般的である。本サンプルのように事業報告作成会社と子会社を分けて記載する事例が多いが、企業集団を構成する各社を区分せずに一括して記載する例もある。

コ　使用人の状況（施 120 条 1 項 2 号）

企業集団における使用人数および前期末比増減を記載するのが一般的であり、これに加えて当該会社の単体ベースの状況も記載することが考えられる。単体ベースの状況を開示する場合には、使用人数、平均年齢および平均勤続年数を記載する事例が多い。

なお、2021 年改訂 CG コードでは、中核人材の登用等における多様性の確保についての考え方と自主的かつ測定可能な目標およびその状況等を開示することを定めており（CG コード補充原則 2-4 ①）、使用人の状況として男女別の従業員の数や女性管理職人数および比率を記載する例も見られる。

サ　主要な借入先および借入額（施 120 条 1 項 3 号）

当連結会計年度末において金融機関等からの借入額がその企業集団の資金調達において重要性を持つ場合には、主要な借入先および借入額を記載する。企業集団全体を一体として記載する方法に加えて、事業報告作成会社単体でも別途記載することが考えられる。

シ　その他会社の現況に関する重要な事項（施 120 条 1 項 9 号）

上記**サ**までに該当しない事項であっても企業集団の現況に関する重要な事項がある場合には、当該事項を記載する。具体的には、重要な訴訟の提起･判決･和解、事故、不祥事、社会貢献等について記載することが考えられる。

Ⅱ．会社の株式に関する事項

1．株式数[29]

（1）発行可能株式総数○○○○株

（2）発行済株式総数○○○○株（自己株式○○○○株を含む）

2．株主数[30] ○○○○名

3．大株主[31]

株主名	持株数	持株比率
株式会社○○○○	○○○○株	○○．○○%
○○○○株式会社	○○○○	○○．○○
○○○○信託銀行株式会社（信託口）	○○○○	○○．○○
株式会社○○○○	○○○○	○○．○○
○○○○信託銀行株式会社（信託口）	○○○○	○○．○○
○○○○生命保険相互会社	○○○○	○○．○○
○○○○株式会社	○○○○	○○．○○
○○○○株式会社	○○○○	○○．○○
○○○○株式会社	○○○○	○○．○○
○○○○株式会社	○○○○	○○．○○

（注）持株比率は、自己株式（○○○○株）を控除して計算しております。

4．当事業年度中に当社役員に交付された株式（職務執行の対価として交付したもの）の状況[32]

	株式数	交付対象者数
取締役（社外取締役を除く）	○○○○株	○名

Ⅲ．新株予約権等に関する事項

1．当事業年度末日における、当社役員の保有する新株予約権（職務執行の対価として交付したもの）の状況[33]

（1）○年6月28日開催の定時株主総会および同日開催の取締役会決議による新株予約権

ア　新株予約権の内容の概要

新株予約権を割り当てた日	○年7月10日
新株予約権の数	200個（新株予約権1個につき100株）
新株予約権の目的となる株式の数	20,000株

29　施122条1項3号。

30　施122条1項3号。

31　施122条1項1号。

32　施122条1項2号。

33　施123条1号。

新株予約権の払込金額	新株予約権と引き換えの金銭の払込みはこれを要しない
新株予約権行使に際して出資される財産の価額	1個当たり120,000円（1株当たり1,200円）
新株予約権の行使に際して株式を発行する場合の資本組入額	1株当たり600円
新株予約権を行使することができる期間	○年6月29日から○年6月28日まで
新株予約権の主な行使条件	新株予約権者は、当社の取締役としての地位を有する場合に限り、新株予約権を行使することができる。ただし、新株予約権者が任期満了により退任した場合、その日から6か月以内に限り行使可能とする。

イ　当社役員の保有状況

	新株予約権の数	目的となる株式の数	保有者数
取締役（社外取締役を除く）	200個	20,000株	4名

(2) ○年6月27日開催の取締役会決議による新株予約権

（略）

2. 当事業年度中に使用人等に対して交付された新株予約権（職務執行の対価として交付したもの）の状況[34]

(1) 新株予約権の内容の概要

取締役会決議日	○年6月27日
新株予約権を割り当てた日	○年7月10日
新株予約権の数	400個（新株予約権1個につき100株）
新株予約権の目的となる株式の数	40,000株
新株予約権の払込金額	新株予約権と引き換えの金銭の払込みはこれを要しない
新株予約権行使に際して出資される財産の価額	1個当たり150,000円（1株当たり1,500円）
新株予約権の行使に際して株式を発行する場合の資本組入額	1株当たり750円
新株予約権を行使することができる期間	○年6月28日から○年6月27日まで
新株予約権の主な行使条件	新株予約権者は、当社または当社関係会社の取締役、監査役または従業員としての地位を有する場合に限り、新株予約権を行使することができる。ただし、新株予約権者が任期満了により退任、定年退職、転籍その他正当な理由があると認めた場合には、その日から6か月以内に限り行使可能とする。

34　施123条2号。

（2）当社使用人等への交付状況

	新株予約権の数	目的となる株式の数	保有者数
当社使用人（当社役員を除く）	400 個	40,000 株	21 名

（4）株式に関する事項

ア　上位 10 名の株主の状況（施 122 条 1 項 1 号）

当該事業年度の末日において自己株式を除く発行済株式総数に対する株式の保有割合の高い上位 10 名の株主について、その氏名または名称、持株数（種類株式発行会社においては、株式の種類および種類ごとの数を含む）および当該株主の有する株式の保有割合を記載する。なお、保有割合を計算する際には、議決権の有無や割合は考慮せずに、株主名簿における保有株式数のみを基準として算出し（すなわち、無議決権株式であっても持株数に算入する）、自己株式は分母および分子から控除される。

イ　当事業年度中に当社役員に交付された株式（職務執行の対価として交付したもの）の状況（施 122 条 1 項 2 号）

令和元年改正会社法において会社の株式を報酬等とすることが明示的に認められた（会 361 条 1 項 3 号）こと等に伴い、会社役員（取締役、会計参与、監査役および執行役。本**イ**においては、会社役員であった者を含む）に対して職務執行の対価として交付された株式に関する事項の記載が求められることとなった。

具体的には、①取締役（監査等委員および社外役員を除き、執行役を含む）、②監査等委員以外の社外取締役（社外役員に限る）、③監査等委員である取締役、④取締役（執行役を含む）以外の会社役員の区分ごとに、株式の数、交付を受けた者の人数を記載する必要がある。

なお、記載の対象となる株式には、いわゆる現物出資構成により交付された株式（会社が職務執行の対価として募集株式と引換えにする払込みに充てるための金銭を交付した場合において、当該金銭の払込みと引換えに交付された株式）も含まれる。

ウ　その他株式に関する重要な事項（施 122 条 1 項 3 号）

上記**アイ**以外の事項について、株式に関する重要な事項を記載する。具体的には、発行可能株式総数、発行済株式総数、当該事業年度末の株主数等を記載することが考えられる。

（5）新株予約権等に関する事項

ア　当該事業年度末日において会社役員が保有する新株予約権等のうち、職務執行の対価として交付されたものに関する事項（施 123 条 1 号）

開示の対象となる「新株予約権等」とは、新株予約権その他当該法人等に対して行使することにより当該法人等の株式その他の持分の交付を受けることができる権利をいう（施2条3項14号）。なお、令和元年改正会社法において、いわゆる相殺構成により交付された新株予約権（会社が職務執行の対価として募集新株予約権と引換えにする払込みに充てるための金銭を交付した場合において、当該金銭の払込みと引換えに当該株式会社の新株予約権を交付したときにおける当該新株予約権）を含むことが明示された（施123条1号柱書）。

当該事業年度末日において会社役員（取締役、会計参与、監査役、執行役。ただし、当該事業年度末日において在任している者に限る）が新株予約権等を保有しているときは、①取締役（監査等委員および社外役員を除き、執行役を含む）、②監査等委員以外の社外取締役（社外役員に限る）、③監査等委員である取締役、④取締役（執行役を含む）以外の会社役員の区分ごとに、新株予約権等の内容の概要および新株予約権等を有する者の人数を記載する。

「新株予約権等の内容の概要」は、会社法236条で定める「新株予約権の内容」を勘案して記載することとなる。

イ　当該事業年度中に使用人等に対して職務執行の対価として交付された新株予約権等に関する事項（施123条2号）

当該事業年度中に使用人等（①当該株式会社の使用人、②子会社の役員および使用人）に対して職務執行の対価として新株予約権等が発行された場合は、記載対象者の区分ごとに新株予約権等の内容の概要および交付した者の人数を記載する。

ウ　その他新株予約権等に関する重要な事項（施123条3号）

職務執行の対価として交付されたものに限らず、上記**アイ**以外に新株予約権等に関して重要な事項がある場合に記載する。

具体的には、転換社債型新株予約権付社債等の発行（当該事業年度に発行したものは「資金調達の状況」の記載対象にもなる）、いわゆる有償ストック・オプションについて記載すること等が考えられる。

Ⅳ．会社役員に関する事項

1．取締役および監査役の氏名等

氏　名[35]	地位および担当[36]	重要な兼職の状況[37]
○○　○○	代表取締役社長	
○○　○○	専務取締役　家庭電機事業本部長	

35　施121条1号。

36　施121条2号。

37　施121条8号。

○○　○○	常務取締役　総務部・財務部・経理部担当	
○○　○○	取締役　名古屋支店長	
○○　○○	取締役　半導体・デバイス事業部長	
○○　○○	取締役　経理部長	
○○　○○	取締役　メカトロニクス事業事業部長	
○○　○○	取締役　大阪支店長	
○○　○○	取締役	株式会社○○○○代表取締役副社長
○○　○○	監査役（常勤）	
○○　○○	監査役（常勤）	
○○　○○	監査役	株式会社○○○○社外監査役
○○　○○	監査役	○○○○公認会計士事務所

（注）1．取締役○○○○は社外取締役であります。
2．監査役○○○○および○○○○は社外監査役であります。
3．監査役○○○○は公認会計士の資格を有しており、財務および会計に関する相当程度の知見を有しております[38]。
4．監査役○○○○につきましては、東京証券取引所の定める独立役員として同取引所に届出を行っております。

2．責任限定契約の内容の概要[39]

当社と社外取締役および社外監査役は、会社法第423条第1項の損害賠償責任を限定する契約を締結しております。

当該契約に基づく損害賠償責任の限度額は、金○円以上であらかじめ定めた金額または法令に定める最低責任限度額のいずれか高い額を限度としております。なお、当該責任限定が認められるのは、社外取締役または社外監査役が、その職務を行うにつき善意かつ重大な過失がないときに限られます。

3．補償契約の内容の概要[40]

取締役○○○○（略）、監査役○○○○、○○○○および○○○○は、当社と会社法第430条の2第1項に規定する補償契約を締結しており、同項第1号の費用および同項第2号の損失を法令の定める範囲内において当社が補償することとしております。

ただし、悪意または重過失がある場合には補償の対象としないことにより、会社役員の職務の執行の適正性が損なわれないように措置を講じています。

4．役員等賠償責任保険の内容の概要[41]

当社は会社法第430条の3第1項に規定する役員等賠償責任保険契約を保

38　施121条9号。
39　施121条3号。
40　施121条3号の2。
41　施121条の2。

険会社との間で締結し、被保険者が負担することになる……（略）の損害を当該保険契約により塡補することとしております。ただし、犯罪行為や故意の法令違反行為等に起因する損害等は補償の対象外とすることにより、役員の職務の執行の適正性が損なわれないように措置を講じています。
当該保険契約の被保険者は取締役および監査役であります。
なお、保険料は全額を当社が負担しており、被保険者の実質的な保険料負担はありません。

5．取締役および監査役の報酬等[42]
（1）取締役の個人別の報酬等の内容に係る決定方針に関する事項[43]
当社は、取締役の個人別の報酬等の内容に係る決定方針（以下「決定方針」といいます）を定めており、その概要は、……（略）
また、決定方針の決定方法は、……（略）
（2）取締役および監査役の報酬等についての株主総会の決議に関する事項[44]
取締役の金銭報酬の額は、○年○月○日開催の第○回定時株主総会において年額○円以内（うち、社外取締役年額○円以内）と決議されております（使用人兼務取締役の使用人分給与は含みません）。当該定時株主総会終結時点の取締役の員数は○名（うち、社外取締役は○名）です。また、当該金銭報酬とは別枠で、○年○月○日開催の第○回定時株主総会において、株式報酬の額を年額○円以内、株式数の上限を年○株以内（社外取締役は付与対象外）と決議しております。当該定時株主総会終結時点の取締役（社外取締役を除きます）の員数は○名です。
監査役の金銭報酬の額は、○年○月○日開催の第○回定時株主総会において年額○円以内と決議されております。当該定時株主総会終結時点の監査役の員数は○名です。
（3）取締役の個人別の報酬等の内容の決定に係る委任に関する事項[45]
当社においては、取締役会の委任決議に基づき代表取締役○○○○が取締役の個人別の報酬の具体的な内容を決定しております。
その権限の内容は……（略）
これらの権限を委任した理由は……（略）
取締役会は、当該権限が代表取締役によって適切に行使されるよう○○○○等の措置を講じており、当該手続きを経て取締役の個人別の報酬額が決定されていることから、取締役会はその内容が決定方針に沿うものであると判断しております。

42　施 121 条 4 号ないし 6 号の 3、124 条 5 号・6 号。
43　施 121 条 6 号・6 号の 2。
44　施 121 条 5 号の 4。
45　施 121 条 6 号の 3。

（4）取締役および監査役の報酬等の総額等[46]

役員区分	報酬等の総額（百万円）	報酬等の種類別の総額（百万円）			対象となる役員の人数（人）
		基本報酬	業績連動報酬等	非金銭報酬等	
取締役（うち社外取締役取締役）	○○○（○○○）	○○○（○○○）	○○○（—）	○○○（—）	○○（○）
監査役（うち社外監査役）	○○○（○○○）	○○○（○○○）	—	—	○（○）

（注）1．業績連動報酬等として社外取締役を除く取締役に対して賞与を支給しております。
業績連動報酬等の額（または数）の算定の基礎として選定した業績指標の内容は、……（略）であり、また、当該業績指標を選定した理由は……（略）
業績連動報酬等の額の算定方法は……（略）
なお、当事業年度を含む○○（選定した業績指標）の推移は「Ⅰ．5財産および損益の状況の推移」に記載のとおりです。
2．非金銭報酬等として社外取締役を除く取締役に対して株式報酬を交付しております。
当該株式報酬の内容およびその交付状況は「Ⅱ．会社の株式に関する事項」に記載のとおりです。
3．当事業年度末現在の取締役および監査役の人数と相違しておりますのは○年6月○日開催の第○回定時株主総会終結の時をもって退任した取締役および監査役が含まれているためであります。

6．社外役員に関する事項

（1）重要な兼職の状況および当社と当該兼職先との関係[47]

取締役○○○○は、株式会社○○○○の代表取締役副社長を兼務しております。当社は同社との間で○○の取引があり、同社に対して○○料の支払を行っていますが、その金額は、当社の連結売上収益の○%未満と僅少であり、一般株主と利益相反が生じるおそれはないものと判断しております。監査役○○○○は、○○○○公認会計士事務所所長を兼務しております。同事務所と当社との間に特別の利害関係はありません。

（2）当事業年度における主な活動状況[48]

氏名	主な活動状況
取締役○○○○	当事業年度に開催された取締役会13回のうち12回に出席し、○○に関する経験と知識を活かし、当社の経営全般に対して発言を行う等、取締役会の意思決定の妥当性・適性性を確保するための助言・提言を行い、当社が同氏に期待する役割を果たしました。
監査役○○○○	当事業年度に開催された取締役会13回のうち11回、監査役会12回のうち11回に出席し、取締役会および監査役会において、○○に関する経験と知識を活かし、経営に関する専門的な見地からの発言を行っております。

46 施121条4号・5号の2・5号の3。

47 施124条1号・2号。

48 施124条4号。

監査役○○○○	同氏の監査役就任後、当事業年度に開催された取締役会 10 回のうち 9 回、監査役会 9 回のすべてに出席し、取締役会および監査役会において、○○に関する経験と知識を活かし、会計・財務に関する専門的な見地からの発言を行っております。

（注）1. 当事業年度における取締役会の開催回数は 13 回、監査役会の開催回数は 12 回となっております。
2. 監査役○○○○は、○年 6 月○日開催の第○回定時株主総会で監査役に新たに選任され就任しましたので、就任後に開催された取締役会および監査役会への出席回数を記載しております。

(6) 会社役員に関する事項

ア　氏名、地位および担当（施 121 条 1 号・2 号）

直前の定時株主総会の終結の日の翌日以降に在任していた会社役員の氏名、当該株式会社における地位および担当を記載する。これらに加えて、本サンプルのように重要な兼職状況を含めて一覧表として記載することが一般的である。

株式会社における地位として、会長、社長、専務等を記載し、取締役または執行役に担当する業務があるときはその担当（営業担当等）、使用人を兼務しているときは兼務する役職名（○○部長等）等を記載することになる。

なお、社外役員である社外取締役または社外監査役については、その旨を注記する。

イ　重要な兼職の状況（施 121 条 8 号）

直前の定時株主総会の終結の日の翌日以降に在任していた会社役員（会計参与を除く）の重要な兼職の状況を記載する。

「重要な兼職」であるか否かは、兼職先が取引上重要な存在であるか、当該会社役員が兼職先で重要な職務を担当するか等の諸般の事情を総合的に考慮の上で判断することになるため、会社役員が兼職先の代表者であっても該当しない場合もありうる。

ウ　辞任した会社役員または解任された会社役員に関する事項（施 121 条 7 号）

辞任したまたは解任された会社役員（株主総会または種類株主総会の決議によって解任されたものを除く）があるときは、その①氏名、②辞任または解任について株主総会において述べられる予定または述べられた意見があるときはその意見の内容（監査等委員である取締役、会計参与または監査役に限る）、③辞任した者により株主総会において述べられる予定のまたは述べられた辞任の理由があるときはその理由（監査等委員である取締役、会計参与または監査役に限る）を記載する。

記載内容が①氏名のみである場合には、独立した項目とせずに、上記アの氏名、地位および担当等を記載する一覧表に注記として記載することが一般的である。

エ　財務および会計に関する相当程度の知見（施 121 条 9 号）

直前の定時株主総会の終結の日の翌日以降に在任していた会社役員のうち、監査役、監査等委員または監査委員が財務および会計に関する相当程度の知見を有するときは、その内容を記載する。

「相当程度の知見」とは、公認会計士や税理士等の法的資格を有している場合に限られず、経理部・財務部等における実務経験がある（「当社の経理部長を○年間、経理部担当役員を○年間務めた経験を有する」等）ということでもかまわない。

オ　常勤で監査を行う者の選定の有無およびその理由（施 121 条 10 号）

監査等委員会設置会社または指名委員会等設置会社の場合、常勤の監査等委員または監査委員の選定の有無およびその理由を記載する。監査役会設置会社の場合には、かかる記載は不要である。

カ　責任限定契約に関する事項（施 121 条 3 号）

非業務執行取締役または監査役との間で会社法 427 条 1 項に定める責任限定契約を締結している場合には、当該契約の内容の概要を記載する。

「契約の内容の概要」として、責任の限度額および法令が定める以外に責任が制限されるための条件を設けている場合の当該条件等を記載することが考えられる。また、当該契約によって当該役員の職務の適正性が損なわれないようにするための措置を講じている場合には、その内容を記載する。

キ　補償契約の内容の概要等（施 121 条 3 号の 2）

令和元年改正会社法において新たに補償契約に関する規定（会 430 条の 2）が定められた。これに伴い、補償契約に関する事項について事業報告に記載することが求められることになった。これは、補償契約の内容によっては取締役、監査役または執行役の職務執行の適正性に影響する可能性があり、かつ、補償契約が類型的に利益相反性が認められるものであり、株主にとって重要な情報であるためとされている。

会社役員（取締役、監査役または執行役に限る。以下、本**キ**ないし下記**ケ**において同じ）が、会社法 430 条の 2 第 1 項に定める補償契約を締結している場合には、当該取締役、監査役または執行役の氏名および当該補償契約の内容の概要（当該補償契約によって当該会社役員の職務の執行の適正性が損なわれないようにするための措置を講じている場合には、その内容を含む）を記載する。

補償契約の内容の概要としては、補償される費用および損害賠償等の範囲、補償額の限度額等を記載する。また、会社役員の職務の執行の適正性が損なわれないようにするための措置としては、株式会社による補償額に限度額を設けることや、株式会社が当該会社役員に責任追及する場合には補償の対象外とすること等が挙げられる。

ク　補償契約に基づき費用を補償した場合に関する事項(施 121 条３号の３)

株式会社が会社役員に対して補償契約に基づき費用の補償をした場合において、当該株式会社が、当該事業年度において、当該会社役員がその職務の執行に関し法令の規定に違反したこと、または責任を負うことを知ったときはその旨の記載をする。具体的には、補償を受けた会社役員の氏名を記載する必要はないものの、当該株式会社が当該会社役員が法令の規定に違反したことを知ったのか、それとも、当該会社役員が責任を負うことを知ったのかについて記載することが適切とされている。

なお、この点については、前事業年度の末日までに退任した会社役員に係る事項についても記載の対象となるので注意が必要である。これは、株式会社が、会社役員がその職務の執行に関し法令の規定に違反したことまたは責任を負うことを知るのは、補償契約に基づく費用を補償した事業年度より後であることの方が多いという経験則に基づくものである。

ケ　補償契約に基づき損失を補償した場合に関する事項(施 121 条３号の４)

株式会社が会社役員に対して補償契約に基づき損失の補償をした場合、その旨および補償した金額を記載する。補償を受けた会社役員の氏名や損失の具体的内容を記載する必要はないが、会社法 430 条の 2 第 1 項 2 号イまたはロのいずれ損失を補償したのか明らかにすることが適切とされている。たとえば、「当事業年度において、当社は一部の取締役に対して、○○に関する損害賠償金を補償しており、その金額は○○百万円となります。」等と記載することが考えられる。

なお、前事業年度の末日までに退任した会社役員に係る事項についても記載の対象となるので注意が必要である。補償契約の内容として、株式会社が会社役員の退任後も補償する旨が規定される場合があり、退任後の会社役員に対する補償が適切に行われることを確保するために事業報告への記載を義務付けることが適切であるからである。

コ　役員等賠償責任保険契約に関する事項（施 121 条の 2）

令和元年改正会社法において新たに役員等賠償責任保険（D&O 保険等）の保険契約に関する規定（会 430 条の 3）が定められた。これに伴い、役員等賠償責任保険契約に関する事項についての記載が求められることになった。

株式会社が保険者との間で役員等賠償責任保険契約を締結している場合には、被保険者の範囲（施 121 条の 2 第 1 号）および契約の内容の概要（同条 2 号）を記載する。

被保険者の範囲には、被保険者に保険契約者である株式会社の役員等でない者が含まれている場合における当該役員等でない者（たとえば、グループ会社の役員等）が含まれる。

また、契約の内容の概要については、①被保険者が実質的に保険料を負担している場合にはその負担割合、②填補の対象とされる保険事故の概要、③当該役員等賠償責任保険契約によって被保険者である役員等（当該株式会社の役員等に限る）の職務の執行の適正性が損なわれないようにするための措置を講じている場合にはその内容を含むとされている（施 121 条の 2 第 2 号かっこ書）。

なお、上記③の措置の内容としては、役員等賠償責任保険契約に免責額についての定めを設け、一定額に至らない損害については塡補の対象としないこととすること等が挙げられる。

サ　取締役および監査役の報酬等に関する事項

（ア）　会社役員の区分ごとの当該事業年度に係る報酬等の総額等（施 121 条４号）

会社役員の当該事業年度に係る報酬等を取締役および監査役（監査等委員会設置会社の場合は監査等委員である取締役以外の取締役および監査等委員である取締役、指名委員会等設置会社の場合は取締役および執行役）別にその総額と員数を記載する。報酬等には、役員賞与、役員退職慰労金やストック・オプションが含まれるが、使用人兼務役員の使用人部分の給与等は含まれない。

記載の対象は「当該事業年度に係る」報酬等であるから、役員賞与については、当該事業年度に支払われたものではなく、当該事業年度に係る役員賞与として当該事業年度に費用計上されたものが、また、役員退職慰労金については、当該事業年度に係る役員退職慰労引当金計上額が記載対象となる。また、ストック・オプションについては、当該事業年度の職務執行の対価として費用計上された部分が記載対象となる。なお、本サンプルのように、社外役員に対する報酬等の総額の記載を当該項目の中で内訳表示として記載することも考えられる。

また、令和元年改正会社法により、①業績連動報酬等、②非金銭報酬等および③それら以外の報酬等を区別してその総額を記載することが必要となった。具体的には、本サンプルのように、「基本報酬」（固定金銭報酬等）、「業績連動報酬等」、「非金銭報酬等」に分けて記載することが一般的である。

（イ）　当該事業年度において受け、または受ける見込みの額が明らかになった報酬等（施 121 条５号）

当該事業年度において支給予定額が判明したものおよび当該事業年度中に現に支給した報酬等（支給予定額として当該事業年度ないしそれ以前の事業年度の事業報告に記載された報酬等を除く）がある場合には、会社役員の区分ごとに支給人数と総額を記載する。

具体的には、定時株主総会において役員退職慰労金支給議案を付議したが、その事業年度の事業報告作成時点までに支給見込額が明らかにならなかった場合に、それが明らかになった翌事業年度（すなわち、当該事業年度）において記載する場合等が、これに該当する。

（ウ） 業績連動報酬等に関する事項（施 121 条 5 号の 2）

株主が、業績連動報酬等が会社役員に適切なインセンティブを付与するものか否かを判断できるようにするため、令和元年改正会社法により業績連動報酬等に関する記載が求められることとなった。

会社役員の報酬等に業績連動報酬等が含まれる場合、①当該業績連動報酬等の額または数の算定の基礎として選定した業績指標の内容および当該業績指標を選定した理由、②当該業績連動報酬等の額または数の算定方法、③当該業績連動報酬等の額または数の算定に用いた業績指標に関する実績を記載する。

これらの記載において、業績連動報酬等の具体的な額または数を算出できる程度の記載や業績連動報酬等の計算式を記載する必要はないが、業績連動報酬等と業績指標との関連性等、業績連動報酬等の算定に関する考え方を株主が理解できる程度の記載をする必要があるとされている。

（エ） 非金銭報酬等に関する事項（施 121 条 5 号の 3）

株主が、非金銭報酬等が会社役員に適切なインセンティブを付与するものか否かを判断できるようにするため、令和元年改正会社法において非金銭報酬等に関する記載が求められることとなった。

会社役員の報酬等に非金銭報酬等が含まれる場合、非金銭報酬等の内容を記載する。これらの記載においては、非金銭報酬等によって会社役員に対して適切なインセンティブが付与されているかを株主が判断するために必要な程度の記載が求められる。たとえば、非金銭報酬等が株式である場合、当該株式の種類、数および当該株式を割り当てた際に付された条件の概要等を記載することが考えられる。

（オ） 会社役員の報酬等についての定款の定めまたは株主総会の決議による定めに関する事項（施 121 条 5 号の 4）

実務上、株主総会決議によって定められた取締役の報酬の総額の最高限度を長期間にわたり変更せず、取締役の員数が半数以下になっていても最高限度額を変更していない株式会社があるという指摘等があり、取締役への適切なインセンティブ付与の観点から、会社役員の報酬等の内容について現在有効な定款の定めまたは株主総会決議による定めに係る情報を提供し、また、これらの定めによって取締役会へ決定が委任されている事項の範囲が適切か否かを株主が判断できるようにするため、令和元年改正会社法により、会社役員の報酬等についての定款の定めまたは株主総会の決議による定めに関する記載が求められることとなった。

具体的には、①定款の定めを設けた日または当該株主総会の決議の日、②当該定めの内容の概要、③当該定めに係る会社役員の員数を記載する。ただし、当該定めに基づいて報酬等を付与することが見込まれないものについては記載を要しないとされている。

（カ） 取締役の個人別の報酬等の内容に係る決定方針に関する事項（施121条6号）

従前、指名委員会等設置会社においては、報酬委員会において執行役等の個人別の報酬等の内容に係る決定に関する方針を決定することが義務付けられていたが（会409条1項）、令和元年改正会社法において、①監査役設置会社（公開会社かつ大会社に限る）である有価証券報告書提出会社の取締役、および②監査等委員会設置会社の取締役（監査等委員である取締役を除く）についても、個人別の報酬等の内容についての決定に関する方針として会社法施行規則98条の5各号に定める事項を決定することが義務付けられた（会361条7項）。これに伴い、株主が、取締役等の報酬等の内容が取締役等に対し適切なインセンティブを付与するものとなっているかどうかを確認するためには報酬等に係る決定に関する方針が株主に対して説明される必要があることから、①当該方針の決定の方法、②当該方針の内容の概要、③当該事業年度に係る取締役（監査等委員である取締役を除き、指名委員会等設置会社にあっては、執行役等）の個人別の報酬等の内容が当該方針に沿うものであると取締役会（指名委員会等設置会社にあっては、報酬委員会）が判断した理由についての記載が求められることになった。

①方針の決定の方法については、取締役会の決議に加えて、任意に設置した報酬委員会の答申を得たことや外部の専門家の助言を受けたこと等を記載することが考えられる。

また、②方針の内容の概要については、会社法施行規則98条の5に定める事項ごとに記載することは必須でなく、いわゆる報酬プログラムまたは報酬方針としてまとめて開示することも認められるとされている。

そして、③個人別の報酬等の内容が当該方針に沿うものであると判断した理由については、業績連動報酬等の額または数の算定の基礎とした業績指標の目標および達成度、任意に設置した報酬諮問員会の答申を得たこと等を踏まえ、当該方針に沿ったものであると判断したことを説明することが考えられる。

なお、2021年改訂CGコードでは、プライム市場上場会社は、任意に設置した指名委員会・報酬委員会の構成の独立性に関する考え方・権限・役割等の開示が求められることとなった（CGコード補充原則4-10①）。これを踏まえ、事業報告における報酬等に関する事項に係る記載の中で、報酬委員会の構成、権限、役割、活動状況等に関する事項を記載する例もある。

（キ）　各会社役員の報酬等の額またはその算定方法に係る決定に関する事項（施 121 条 6 号の 2）

上記**（カ）**で述べた取締役の個人別の報酬等の内容に係る決定方針（会 361 条 7 項、409 条 1 項）以外に、株式会社において各会社役員の報酬等またはその算定方法に係る決定に関する方針を定めているときは、当該方針の決定方法およびその方針の内容の概要を記載する。ただし、①監査役設置会社（公開会社かつ大会社に限る）である有価証券報告書提出会社、②監査等委員会設置会社および③指名委員会等設置会社以外の株式会社は、当該記載を省略することができる（施 121 条柱書）。

（ク）　取締役会から委任を受けた者が取締役の個人別の報酬等の内容を決定した場合に関する事項（施 121 条 6 号の 3）

従前から、実務上、株主総会決議において報酬等の上限が定められ、その配分を取締役会に委任されている場合において、取締役会が取締役の個人別の報酬等の内容の決定を代表取締役等に委任していることが多いことから、当該委任の透明性を高め、再委任が適切に行われるようにするため、令和元年改正会社法により、取締役会から委任を受けた者が個人別の報酬等を決定した場合に関して一定の事項の記載が求められることとなった。具体的には、①委任を受けた者の氏名ならびに当該内容を決定した日における当該株式会社における地位および担当、②委任された権限の内容、③権限を委任した理由、④委任された権限が適切に行使されるようにするための措置を講じた場合には、その内容を記載する。委任された権限が適切に行使されるようにするための措置としては、代表取締役による決定に対する任意の報酬委員会による事前および事後のチェック等が考えられる。

シ　その他会社役員に関する重要な事項（施 121 条 11 号）

上記**ア**から**サ**までに記載の事項のほかに、会社役員に関する重要な事項があれば記載する。具体的には、当該事業年度終了後定時株主総会までの間に辞任した者や定時株主総会までの間に開催された臨時株主総会において役員に選任された者等について記載することが考えられる。もっとも、その場合であっても独立した項目を設けるのではなく、関連する項目（事業年度終了後の役員の異動であれば、上記**アイ**に関する項目）の注記として記載する事例が多い。

ス　社外役員に関する事項（施 124 条）

（ア）　社外役員が他の法人等の業務執行者であるときの重要な兼職に関する事項（施 124 条 1 号）

直前の定時株主総会の終結の日の翌日以降に在任していた社外役員が他の法

人等の業務執行者（業務執行取締役、執行役、業務を執行する社員または会社法598条1項の職務（持分会社の法人業務執行社員の職務）を行うべき者その他これに相当する者または使用人）であることが「重要な兼職」（本章102頁参照）に該当するときは、当該株式会社と当該他の法人等との関係を記載する。

記載する内容としては、他の法人等との取引関係や資本関係（子会社であるなど）等が考えられる。

（イ）　社外役員が他の法人等の社外役員等であるときの重要な兼職に関する事項（施124条2号）

直前の定時株主総会の終結の日の翌日以降に在任していた社外役員が他の法人等の社外役員その他これに類する者であることが「重要な兼職」に該当するときは、当該株式会社と当該他の法人等との関係を記載する。記載内容は上記（ア）と同様である。

（ウ）　社外役員の、自然人である親会社等、事業報告作成会社またはその特定関係事業者の業務執行者または役員との親族関係（施124条3号）

直前の定時株主総会の終結の日の翌日以降に在任していた社外役員が、自然人である親会社等、事業報告作成会社またはその特定関係事業者（当該株式会社の親会社ならびに当該親会社（親会社がない場合は当該株式会社）の子会社および関連会社（当該親会社が会社でない場合におけるその子会社および関連会社に相当するものを含む）ならびに当該株式会社の主要な取引先）の業務執行者または役員の配偶者、3親等以内の親族その他これに準ずる者であることを当該株式会社が知っているときは、その事実（重要でないものを除く）を記載する。

「主要な取引先」とは、当該株式会社の事業等の意思決定において、親会社、兄弟会社その他の関係会社と同程度の影響を与える取引先が該当する。

また、「重要でないもの」か否かは、当該株式会社またはその特定関係事業者における当該親族の役職の重要性および当該社外役員と当該親族の交流の有無等を考慮して判断する。

なお、「当該株式会社が知っているとき」とは、当該事項の記載が求められていることを前提として当該株式会社が調査を行った結果、知っている場合を意味するのであって、十分な調査を行わないまま「知らない」として記載しないことは許されない。

（エ）　各社外役員の主な活動状況（施124条4号）

社外役員ごとに取締役会および監査役会（監査等委員会、監査委員会）における出席・発言の状況について記載する。出席の状況は、「○回中○回出席」と具体的な出席回数まで記載する事例が多い。

発言の状況については、当該社外役員に期待された役割を果たしていることを示すために、どのような分野についていかなる見地から発言がなされたかを記載することが考えられる。

また、当該株式会社において法令または定款に違反する事実その他不当な業務の遂行（社外監査役の場合は不正な業務の執行）が行われた場合（重要でないものを除く）、各社外役員が当該事実の発生の予防のために行った行為および当該事実の発生後の対応として行った行為の概要を記載する。

さらに、令和元年改正会社法により、上記の事項以外に、社外取締役について、果たすことが期待される役割に関して行った職務の概要を記載することが求められることとなった。当該社外取締役が期待される役割をどの程度果たしたかについて事後的に検証することを可能とし、社外取締役による監督の実効性を担保するためのものであり、社外取締役が果たすことが期待される役割との関連性を示した上で、当該社外取締役が行った職務の概要を具体的に記載することになる。

（オ）　社外役員の当該事業年度に係る報酬等の総額（施 124 条 5 号）

社外役員について、会社役員の区分ごとの報酬等の記載（本章 105 頁参照）に加えて、社外役員全体の報酬等の総額と員数を記載する。本サンプルのように、社外取締役と社外監査役の報酬等を区分して記載することが一般的である。

（カ）　当該事業年度において受け、または受ける見込みの額が明らかとなった社外役員の報酬等（施 124 条 6 号）

当該事業年度において支給予定額が判明したものおよび当該事業年度中に現に支給した社外役員に対する報酬等（支給予定額として当該事業年度ないしそれ以前の事業年度の事業報告に記載された報酬等を除く）がある場合に、会社役員の区分ごとの報酬等の記載（本章 105 頁参照）に加えて、社外役員の報酬等の総額と員数を記載する。

（キ）　親会社または子会社等からの社外役員に対する報酬等の総額（施 124 条 7 号）

社外役員が、当該株式会社の親会社または当該親会社（当該株式会社に親会社がない場合は、当該株式会社）の子会社（当該親会社が会社でない場合におけるその子会社に相当するものを含む）から当該事業年度において役員としての報酬を受けているときは、当該報酬等の総額（社外役員であった期間に受けたものに限る）を記載する。

（ク）　社外役員に関する事項の記載内容についての社外役員の意見（施 124 条 8 号）

社外役員が、社外役員に関する事項（施 124 条 1 号～ 7 号に掲げる事項）に対して意見を有するときは、その意見の内容を記載する。

V．会計監査人の状況
1．会計監査人の名称
　有限責任○○○監査法人

2．当該事業年度に係る会計監査人の報酬等の額
（1）公認会計士法第2条第1項の監査業務の報酬等の額
　当社○○百万円
（注）1．監査役会は、会計監査人の監査内容、職務遂行状況および報酬見積りの算出根拠などが適切であるかどうかについて必要な検証を行った上で、会計監査人の報酬等について同意の判断をいたしました。
　2．当社は、会計監査人との間の監査契約において、会社法に基づく監査と金融商品取引法に基づく監査の監査報酬額等の額を区分しておらず、実質的にも区分できませんので、報酬等の額にはこれらの合計額を記載しております。
（2）当社および当社の子会社が支払うべき金銭その他の財産上の利益の合計額
　○○百万円

3．非監査業務の内容
　当社は有限責任○○○監査法人に対して、公認会計士法第2条第1項の監査業務以外の業務（非監査業務）として、国際財務報告基準（IFRS）に関するアドバイザリー業務等の対価を支払っております。

4．会計監査人の解任または不再任の決定の方針
　監査役会は、会計監査人の職務の遂行が十分ではない場合、または会計監査人が社会からの信用を著しく損なった場合等、会計監査人の解任または不再任が妥当と判断した場合には、会計監査人の解任または不再任に関する議案を決定し、取締役会は、当該決定に基づき、当該議案を株主総会に提出いたします。
　また、監査役会は、会計監査人が会社法第340条第1項各号のいずれかに該当すると認められた場合には、監査役全員の同意に基づき、会計監査人を解任いたします。

（7）会計監査人に関する事項

ア　氏名または名称（施126条1号）

当該事業年度中に在任していたすべての会計監査人の氏名または名称を記載する。

イ　当該事業年度に係る各会計監査人の報酬等の額および当該報酬等について監査役会が同意した理由（施126条2号）

会計監査人（複数ある場合にはそれぞれ）の当該事業年度に係る報酬等を記載する。また、監査役会（監査等委員会設置会社では監査等委員会、指名委員会等設置会社では監査委員会）が、会計監査人の報酬等に同意した理由も記載する。なお、会計監査人としての報酬等の額と金融商品取引法上の監査に係る報酬等が会計監査人との契約において区分されておらず、かつ、実際上も区分できない場合には、その旨を注記して合計金額を記載する。

ウ　非監査業務の対価を支払っているときはその非監査業務の内容（施126条3号）

会計監査人に対して公認会計士法2条1項の業務以外の業務（非監査業務）の対価を支払っているときは、その内容を記載する。

エ　会計監査人に株式会社およびその子会社が支払うべき金銭その他の財産上の利益の合計額（施126条8号イ）

会社法444条3項に定める連結計算書類を作成しなければならない株式会社（上場する大会社等）については、会計監査人に対して当該株式会社とその子会社が支払うべき財産上の利益の合計額を記載する。

オ　会計監査人以外の監査法人等による子会社の計算関係書類の監査（施126条8号ロ）

上記**エ**と同様に、連結計算書類を作成しなければならない株式会社については、会計監査人以外の監査法人等が重要な子会社の計算関係書類の監査をしているときは、その事実を記載する。

カ　会計監査人の解任または不再任の決定の方針（施126条4号）

会計監査人の解任または不再任の決定の方針を定めている場合はこれを記載する。

キ　会計監査人の業務停止処分に関する事項（施126条5号・6号）

会計監査人が現に（事業報告作成時点において）業務停止期間中であるときは、当該処分に係る事項を記載する。

また、会計監査人が、過去2年間に業務停止処分を受けた者であるときは、当該処分に係る事項のうち、当該株式会社が事業報告の内容とすることが適切であるものと判断した事項を記載する。

ク　責任限定契約に関する事項（施126条7号）

会計監査人との間で責任限定契約を締結している場合には、当該契約の内容の概要を記載する。また、責任限定契約によって会計監査人の職務執行の適正性が損なわれないようにするための措置を講じている場合には、その内容も記載する。

ケ　補償契約に関する事項（施126条7号の2）

令和元年改正会社法により、会計監査人との間で補償契約を締結している場合には、当該会計監査人の氏名または名称および当該契約の内容の概要を記載することが必要となった。また、補償契約によって会計監査人の職務執行の適正性が損なわれないようにするための措置を講じている場合には、その内容も記載する。

コ　補償契約に基づき費用を補償した場合（施126条7号の3）

令和元年改正会社法により、会社が会計監査人（前事業年度の末日までに退任した者を含む）に対して補償契約に基づき会社法430条の2第1項1号に掲げる費用（防御費用）を補償した場合において、その株式会社が、その事業年度において、会計監査人が同号の職務の執行に関し法令の規定に違反したことまたは責任を負うことを知ったときは、その旨を記載することが必要となった。

サ　補償契約に基づき損失を補償した場合（施126条7号の4）

令和元年改正会社法により、会社が会計監査人（前事業年度の末日までに退任した者を含む）に対して補償契約に基づき会社法430条の2第1項2号に掲げる損失を補償したときは、その旨および補償した金額を記載することが必要となった。

シ　辞任したまたは解任された会計監査人に関する事項（施126条9号）

辞任したまたは解任された会計監査人（株主総会の決議によって解任されたものを除く）がいる場合は、①当該会計監査人の氏名または名称、②解任の場合は解任の理由、③意見陳述があるときはその内容、④辞任した理由または解任についての意見があるときはその内容を記載する。

Ⅵ．業務の適正を確保するための体制および当該体制の運用状況[49]

1．業務の適正を確保するための体制

当社は、企業理念に「未来への架け橋」を掲げ、お客様の信頼にこたえていくことを行動規範とするとともに、当社の業務の適正を確保するための体制（以下「内部統制」といいます）の基本方針を以下のとおり定めております。

①　取締役および使用人の職務の執行が法令および定款に適合することを確保するための体制

（1）役職員は、コンプライアンス規程を遵守し、法令および定款に適合し、かつ社会的責任を果たすべく業務を執行する。

（2）（略）

②　取締役の職務の執行に係る情報の保存および管理に関する体制

（1）文書管理規程を制定し、取締役の職務の執行に係る文書その他の情報については、定められた期間、所定の保管場所に保管する。

（2）（略）

③　損失の危険の管理に関する規程その他の体制

（1）役員およびリスクを管理する各担当部署の使用人は、リスク管理規程に基づいてリスクを継続的に監視する。

（2）（略）

④　取締役の職務の執行が効率的に行われることを確保するための体制

49　施118条2号。

（1）組織規程および職務権限規程に基づき、適正かつ効率的な業務分担を行い、職務執行の適正化・効率化を図る。
（2）（略）

⑤　当社および子会社から成る企業集団における業務の適正を確保するための体制
（1）グループ会社管理方針に基づいてグループ管理に関する規程を制定し、グループ運営が適正かつ効率的に行われる体制を構築する。
（2）（略）

⑥　監査役がその職務を補助すべき使用人を置くことを求めた場合における当該使用人に関する事項
（1）監査役を補助すべき従業員については、監査役会の要請により、監査職務を円滑に遂行するために必要な人員を配置する。
（2）（略）

⑦　監査役の職務を補助すべき使用人の取締役からの独立性および当該使用人に対する指示の実効性の確保に関する事項
（1）監査役を補助すべき従業員の人事異動については、監査役と管理部門担当の取締役が協議して決定する。
（2）（略）

⑧　取締役および使用人ならびに子会社等の役職員が監査役に報告をするための体制その他の監査役への報告に関する体制
（1）役員および使用人は、法定の事項に加えて、監査役が求める事項について速やかに報告する体制を整えるものとする。
（2）（略）

⑨　前号の報告をした者が当該報告をしたことを理由として不利な取扱いを受けないことを確保するための体制
（1）監査役へ報告を行った取締役および使用人ならびに子会社等の役職員に対し、当該報告をしたことを理由として不利な取扱いを行うことを禁止し、その旨を周知徹底する。
（2）（略）

⑩　監査役の職務の執行について生ずる費用の前払または償還の手続その他の当該職務の執行について生ずる費用または債務の処理に係る方針に関する事項
（1）監査役がその職務の執行について生ずる費用の前払等の請求をしたときは、担当部署において審議の上、当該請求に係る費用等が監査役の職務の執行に必要でないと明らかに認められる場合を除き、速やかに処理する。
（2）（略）

⑪　その他監査役の監査が実効的に行われることを確保するための体制

監査役と内部監査部門との協力体制を確立するとともに、取締役は、監査役が必要とする外部からの情報収集等に関して協力するものとする。

2．業務の適正を確保するための体制の運用状況の概要

（略）

○本事業報告中の記載金額および比率は表示単位未満を四捨五入、株数は表示単位未満を切り捨てて表示しております。

（8）業務の適正を確保するための体制等の整備に関する事項（施 118 条 2 号）

ア　業務の適正を確保するための体制

業務の適正を確保するための体制（内部統制システム）の整備についての決議がある場合には、その決議の内容の概要を記載する。

業務の適正を確保するための体制として、会社法 362 条 4 項 6 号（会 399 条の 13 第 1 項 1 号ロ・ハ、416 条 1 項 1 号ロ・ホ）および会社法施行規則 100 条（施 110 条の 4・112 条）が 13 項目を定めているが、これらの内容が網羅されていればよく、そのすべてを項目ごとに記載する必要はない。なお、本サンプルは、「取締役の職務の執行が法令および定款に適合することを確保することの体制」（会 362 条 4 項 6 号）と「使用人の職務の執行が法令および定款に適合することを確保するための体制」（施 100 条 1 項 4 号）を、また、「監査役の職務を補助すべき使用人の取締役からの独立性に関する事項」（同条 3 項 2 号）と「当該使用人に対する指示の実効性の確保に関する事項」（同項 3 号）をそれぞれ 1 つの項目として記載している。

また、当該事業年度中に当該体制に関する事項を変更する決議を行った場合には、当該変更後の内容を記載するとともに、その変更の概要を重要性に応じて記載することが考えられる。

なお、本記載事項は、独立の項目として記載するほか、「株式会社の支配に関する基本方針」、「剰余金の配当等に関する方針」等を含めた「会社の体制および方針」の見出しの下の一項目として記載されることも多い。

イ　体制の運用状況の概要

上記**ア**の業務の適正を確保するための体制について、各社の状況に応じた客観的な運用状況を記載する。

記載方法としては、①上記**ア**の「業務の適正を確保するための体制（内部統制システム）」の項目ごとに記載する例や、②いくつかの項目にまとめて記載する例、③すべての項目を一括して記載する例がみられるが、法令上特段の制限はない。

（9）株式会社の支配に関する基本方針（施 118 条 3 号）

当該株式会社において、株式会社の財務および事業の方針の決定を支配する者のあり方に関する基本方針を定めているときは、以下の事項を記載する。なお、買収防衛策の導入・継続に関する適時開示文書（プレスリリース）を利用して記載している例が多いが、当該基本方針としては、いわゆる買収防衛策のみが開示事項とされているわけではない。

ア　基本方針の内容の概要
イ　次に掲げる取組みの具体的な内容の概要

（ア）当該株式会社の財産の有効な活用、適切な企業集団の形成その他の基本方針の実現に資する特別な取組み

（イ）基本方針に照らして不適切な者によって当該株式会社の財務および事業の方針の決定が支配されることを防止するための取組み（いわゆる買収防衛策）

ウ　上記イの取組みの次に掲げる要件への該当性に関する当該株式会社の取締役会の判断およびその理由（当該理由が社外役員の存否に関する事項のみである場合における当該事項を除く）

（ア）当該取組みが基本方針に沿うものであること

（イ）当該取組みが当該株式会社の株主の共同の利益を損なうものではないこと

（ウ）当該取組みが当該株式会社の会社役員の地位の維持を目的とするものではないこと

（10）特定完全子会社に関する事項（施 118 条４号）

事業年度末日において特定完全子会社を有するときは、以下の事項を記載する。いわゆる多重代表訴訟（会 847 条の３第１項）において、責任追及の対象となる子会社（特定完全子会社）を明確にするために記載が求められるものである。

なお、独立の項目として記載する方法のほか、「重要な親会社および子会社の状況」（施 120 条１項７号）に併せて記載することも考えられる。

ア　特定完全子会社の名称および住所

イ　事業報告作成会社およびその完全子会社等における当該特定完全子会社の株式の当該事業年度末日における帳簿価額の合計額

ウ　事業報告作成会社の当該事業年度に係る貸借対照表上の資産の部に計上した額の合計額

（11）親会社等との間の取引に関する事項（施 118 条５号）

会計監査人設置会社は、当該事業年度に係る個別注記表において関連当事者取引の注記（計 112 条１項）を要する親会社等との間の取引（第三者との間の取引で事業報告作成会社とその親会社等との間の利益が相反するものを含む）があるときは、以下の事項を記載する。なお、独立の項目として記載する方法のほか、「重要な親会社および子会社の状況」（施 120 条１項７号）に併せて記載することも考えられる。

ア　当該取引をするに当たり当該株式会社の利益を害さないように留意した事項（当該事項がない場合には、その旨）

イ　当該取引が当該株式会社の利益を害さないかどうかについての当該株式会社の取締役会の判断およびその理由

ウ　社外取締役を置く株式会社において上記イの取締役会の判断が社外取締役の意見と異なる場合には、その意見

（12）剰余金の配当等に関する権限の行使に関する方針（施126条10号）

剰余金の配当等を取締役会が決定する旨の定款の定め（会459条1項）があるときは、その権限の行使に関する方針を記載する。

記載箇所としては、独立した項目として記載するほか、「会社の体制および方針」の見出しの下の一項目として記載する方法や「企業集団の現況に関する事項」の見出しの下の一項目として記載する方法等がある。

3　株主総会参考書類

株主総会参考書類[50]

第1号議案　剰余金の配当の件

剰余金の配当につきましては、以下のとおりといたしたいと存じます。

○年度から○年度を対象とする中期経営戦略では、持続的な利益成長にあわせて増配していく累進配当を継続しています。第○期の期末配当につきましては、当事業年度の業績および今後の事業展開などを勘案いたしまして、1株につき○円といたしたいと存じます[51]。

（1）配当財産の種類[52]
　金銭

（2）配当財産の割当てに関する事項およびその総額[53]
　当社普通株式1株当たり　○円
　なお、この場合の配当総額は、○○○○○○○○○円となります。

（3）剰余金の配当が効力を生ずる日[54]
　○年6月30日

第2号議案　取締役3名選任の件

取締役全員（3名）は、本総会終結の時をもって任期満了となりますので、取締役3名の選任をお願いいたしたいと存じます[55]。

取締役候補者は次のとおりであります[56]。

50　全国株懇連合会「株主総会参考書類モデル」（平成18年8月25日全国株懇連合会理事会決定、2021年1月22日改正）参照。

51　施73条1項2号。

52　会454条1項1号。

53　会454条1項1号・2号。

54　会454条1項3号。

55　施73条1項2号。

56　施74条1項。

候補者番号	氏名（生年月日）	略歴、当社における地位・担当および重要な兼職の状況	所有する当社の株式数[57]
1	○○○○ （1962年10月14日生）	1985年4月当社入社 2014年4月当社半導体・デバイス事業本部長 2018年6月当社取締役 2020年4月当社代表取締役社長（現任）	1,200株
		【取締役候補者とした理由】 2018年6月以降、取締役として経営全般を監督するとともに当社最大の事業組織である半導体・デバイス事業本部の責任者としての役割を果たし、2020年4月以降は代表取締役社長として当社の企業価値の向上に貢献しており、当社における豊富な業務経験と、当社の経営全般および管理・運営業務に関する知見を有していることから、取締役候補者として適切であると判断したためであります。	
2	○○○○ （1964年6月10日生）	1988年4月当社入社 2018年7月当社経理部長 2020年6月当社取締役（現任）	1,000株
		【取締役候補者とした理由】 2020年以降、取締役として経営全般を監督するとともに財務責任者の職を担っており、当社における豊富な業務経験と、当社の経営全般および管理・運営業務に関する知見を有していることから、取締役候補者として適切であると判断したためであります。	
3	※△△△△ （1965年12月15日生）	1990年4月弁護士登録 ○○法律事務所入所 ○○法律事務所パートナー（現任） （重要な兼職の状況）[58] ○○法律事務所パートナー ○○航空株式会社社外取締役	—
		【社外取締役候補者とした理由および期待される役割の概要[59]】 過去に社外取締役となること以外の方法で会社経営に関与した経験はありませんが、弁護士としての経験と専門知識を有しており、特に会社法専門家としての客観的視点、高い倫理観、コンプライアンス経営への高い見識に基づき、当社の経営に対する適切な監督を行っていただけるものと判断したためであります。	

（注）1．※印は、新任取締役候補者であります。
2．△△△△氏は社外取締役候補者であります[60]。なお、当社は、同氏を東京証券取引所に対して、同取引所の定めに基づく独立役員として届け出る予定であります。

57　施74条2項1号。

58　施74条2項2号。

59　施74条4項2号・3号・6号。

60　施74条4項1号。

3. △△△△氏が選任された場合、当社は、同氏との間で、会社法第423条第1項の損害賠償責任を限定する契約を締結する予定です。当該契約に基づく損害賠償責任の限度額は、金○円以上であらかじめ定めた金額または法令に定める最低責任限度額のいずれか高い額といたします[61]。
4. 当社は、○○○○氏および○○○○氏との間で、会社法第430条の2第1項に規定する補償契約を締結しており、同項第1号の費用および同項第2号の損失を法令の定める範囲内において当社が補償することとしております。また、△△△△氏が取締役に選任された場合、当社は、同氏との間で、同内容の補償契約を締結する予定です[62]。
5. 当社は、会社法第430条の3第1項に規定する役員等賠償責任保険契約を保険会社との間で締結し、株主や第三者等から損害賠償請求を受けた場合において被保険者が負担することになる損害賠償金、争訟費用等の損害を当該保険契約により填補することとしております。各候補者が取締役に選任された場合、当該保険契約の被保険者に含められることとなります[63]。
6. 各候補者と当社との間には、特別の利害関係はありません[64]。

第3号　取締役報酬額改定の件

当社の取締役の報酬額は、○○年○月○日開催の第○回定時株主総会において年額○円以内（うち社外取締役分は○円以内。ただし、使用人兼務取締役の使用人分給与を含みません）とご決議いただき今日に至っております。

当社を取り巻く不確実な経済環境下では、より高度な経営判断をスピーディーに行うことが求められるところ、優秀な人材確保のために人材市場における当社の競争力を向上させることを目的として、今般、取締役の報酬額を年額○円以内（うち社外取締役分は年額○円以内）と改めさせていただきたいと存じます。

本議案をご承認いただいた場合、ご承認いただいた内容とも整合するよう、本総会終結後の取締役会において、事業報告○頁に記載の取締役の個人別の報酬等の内容に係る決定方針のうち……について……に変更することを予定しております。

本議案は、当該変更後の方針に沿って取締役の個人別の報酬等の内容を定めるために必要かつ相当な内容であると判断しております。

なお、従来どおり使用人兼務取締役の使用人給与は含まないものといたしたいと存じます。

現在の取締役は3名（うち社外取締役1名）であり、第2号議案が原案どおり承認可決されますと、取締役は3名（うち社外取締役1名）となります。

以上

61　施74条1項4号。
62　施74条1項5号。
63　施74条1項6号。
64　施74条2項3号。

(1) 一般的記載事項

ア　議案

株主総会に提出予定の議案は、すべて記載する必要がある（施 73 条 1 項 1 号）。株主提案権の行使による議案も含まれる。

イ　提案の理由

会社提案の場合に限り、提案の理由は必要的記載事項となる（施 73 条 1 項 2 号）。提案の理由がないままに、株主が議案への賛否を決するのは酷な面もあるため、会社提案に限り株主総会参考書類への記載を義務付けている。

この提案の理由には、「株主総会において一定の事項を説明しなければならない議案の場合における当該説明すべき内容」を含むとされている（施 73 条 1 項 2 号）。したがって、たとえば取締役報酬議案の場合、これを「相当とする理由」（会 361 条 4 項）については、必要的記載事項となる。

ウ　監査役の議案等に関する調査結果の報告の内容の概要

監査役や監査等委員が株主総会に対して議案等に関する調査結果の報告義務を負う場合にはその概要を記載する必要がある。もっとも、監査役の監査の範囲を会計に関するものに限定する旨を定款で定めていない限り、当該報告義務が発生するのは、法令もしくは定款に違反し、または著しく不当な事項があると認めるときに限られる（会 384 条、399 条の 5）。したがって、多くの公開会社においては、記載は不要ということになろう。

エ　任意的記載事項（施 73 条 2 項）

株主総会参考書類には、会社法施行規則所定の事由のほか、株主の議決権の行使について参考となると認める事項を記載することができる。具体例としては、役員の選任議案について、社外役員以外の候補者に関する具体的な推薦理由やスキル・マトリックス、取締役会、監査役会および任意の委員会への出席率等が挙げられる。

上場会社の場合、CG コード補充原則 1-2 ①において、株主総会において株主が適切な判断を行うことに資すると考えられる情報については必要に応じ適確に提供することが求められており、今後も、株主との建設的な対話の促進の観点から、任意的記載事項の充実はさまざまな形で進んでいくであろう。

オ　重複記載の省略

株主総会参考書類に記載すべき事項のうち、他の書面に記載している場合または電磁的方法により提供する事項がある場合には、これらの事項は株主総会参考書類に記載することを要しない（施 73 条 3 項）。逆に、招集通知または事業報告の内容とすべき事項のうち、株主総会参考書類に記載している事項がある場合には、これらの事項を招集通知や事業報告の内容とすることを要しない（施 73 条 4 項）。

前者による省略を行うに際しては、他の書面に記載している事項または電磁的方法により提供する事項があることを明らかにしなければならない。また、後者による省略については、あくまで「株主に対して提供する事業報告」において省略することができるにすぎず、会社が作成し本店および支店に備え置くこととなる事業報告の内容としないことができるわけではないことに注意を要する。

カ　機関投資家・議決権行使助言会社の動向

国内外の機関投資家の議決権行使基準および議決権行使助言会社の助言方針は、年々厳格化している。たとえば、独立性が低いと判断された社外役員候補者の選任、業績不振·不祥事のあった企業における役員の再任や報酬額の増額·賞与の支給、非業務執行役員に対する株式報酬の付与、退職慰労金の支給等に関する議案については、機関投資家を中心として反対票が投じられることも多い。

議案の検討および株主総会参考書類の作成に当っては、自社の株式を保有している機関投資家が公表する最新の議決権行使基準に加え、ISS（Institutional Shareholder Services Inc.）やグラス・ルイス（Glass Lewis Co.）等の議決権行使助言会社が公表する最新の議決権行使助言基準を意識することが求められる。

(2) 剰余金の配当の件

会社法459条1項の定款の定めのある会社は、剰余金の配当の決定は取締役会決議で足り、本議案の株主総会への上程は不要である。

株主総会参考書類には、一般的記載事項のほかに、①配当財産の種類（金銭か、金銭以外の場合はその種類）および帳簿価額の総額、②株主に対する配当財産の割当てに関する事項（1株当たりの配当金額）、③配当の効力発生日の記載が必要となる。

「剰余金の配当」と同時に、「損失の処理、任意積立金の積立てその他の剰余金の処分」（会452条）を行う場合、①増加する剰余金の項目、②減少する剰余金の項目、③処分する各剰余金の項目に係る額の記載が必要となる（計153条1項）。この点について、「剰余金の処分」が「剰余金の配当」と「その他の剰余金の処分」双方の上位概念と解されているため、「剰余金の処分」の件という1つの議案の中で、双方を記載することが多い。

なお、株主総会参考書類において、提案の理由（施73条1項2号）として自社の配当政策に言及することが考えられるが、上場会社については、CGコード原則1-3において資本政策の基本的な方針に関する説明が求められていることを踏まえ、資本政策についても併せて言及することが考えられる。

（3）取締役選任の件

株主総会参考書類に記載すべき事項としては、通常、一般的記載事項に加え、①共通記載事項、②公開会社特有の記載事項、③社外取締役（候補者）特有の記載事項、④他の会社の子会社である公開会社特有の記載事項がある（施 74 条、74 条の 3）。以下、①、②および③を中心に解説する。

なお、解説に際しては監査役会設置会社における取締役の選任議案を念頭に置くが、ここで、監査等委員会設置会社における記載事項の特徴について若干述べる。

監査等委員である取締役とそれ以外の取締役では、株主総会参考書類の記載事項がいくつかの点で異なる。たとえば、取締役の選任議案において、公開会社の場合には監査等委員であるか否かにかかわらず、会社との間の特別の利害関係について記載する必要がある（施 74 条 2 項 3 号・74 条の 3 第 1 項 2 号）のに対して、非公開会社の場合には、監査等委員である取締役についてのみ、かかる特別の利害関係について記載する必要がある（施 74 条の 3 第 1 項 2 号）。なお、報酬等に関する議案においても、監査等委員である取締役については社外取締役とそうでない取締役を区別して記載することが求められない（施 82 条 3 項、82 条の 2 参照）。

ア　共通記載事項

（ア）氏名・略歴等

候補者の氏名、生年月日および略歴を記載する必要がある（施 74 条 1 項 1 号）。氏名に振り仮名を記載する場合には正確な音を記載するよう注意を要する。

略歴については、入社時期、取締役就任より前の主要な役職（部長等）、取締役就任時期、役付取締役（常務・専務・社長等）就任時期を記載することが一般的である。現在の主な職業は略歴に含まれる。

なお、候補者から取締役への就任の承諾を得ていないときはその旨を記載する必要もある（施 74 条 1 項 2 号）。上場会社においては、そのような事態はまれと思われるものの、期限付承諾または条件付承諾であるときは、その旨をも明らかにすべきものと解されていることには注意を要する。

また、監査等委員会設置会社において、監査等委員である取締役以外の取締役の選任もしくは解任または辞任について監査等委員会の意見があるときは、その意見の内容の概要を記載する（施 74 条 1 項 3 号）。

（イ）責任限定契約

会社が非業務執行取締役の候補者と責任限定契約を締結しているとき、または締結する予定があるときは、その契約の内容の概要を記載する（施 74 条 1 項 4 号）。

「契約の内容の概要」としては、株主がその責任限定契約の内容のうち重要な点を理解するに当たり必要な事項を記載することが求められる（この点は下記（ウ）補償契約や（エ）役員等賠償責任保険契約も同様である）。

（ウ）補償契約

令和元年改正会社法により、会社が取締役候補者と補償契約を締結しているとき、または締結する予定があるときは、その契約の内容の概要を記載することが必要となった（施74条1項5号）。

（エ）役員等賠償責任保険契約

令和元年改正会社法により、会社が取締役候補者を被保険者とする役員等賠償責任保険（D&O保険等）の保険契約を締結しているとき、または締結する予定があるときは、その契約の内容の概要を記載することが必要となった（施74条1項6号）。

イ　公開会社特有の記載事項

（ア）候補者の有する当該株式会社の株式の数（種類株式発行会社の場合、種類ごと）

所有株式数（施74条2項1号）については、一般的に期末現在の株式数を記載する。役員持株会の持分については、厳密には候補者自身が所有する株式ではないが、候補者自身の名義でなくとも候補者が実質的に所有しているものを含めて記載するのが妥当であろう。

（イ）候補者が当該株式会社の取締役に就任した場合、重要な兼職に該当する事実があることとなる場合は、その事実

重要な兼職の状況（施74条2項2号）については、株主総会参考書類の作成時点において、候補者が当該株式会社の取締役に就任したと仮定した場合における重要な兼職の状況を記載することで足りる。したがって、将来の就任時における兼職状況を株主総会参考書類の作成時点で予想した上で開示する必要はないが、他の会社の（株主総会または取締役会での）承認を経て兼職に就任することが予定されている場合には、参考情報としてその旨を注記することも考えられる。

なお、就任時までに（または就任後間もなく）退任が予定されている兼職は重要な兼職には該当しないとされている。

重要な兼職の状況の記載方法は、略歴中に「○○年○月○日○○株式会社代表取締役社長に就任（現任）」と記載する方法が一般的であるが、別途略歴欄の末尾または摘要欄に記載する方法も考えられる。

（ウ）候補者と当該株式会社との間に特別の利害関係があるときは、その事実の概要

候補者と会社との間に特別の利害関係がある場合（たとえば、取締役候補者と会社との間に競業や利益相反取引の関係があるような場合）には、その事実の概要を記載しなければならず（施74条2項3号）、具体的には、取引の相手先および取引の内容等を記載する。

たとえば、競業会社の役員であることや、会社との間に重要な取引関係・貸借関係・係争等があること等が挙げられる。また、候補者が子会社の代表取締役を兼務し、当該株式会社との間に取引関係がある場合や、当該株式会社が子会社に資金の貸付け、債務保証を行っている事実等があれば、これも記載を要する。もっとも、当該株式会社と当該子会社が完全親子会社関係にある場合は、親子会社間に利害の対立がないといえるため、特別の利害関係はないと解される。

このような関係の存否は、いずれも取締役としての適性を判断する上で重要な情報であることから、不記載や虚偽記載は株主総会決議の取消原因になると解されている。

（エ）候補者がすでに当該株式会社の取締役であるときは当該株式会社における地位および担当

取締役の地位（施74条2項4号）とは、会長、社長、専務等を意味する。また、担当（同号）とは、営業担当等を意味し、使用人として部長等を兼務している場合にはその内容も記載する。地位および担当は、略歴欄で重要な兼職とともにまとめて記載する例が多い。

（オ）CGコード関連[65]

上場会社の場合、特に役員の選任議案については、単に法定の記載事項を記載するにとどまらず、CGコードを踏まえて任意的な記載を充実させる例が多い。

第一に、近時、株主総会参考書類において、社外取締役候補者のみならず、すべての取締役候補者について選任理由を記載する会社が一般的になりつつある（監査役候補者についても同様である）。法令上、社外取締役については、選任議案において選任理由を記載する必要がある（施74条4項2号）が、それ以外の取締役については、これを記載する義務はない。しかし、CGコードにおいて、社外取締役であるか否かを問わず、取締役候補者については、その選任理由を明らかにすべきとされていること（CGコード原則3-1 v）が

65　事業報告において、CGコード原則1-4を踏まえ政策保有株式に関する情報を記載することも考えられる。すなわち、政策保有株式の貸借対照表上の保有額が純資産の一定割合に達している場合、取締役選任議案に反対する方針としている機関投資家・議決権行使助言会社もあるため、取締役選任議案の参考情報として、政策保有株式の貸借対照表上の保有額の純資産に対する割合を記載することが考えられる。

記載例の増加の背景にあると考えられる。

第二に、任意の指名委員会に関する記載の充実が挙げられる。監査役会設置会社では、法令上取締役会が取締役候補者を指名することとされているが、取締役会の諮問機関として任意の指名委員会を設置する会社は増え続けている。2021年改訂CGコードにより、「上場会社が監査役会設置会社または監査等委員会設置会社であって、独立社外取締役が取締役会の過半数に達していない場合には、経営陣幹部・取締役の指名（後継者計画を含む）……に係る取締役会の機能の独立性・客観性と説明責任を強化するため、取締役会の下に独立社外取締役を主要な構成員とする独立した指名委員会……を設置することにより、指名……に関する検討に当たり、ジェンダー等の多様性やスキルの観点を含め、……委員会の適切な関与・助言を得るべきである」とされた（CGコード補充原則4-10①）こともあり、指名委員会の設置が取締役の指名の透明性の向上に寄与するものであるとの認識は定着したと考えられる。

株主総会参考書類における指名委員会に係る記載例としては、CGコードにおいて、取締役候補者の指名に関する方針・手続を開示すべきとされている（CGコード原則3-1 ⅳ）ことを踏まえ、任意の指名委員会が関与する取締役候補者の選任プロセスについて当該指名委員会の構成員を含めて積極的に記載する例[66]がみられる。かかる記載例は、2021年改訂CGコードにより、プライム市場上場会社においては、任意の指名委員会について、「委員会構成の独立性に関する考え方・権限・役割等を開示すべきである」とされている（CGコード補充原則4-10①）こととも整合する。

第三に、2021年改訂CGコード補充原則4-11①を受け、スキル・マトリックスを記載する例が増えている。スキル・マトリックスとは、役員候補者の有する知識・経験・能力等のスキルを一覧表で示したものを指す。たとえば、横軸に「経営経験」、「財務・会計」といったスキル項目を並べ、縦軸に役員候補者の氏名を並べ、各役員候補者の有するスキルに○等の印をつけて表示する例が多い。2021年改訂CGコード補充原則4-11①によれば、「取締役会は、経営戦略に照らして自らが備えるべきスキル等を特定した上で、取締役会の全体としての知識・経験・能力のバランス、多様性および規模に関する考え方を定め、各取締役の知識・経験・能力等を一覧化したいわゆるスキル・マトリックスをはじめ、経営環境や事業特性等に応じた適切な形で取締役の有するスキ

66　株式会社リコーの2021年3月期定時株主総会招集通知。なお、現経営陣が定時株主総会における議案とするために策定した取締役候補案が、任意の指名委員会の承認を得られなかったため、取締役会で否決されたという事例（株式会社セブン＆アイ・ホールディングス第11回定時株主総会）も存在する。

ル等の組み合わせを取締役の選任に関する方針・手続と併せて開示すべきである」とされているところ、自社の経営戦略の実現に向けて必要なスキル（スキルセット）は会社ごとに異なるはずである。したがって、単なる他社例の引き写しや現任の役員のスキルありきでスキル・マトリックスを作成するのではなく、自社の経営戦略と紐づけて必要なスキルを特定した上で、ストーリー性をもってスキル・マトリックスを作成することが望ましい。

第四に、CG コード原則 4-11 により、「取締役会は……ジェンダー……を含む多様性と適正規模を両立させる形で構成されるべきである」とされていることを受け、取締役候補者の（生物学的な性別ではなく）ジェンダーを明記することも考えられるであろう。

（カ）その他

近時では、株主総会参考書類において、取締役としての適性を判断する要素として、取締役会や任意の委員会への出席状況を記載する会社も増えている。

また、取締役候補者自ら取締役としての適性をアピールするために、各候補者からのメッセージを記載している例（その中には自筆の例もある）も見受けられる。

このほか、形式的な事項としては、①各候補者に付番すること、②候補者の氏名に振り仮名を振ること、③再任か新任かを明記すること、④候補者の氏名について旧姓と現姓を併記すること、等が考えられる。

ウ　社外取締役候補者特有の記載事項（必要的記載事項）

社外取締役候補者の選任議案に記載すべき事項（施 74 条 4 項）は、会社が公開会社であるか、非公開会社であるかによって異なる。公開会社の場合は、会社法施行規則 74 条 4 項各号の事由をすべて記載する必要があるが、非公開会社の場合は、そのうち同条 4 号から 8 号に定める事項を記載することを要しない。以下では、令和元年改正会社法により影響のあった部分について解説する。

第一に、令和元年改正会社法により、候補者が社外取締役（社外役員に限る）に選任された場合に果たすことが期待される役割の概要を記載することが必要となった（施 74 条 4 項 3 号）。実例としては、候補者の経歴や知見・専門分野を紹介した上で、①在任者については実際の活動を踏まえた貢献内容（取締役会における経営に関する意思決定・業務執行の監督等、指名・報酬委員会での活動等）を、②新任候補者については貢献が期待される役割を記載するパターンが多く、また、選任理由とまとめて記載する例が多い。記載に当たっては、会社が社外取締役候補者に対して、どのような視点からの取締役の職務の執行の監督を期待しているのか等を具体的に記載することが望ましい。なお、令和元年改正会社法により、事業報告では「社外取締役……が果たすことが期待される役割に関して行った職務の概要」が記載事項とされており（施 124 条 4 号ホ）、事業報告においては事業年度中の成果が、株主総会参考書類においては選任時に期待される役割が、それぞれ記載されるため、両者で矛盾が生じないよう留意を要する。また、スキル・マトリックスを開示している場合や招集通知で社外取締役候補者からのメッセージを記載する場合には、これらの記載と「期待される役割」の間で矛盾が生じないようにすべきである。

第二に、令和元年改正会社法により、株式会社が知っている社外取締役候補者の属性についても、一部の記載事項の対象期間が 5 年間から 10 年間に変更された。すなわち、①社外取締役候補者が当該株式会社の親会社等（自然人であるものに限る）であり、または過去 10 年間（改正前は 5 年間）に親会社等であったこと、②社外取締役候補者が当該株式会社の特定関係事業者の業務執行者もしくは役員であり、または過去 10 年間（改正前は 5 年間）に当該株式会社の特定関係事業者（当該株式会社の子会社を除く）の業務執行者もしくは役員であったことを、当該株式会社が知っているときは、それぞれその旨を記載する必要があるとされた（施 74 条 4 項 7 号ロ・ハ）。

「業務執行者」とは、業務執行取締役、執行役、使用人等を指す（施 2 条 3 項 6 号）。「特定関係事業者」とは、親会社等・親会社等の子会社等（親会社等がない場合は子会社）、関連会社、主要な取引先を指す（施 2 条 3 項 19 号）。「会社が知っているとき」とは、法定記載事項であることを踏まえて会社において必要な調査をすることが前提となっているため、上記期間を対象として候補者に対する確認等を実施する必要がある。また、上記②に該当する場合はもちろん、上記②に該当しない場合であっても、過去に社外取締役候補者が当該株式会社の特定関係事業者の業務執行者もしくは役員であったことがある場合には、いつの時点で当該株式会社の特定関係事業者の業務執行者または役員でなくなったのか、退任・退職の時期を記載しておくことが望ましい。

第三に、令和元年改正会社法により、上場会社等は、社外取締役を置くことを義務付けられたため（会 327 条の 2）、上場会社等が社外取締役選任議案を株主総会に提出しない場合に株主総会参考書類において「社外取締役を置くことが相当でない理由」を記載すべきとの規定（施 74 条の 2）は削除された。なお、ここでいう上場会社等とは、公開会社・大会社である監査役会設置会社であり、かつ、有価証券報告書提出会社を指す。

エ　社外取締役候補者特有の記載事項（任意的記載事項）

第一に、社外役員候補者が独立役員に該当する場合には、その旨を記載する例が多い。社外役員候補者について独立役員である旨の記載（届出予定、要件充足を含む）がない場合、独立性がないと判断する機関投資家もあるとの指摘もあり、かかる記載は、賛成率に直結する有用な情報であることから、記載することが望ましい。また、社外役員候補者が独立役員に該当するとの判断の根拠として、株主総会参考書類において独立社外取締役の独立性判断基準を記載することが考えられる。独立社外取締役の独立性判断基準については、会社法上の記載事項ではないものの、CG コードにおいて策定・開示が求められていること（CG コード原則 4-9）を踏まえ、これを株主総会参考書類に記載する例は多い。なお、取引金融機関や会計監査人出身者等、独立性について慎重な判断がなされることが予想される社外取締役候補者については、独立性判断基準等との関係で独立性を満たすことをより積極的に説明する観点から、当該会社と社外取締役の出身組織との取引額や割合まで記載しておく例もあり、議決権行使助言会社への対応として参考になる。

第二に、近年、政策保有株式を保有している場合に、その保有先の会社出身の社外役員候補者は独立性がないとする議決権行使基準等を導入する機関投資家・議決権行使助言会社があり、これを受けて、「当社は、○○氏が取締役社長であった㈱○○の株式を保有しておりません」、「当社は○○氏が勤務していた㈱○○の株式を○%保有しておりますが、その割合は僅少であることから、独立性に影響はないものと判断しております」といった注記を付す例[67]が増えており、注目に値する。

第三に、社外取締役の在任期間、取締役会への出席率および兼職社数等の点について明確にするべく、これらを候補者一覧表に記載する例もみられる。

（4）取締役報酬額改定の件

近時、取締役の報酬設計は複雑化してきている。すなわち、かつて取締役の報酬は確定額報酬が中心であったが、近時は、インセンティブ付与の観点から、支給金額が業績や株価に連動して変動する業績連動報酬や、自社株や新株予約権（ストック・オプション）といったエクイティ報酬も採用する会社が増えている。

とりわけ自社株を報酬とする場合の選択肢は多岐にわたる。自社株報酬は、まず、事前交付型株式報酬と事後交付型株式報酬の 2 つに区分され、事前交付型株式報酬の例としては、譲渡制限付株式（リストリクテッド・ストック）およびパフォーマンス・シェアが、事後交付型株式報酬の例としては、リストリクテッド・ストック・ユニット、パフォーマンス・シェア・ユニットが、それぞれ挙げられる。

リストリクテッド・ストックとは、役員に対し、譲渡制限が付された株式を

67　同趣旨の注記を付す例として、住友不動産株式会社の 2021 年 3 月期定時株主総会招集通知。

あらかじめ交付し一定期間の経過により譲渡制限が解除されるものを意味する。これに対し、リストリクテッド・ストック・ユニットとは、役員が一定期間職務を遂行した後に当該職務遂行期間に対応して株式数を確定の上、役員に対し自社株を交付するものを意味する。

また、パフォーマンス・シェアとは、役員に対し、譲渡制限が付された株式をあらかじめ交付し一定期間の経過により譲渡制限が解除されるものという点で、リストリクテッド・ストックと共通するが、一定期間の業績を踏まえて譲渡制限が解除される株式数が変動する（すべての株式について譲渡制限が解除されるとは限らない）という点で異なる。これに対し、パフォーマンス・シェア・ユニットは、一定期間の経過後に、当該期間における業績を踏まえて算出された数の株式が役員に対し交付されるものを意味する。

さらに、特に上場会社では、自社株報酬を付与する方法として、株式交付信託も利用されている。株式交付信託とは、①会社を委託者、信託銀行を受託者、対象となる役員を受益者として金銭を信託し、②信託銀行が当該金銭を原資として株式を取得し、③対象となる役員は、信託期間中に会社が定める算定式に基づきポイントを付与され、一定の場合に当該ポイントに相当する数の株式が当該役員に交付される制度を意味する。制度設計次第で、リストリクテッド・ストック・ユニットやパフォーマンス・シェア・ユニットと同様の機能を実現することが可能である。

会社としては、さまざまな報酬設計の中から自社の経営戦略に適合するものを（必要に応じて複数）選択し、これが取締役の適切なインセンティブとして機能するよう具体的な内容を検討の上、任意の報酬委員会による審議等の公正

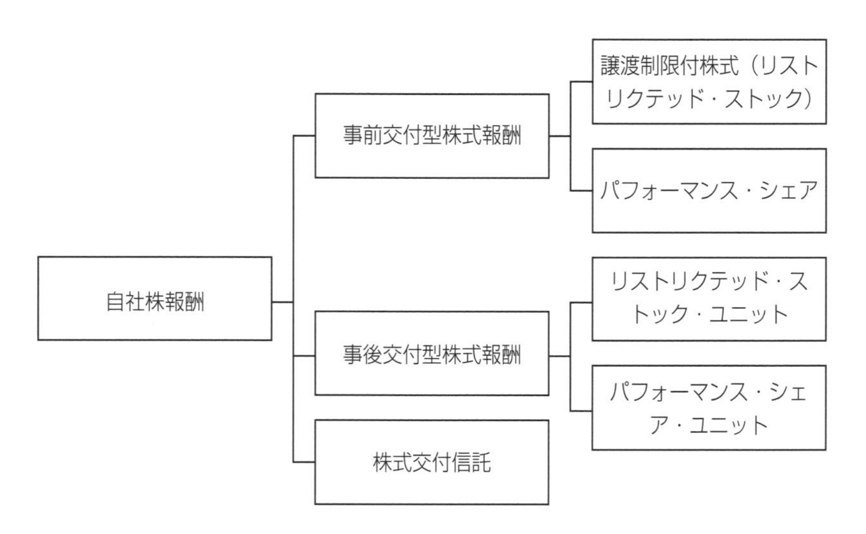

なプロセスを経て、自社の報酬制度を構築することが求められているといえよう。

報酬議案の肝となる報酬額算定の基準（施82条1項1号）として記載すべき事項は、支給する報酬が、①確定額報酬、②不確定額報酬、③募集株式、④募集新株予約権、⑤募集株式と引換えにする払込みに充てるための金銭、⑥募集新株予約権と引換えにする払込みに充てるための金銭、⑦非金銭報酬（上記③④を除く）のいずれに該当するか（複数に該当することも考えられる）によって変わってくる。代表的な報酬類型と上記①ないし⑦の対応関係は、以下のとおりである。

代表的な報酬類型	対応する条項
年額○円、月額○円等の額が確定している報酬	①確定額報酬（会361条1項1号）
あらかじめ額が確定していない報酬 （例：業績連動の賞与）	②不確定額報酬（会361条1項2号）
事前交付型株式報酬（リストリクテッド・ストック、パフォーマンス・シェア） ※いずれについても現物出資構成[68]の場合を含む	①確定額報酬（会361条1項1号） または②不確定額報酬（同項2号） ＋ ③募集株式（同項3号） または⑤募集株式と引換えにする払込みに充てるための金銭（同項5号イ）
事後交付型株式報酬（リストリクテッド・ストック・ユニット、パフォーマンス・シェア・ユニット） ※いずれについても現物出資構成の場合を含む	①確定額報酬（会361条1項1号） または②不確定額報酬（同項2号） ＋ ③募集株式（同項3号） または⑤募集株式と引換えにする払込みに充てるための金銭（同項5号イ）

68　募集株式と引換えにする払込みに充てるための金銭を取締役の報酬等とした上で、取締役に募集株式を割り当て、引受人となった取締役をして株式会社に対する報酬支払請求権をもって現物出資財産として給付させることによって株式の発行等を行うこと。

ストック・オプション（相殺構成[69]の場合を含む）	①確定額報酬（会 361 条 1 項 1 号） または②不確定額報酬（同項 2 号） ＋ ④募集新株予約権（同項 4 号） または⑥募集新株予約権と引換えにする払込みに充てるための金銭（同項 5 号ロ）
株式交付信託	⑦非金銭報酬（会 361 条 1 項 6 号） ただし、⑦として記載すべき内容は、⑤募集株式と引換えにする払込みに充てるための金銭（同項 5 号イ）に準じる
社宅の供与	⑦非金銭報酬（会 361 条 1 項 6 号）

令和元年改正会社法により株主総会参考書類において記載すべき法定事項は拡大し、これまで以上に精緻な記載が求められる一方で、株主・投資家に報酬制度の全体像を示しつつ、当該議案の位置付けを要領良く説明することも求められ、両者のバランスを意識した対応が重要となろう。

以上を踏まえ、取締役の報酬議案についての一般的な記載事項を解説する。取締役の報酬議案の一般的な記載事項は、①報酬額算定の基準、②報酬額等の変更の理由、③議案が 2 以上の取締役についての定めであるときは、当該定めに係る取締役の員数、④報酬等を相当とする理由である（施 82 条 1 項各号）。公開会社では、上記①ないし③の社外取締役に関するものは、社外取締役以外の取締役と区別して記載する必要がある（施 82 条 3 項）。以下では、①報酬額算定の基準、および④報酬等を相当とする理由について述べる。

ア　報酬額算定の基準（施 82 条 1 項 1 号）

（ア）確定額報酬の場合

その額を記載する（会 361 条 1 項 1 号）。

（イ）不確定額報酬の場合

その具体的な算定方法を記載する（会 361 条 1 項 2 号）。

（ウ）募集株式の場合

令和元年改正会社法は、募集株式を取締役の報酬等として付与しようとする場合、既存株主に持株比率低下や希釈化による経済的損失が生ずる可能性があることから、当該募集株式の数の上限その他法務省令で定める事項を、定款ま

69　募集新株予約権と引換えにする払込みに充てるための金銭を取締役の報酬とした上で、取締役に募集新株予約権を割り当て、引受人となった取締役をして株式会社に対する報酬請求権をもって相殺させることにより新株予約権を発行すること。

たは株主総会の決議によって定めなければならないこととした。

具体的には、株主総会参考書類において、①募集株式の数（種類株式発行会社にあっては、募集株式の種類および種類ごとの数）の上限（会 361 条 1 項 3 号）、②一定の事由が生ずるまで当該募集株式を他人に譲り渡さないことを取締役に約させることとするときは、その旨および当該一定の事由の概要（施 98 条の 2 第 1 号）、③一定の事由が生じたことを条件として当該募集株式を当該株式会社に無償で譲り渡すことを取締役に約させることとするときは、その旨および当該一定の事由の概要（施 98 条の 2 第 2 号）、④上記②③のほか、取締役に対して当該募集株式を割り当てる条件を定めるときは、その条件の概要（施 98 条の 2 第 3 号）を記載することが必要となった。

令和元年改正会社法関連の留意点としては、以下の 3 点が挙げられる。

第一に、令和元年改正会社法により、上場会社では、株式を取締役の報酬等として交付する場合に財産の出資を不要とすること（株式の無償発行）が認められた（会 202 条の 2 第 1 項）。ただし、会社法上の役員ではない執行役員、従業員、子会社役職員等への株式報酬付与の場面では、株式の無償発行は認められていない点に留意を要する。

第二に、株式報酬に上限額が定められた確定額報酬としての性質があるのであれば、会社法 361 条 1 項 1 号の決議も要すると解されており、この場合、同号に基づく金額上限枠（年額〇円以内）の決議および同項 3 号に基づく株式数上限枠（年〇株以内）の決議が双方行われることとなり、両決議をどのように関連付けて設定するかが問題となりうる。

第三に、クローバック条項（一定の事由が生じた場合に役員報酬の全部または一部を返還させる、または消滅させる旨の条項）が、上記③「一定の事由が生じたことを条件として当該募集株式を当該株式会社に無償で譲り渡すことを取締役に約させることとするとき」（施 98 条の 2 第 2 号）に該当するかが論点となる。肯定・否定両論ありうるところであるが、令和元年改正会社法により、取締役の報酬等として募集株式を付与する場合には、法務省令で定める事項を定款または株主総会の決議により定めなければならないとされている（会 361 条 1 項 3 号）のは、会社が採用する報酬設計が取締役に適切なインセンティブを付与するものであるかを株主に判断させるためであることを踏まえると、クローバック条項についても株主総会参考書類に記載しておく対応が望ましい。

（エ）募集新株予約権の場合

令和元年改正会社法は、募集新株予約権を取締役の報酬等として付与しようとする場合、既存株主に持株比率低下や希釈化による経済的損失が生ずる可能性があることから、当該募集新株予約権の数の上限その他法務省令で定める事項を、定款または株主総会の決議によって定めなければならないこととした。

具体的には、株主総会参考書類において、①募集新株予約権の数の上限（会361条1項4号)、②会社法236条1項1号から4号までに掲げる事項(同条3項の場合には、同条1項1号、3号および4号に掲げる事項ならびに同条3項各号に掲げる事項）（施98条の3第1号)、③一定の資格を有する者が当該募集新株予約権を行使することができることとするときは、その旨および当該一定の資格の内容の概要（施98条の3第2号)、④上記②③のほか、当該募集新株予約権の行使の条件を定めるときは、その条件の概要（施98条の3第3号)、⑤新株予約権の譲渡について会社の承認を要するときは、その旨（施98条の3第4号)、⑥新株予約権に取得条項を付すときは、これに関する事項の内容の概要（施98条の3第5号)、⑦取締役に対して当該募集新株予約権を割り当てる条件を定めるときは、その条件の概要（施98条の3第6号）を記載することが必要となった。

なお、令和元年改正会社法により、上場会社では、取締役の報酬等（いわゆるストック・オプション）として新株予約権を発行する場合に、その行使に際して財産の出資を不要とすること（新株予約権の無償行使）が認められた（会236条3項)。ただし、会社法上の役員ではない執行役員、従業員、子会社役職員等に対して発行する新株予約権については、新株予約権の無償行使は認められていない点に留意を要する。

（オ）募集株式と引換えにする払込みに充てるための金銭の場合

現物出資構成によって、金銭を取締役の報酬としつつ、実質的に株式を取締役の報酬等として付与することがあるが、かかる場合においても、募集株式を取締役の報酬等として付与する場合と同様の事項を定款または株主総会の決議により定めることが相当である。

そこで、令和元年改正会社法により、かかる場合には、株主総会参考書類において、①取締役が引き受ける募集株式の数（種類株式発行会社にあっては募集株式の種類および種類ごとの数）の上限（会361条1項5号イ)、②一定の事由が生ずるまで当該募集株式を他人に譲り渡さないことを取締役に約させることとするときは、その旨および当該一定の事由の概要（施98条の4第1項1号)、③一定の事由が生じたことを条件として当該募集株式を当該株式会社に無償で譲り渡すことを取締役に約させることとするときは、その旨および当該一定の事由の概要（施98条の4第1項2号)、④上記②③に掲げる事項のほか、取締役に対して当該募集株式と引換えにする払込みに充てるための金銭を交付する条件または取締役に対して当該募集株式を割り当てる条件を定めるときは、その条件の概要（施98条の4第1項3号）を記載することが必要となった。

（カ）募集新株予約権と引換えにする払込みに充てるための金銭の場合

相殺構成によって、金銭を取締役の報酬としつつ、実質的に新株予約権を取締役の報酬等として付与することがあるが、かかる場合においても、募集新株予約権を取締役の報酬等として付与する場合と同様の事項を定款または株主総会の決議により定めることが相当である。

そこで、令和元年改正会社法により、かかる場合には、株主総会参考書類において、①取締役が引き受ける募集新株予約権の数（会 361 条 1 項 5 号ロ）、②会社法 236 条 1 項 1 号から 4 号までに掲げる事項（同条 3 項の場合には、同条 1 項 1 号、3 号および 4 号に掲げる事項ならびに同条 3 項各号に掲げる事項）（施 98 条の 4 第 2 項 1 号）、③一定の資格を有する者が当該募集新株予約権を行使することができることとするときは、その旨および当該一定の資格の内容の概要（施 98 条の 4 第 2 項 2 号）、④上記②③に掲げる事項のほか、当該募集新株予約権の行使の条件を定めるときは、その条件の概要（施 98 条の 4 第 2 項 3 号）、⑤新株予約権の譲渡について会社の承認を要するときは、その旨（施 98 条の 4 第 2 項 4 号）、⑥新株予約権に取得条項を付すときは、これに関する事項の内容の概要（施 98 条の 4 第 2 項 5 号）、⑦取締役に対して当該募集新株予約権と引換えにする払込みに充てるための金銭を交付する条件または取締役に対して当該募集新株予約権を割り当てる条件を定めるときは、その条件の概要（施 98 条の 4 第 2 項 6 号）を記載することが必要となった。

（キ）非金銭報酬（上記（ウ）（エ）の場合を除く）の場合

その具体的な内容を記載する（会 361 条 1 項 6 号）。

イ　報酬等を相当とする理由（会 361 条 4 項）

令和元年改正会社法により、確定額である金銭の報酬等に関する議案を株主総会に提出する場合であっても、当該報酬等を相当とする理由を説明することが必要となった（改正前においては、不確定額である報酬等または金銭でない報酬等に関する議案についてのみ「相当とする理由」を説明すれば足りることとされていた）。

かかる改正は、近年、確定額、不確定額、金銭、非金銭の報酬等をさまざまに組み合わせて付与することが一般的になりつつあるため、確定額の報酬であっても、当該議案の内容のみによって、そのような報酬等を定めることが必要かつ合理的であるかどうかを検討することができないという問題意識を背景としたものである。問題意識としては抽象的ではあるが、裏を返せば、そのような報酬等を定めることが必要かつ合理的であることについて、株主が理解できる程度の説明を行うことが求められているといえよう。実際の記載例としては、確定額の報酬について「相当とする理由」として、金額の算定根拠、報酬委員会の審議を経ていること等を記載する例が見受けられる。

また、令和元年改正会社法により、上場会社は、事業報告において、取締役の個人別の報酬等の内容についての決定に関する方針（報酬等決定方針）を開示することが求められている（施 121 条 6 号、会 361 条 7 項）ところ、「相当とする理由」を説明する際には、報酬等決定方針と関連付ける例が多い。ただし、報酬等決定方針のすべてを議案の中に記載すると冗長となる場合もあり、たとえば、議案では「報酬等決定方針の概要は事業報告○頁に記載のとおりであり……」という形で事業報告記載の報酬等決定方針を引用する形をとることも検討に値する。

また、上程する議案が承認可決された後に報酬等決定方針が変更することが予定されている場合、当該変更後の報酬等決定方針は、株主が賛否を判断する上で重要な情報であり、議案の内容の合理性や相当性を基礎付けるものであることから、「相当とする理由」として株主総会で説明することが有用であるとされている。

ウ　任意的記載事項

2021 年改訂 CG コードにより、「上場会社が監査役会設置会社または監査等委員会設置会社であって、独立社外取締役が取締役会の過半数に達していない場合には……報酬……に係る取締役会の機能の独立性・客観性と説明責任を強化するため、取締役会の下に独立社外取締役を主要な構成員とする独立した……報酬委員会を設置することにより……ジェンダー等の多様性やスキルの観点を含め……委員会の適切な関与・助言を得るべきである。特に、プライム市場上場会社は……委員会の構成員の過半数を独立社外取締役とすることを基本とし、その委員会構成の独立性に関する考え方・権限・役割等を開示すべきである。」とされており（CG コード補充原則 4-10 ①）、任意の報酬委員会を設置し、その役割、構成メンバー、活動状況等について記載することが考えられる。

また、役職別の報酬構成比や報酬の算定方法を図示しながら具体的に記載し、視覚的に理解を促すといった工夫を行うことも考えられる。

4 議決権行使書

議決権行使書

X 電機株式会社　御中

私は、20xx 年 6 月 xx 日開催の貴社第□回定時株主総会（継続会または延会を含む）の各議案につき、右記（賛否を○印で表示）のとおり議決権を行使いたします。

年　　月　　日

各議案について賛否の表示がない場合は、「賛」の表示があったものとして取り扱います[71]

X 電機株式会社

株主番号	議決権の数
XXXXX	XXXX 個[70]

（単元株式数　100）

記

議　案	原案に対する賛否	
第 1 号議案	賛	否
第 2 号議案	賛　候補者のうち　を除く	否
第 3 号議案	賛	否

○山 ○男

X X X X

（切り取り線）

ご参考

基準日（○年○月○日）

現在のご所有株式数　x,xxx,xxx 株

○ 議決権行使コード

○ パスワード

○ 議決権行使サイト URL
https://www.xxxx.net

[お願い]

1. 株主総会に出席の際は、議決権行使書用紙を会場受付にご提出ください。
2. 当日株主総会にご出席願えない場合は、以下のいずれかの方法により議決権を行使いただきますようお願い申しあげます。
(1) 議決権行使書に賛否をご表示のうえ、○年○月○日○時までに到着するよう折り返しご送付いただく方法[72]
(2) 上記の URL に記載された議決権行使サイトにおいて、○年○月○日○時までに議決権を行使していただく方法
3. 第 2 号議案において、候補者のうちの一部の者につき異なる意思を表示される場合は、株主総会参考書類記載のその候補者の番号をご記入ください。

X 電機株式会社

70　施 66 条 1 項 5 号。
71　施 66 条 1 項 2 号。
72　施 66 条 1 項 4 号。

（1）議決権行使書の基礎

議決権行使書の記載事項は、会社法施行規則 66 条に定められている。

議決権行使書の様式は法令上定められていないが、全国株懇連合会が「議決権行使書面モデル」（昭和 57 年 12 月全株懇理事会決定、2019 年 4 月 5 日改正）を作成しており、実務上これが参照されている。

（2）議決権行使書の記載事項

ア　各議案についての賛否を記載する欄（施 66 条 1 項 1 号）

議決権行使書には、議案ごとに、株主が賛否を記載する欄を設けなければならない。また、棄権の欄を設けることも可能とされている。

複数の役員等の選任または解任等に関する議案については、候補者または役員等ごとに賛否が記載できるものでなくてはならない（施 66 条 1 項 1 号イからハ）。実務上は、各候補者等に番号を振り、当該番号を記入することによって候補者等ごとに賛否の意思表示ができるようにしている。

イ　賛否の欄に記載がない場合の取扱い（施 66 条 1 項 2 号）

賛否の欄に記載がないまま返送された議決権行使書の各議案について、賛成、反対または棄権のいずれかの意思表示があったものとして取り扱う場合、議決権行使書にはその取扱いの内容を記載しなければならない。上場会社においては、（会社提案議案については）賛成の意思表示があったものとして取り扱う旨を記載する例が一般的である。

ウ　重複行使の取扱い（施 66 条 1 項 3 号）

電子投票による議決権の行使に関し、行使内容を変更するための再度の行使を認めること（いわゆる重複行使）の可否について定めた場合には、議決権行使書に当該事項を記載しなければならない。重複行使の可否については、一般的にはこれを拒否する理由もないことから有効として取り扱われているが、重複行使を認めた場合、議決権行使の結果を正確に集計するためには、日々の行使結果の累計を確認するのでは足りず、その都度新しい結果に更新する必要があることに留意すべきである。

エ　議決権行使期限（施 66 条 1 項 4 号）

書面による議決権行使期限は、株主総会の日時の直前の営業時間の終了時である（施 69 条）。もっとも、会社は、取締役会決議により、これと異なる行使期限を定めることができる（施 63 条 3 号ロ）。

オ　株主の氏名、議決権数等（施 66 条 1 項 5 号）

議決権行使書には、議決権を行使すべき株主の氏名または名称および行使することができる議決権数を記載しなければならない。議案ごとに行使できる議決権数が異なる場合は、その議案ごとに行使できる議決権数を、それぞれ記載することを要する。

（3）狭義の招集通知との関係

招集通知の内容とすべき事項のうち、議決権行使書に記載している事項がある場合には、当該事項は招集通知の内容とすることを要しない（施66条4項）。また、逆に、①賛否の欄に記載がない場合の取扱いの内容、②重複行使の取扱いの内容、および、③議決権の行使期限については、招集通知に記載した場合には、重ねて議決権行使書に記載することを要しない（同条5項）。

5　包括委任状

20xx年6月　日

包括委任状

私は、　　　　　を代理人と定め、私の所有するX電機株式会社の株式の全議決権につき、以下の権限を委任します。

1．20xx年6月xx日開催のX電機株式会社の第○回定時株主総会およびその継続会または延会（以下「本総会」といいます）に出席して、下記の議案につき私の指示（○印で表示）に従って議決権を行使すること。但し、賛否を表示しない場合、各議案に対する修正案が提出された場合および議案・議事進行等に関連する動議が提出された場合には、いずれも白紙委任とします。
2．復代理人を選任すること。

記[73]

第1号議案	原案に対し	賛	否
第2号議案	原案に対し	賛（候補者のうち、　　　を除く）	否
第3号議案	原案に対し	賛	否

以上

株主住所

株主氏名　　　　　　　　印

73　委任状勧誘府令43条。

20xx年6月　日

議決権の代理行使の勧誘に関する参考書類

1．議決権の勧誘者[74]
　X電機株式会社
　代表取締役社長○○○○
2．議案および参考事項[75]
　20xx年6月xx日付当社第○回定時株主総会招集通知添付の株主総会参考書類に記載のとおりです。

以上
X電機株式会社
代表取締役社長○○○○

　おって、同封の包括委任状に記名・押印の上、当社までご返送くださいますようお願い申し上げます。

（1）包括委任状の概要

実務上、議案に対する賛成票の確保に加えて、株主総会当日の手続的動議について議長が意図するとおりに処理できるように、株主から動議対応を含めた一切について委任する旨の包括委任状を取得することが行われている。

会社が包括委任状の提出を株主に求める場合には、「自己又は第三者に議決権の行使を代理させることを勧誘」（金商法194条）するものとして、所定の様式に従った委任状によらなければならない等、いわゆる委任状勧誘規制の適用がありうることに留意が必要である。なお、委任状勧誘規制については、第4章183頁以下を参照されたい。

（2）包括委任状の記載事項（委任状勧誘府令43条）

委任状勧誘規制が適用される場合、委任状の用紙には議案ごとに被勧誘者が賛否を記載する欄を設けなければならない。

また、委任状の用紙には代理人の氏名欄が設けられることが通常であり、実務上、この欄を空欄にしたいわゆる白紙委任状による勧誘が広く行われている。会社が株主に対して受任者空欄の委任状の返送を求めることにより議決権の代理行使を勧誘する行為は、株主が会社の選定した者に対して議決権の代理行使を委任することを、会社が媒介する旨の媒介契約についての（会社の株主に対する）申込みに該当すると解される。株主が受任者欄空欄のまま会社にこれを返送した場合、当該申込みを承諾したことになるから、株主と会社との間において上記媒介契約が成立し、会社は、当該媒介契約に基づき自らが選定した者

74　委任状勧誘府令1条1項1号イ。
75　委任状勧誘府令1条1項1号ロ・ハ・2項。

を代理人とした上で、当該代理人による議決権行使を認めることができる[76]（かかる取扱いを認めた裁判例として、東京地判令和3年4月8日資料版商事448号133頁および東京高判令和3年12月16日資料版商事455号112頁）。

（3）参考書類

委任状勧誘規制が適用される場合、勧誘者は、委任状とともに下記の事項等を記載した参考書類（株主総会参考書類とは別の書類である）を被勧誘者に提供しなければならない（金商法施行令36条の2、委任状勧誘府令1条1項）。もっとも、株主総会参考書類に記載されている事項を重ねて記載する必要はなく、株主総会参考書類に記載事項がある旨を明らかにすれば足りる（委任状勧誘府令1条2項）。

ア　勧誘者が発行会社またはその役員である旨

イ　議案

ウ　提案理由（議案が取締役の提出に係るものに限り、株主総会において一定の事項を説明しなければならない議案の場合における当該説明すべき内容を含む）

エ　議案につき会社法384条、389条3項または399条の5の規定により株主総会に報告すべき調査の結果があるときは、その結果の概要

（4）その他の書類

会社の委任状勧誘に当たっては、法定書類である上記の委任状用紙および参考書類に加えて、会社の主張·意見等をまとめた説明資料や委任状の記入方法·返送方法等を記載した案内文書等を同封することが一般的である。

（5）株主が株主総会に来場した場合

株主が事前に委任状や議決権行使書を提出していたとしても、当該株主が当日来場し株主総会に「出席」した場合には、当該総会において改めて議決権行使を行う必要がある点には留意する必要がある。このようなルールについては、事前に招集通知や委任状の案内文書等で株主に対して周知しておくことが望ましい（株主総会会場における投票内容の判定と投票ルールの事前周知との関係を判示する裁判例については第5章244頁参照）。

6　電子提供措置をとる場合の招集通知

電子提供措置をとる場合、一定の事項を記載した招集通知を株主総会の日の

76　伊藤広樹＝冨田雄介＝森駿介「賛否拮抗総会に関する近時の裁判例からの実務上の示唆」商事2294号（2022）32頁。

2 週間前までに発送することになる（会 325 条の 4 第 2 項・1 項)。

電子提供措置をとる場合の招集通知には、法定記載事項として以下の事項を記載する必要がある（会 325 条の 4 第 2 項、施 95 条の 3)。

（1）株主総会の日時および場所
（2）株主総会の目的事項
（3）書面投票制度を採用している場合はその旨
（4）電子投票制度を採用している場合はその旨
（5）電子提供措置をとっている旨
（6）EDINET で必要な開示事項を含んだ有価証券報告書を提出する方法により電子提供措置措置を行った場合はその旨
（7）電子提供措置事項に係る情報を掲載するウェブサイトのアドレス（URL）
（8）EDINET により電子提供措置事項を提供する場合の EDINET サイトのアドレス（URL）

第４章

株主総会は得票が命!!

第１節　株主総会の報告事項と決議事項

202Y 年４月 15 日

●解説

1 報告事項および決議事項

株主総会の権限は、機関設計が取締役会設置会社であるか否かによって異なる。取締役会設置会社においては、「株主総会は、この法律に規定する事項及び定款で定めた事項に限り、決議をすることができる」（会295条2項）とされているのに対し、取締役会設置会社以外の会社においては、「株主総会は、この法律に規定する事項及び株式会社の組織、運営、管理その他株式会社に関する一切の事項について決議をすることができる」とされており（同条1項）、かつ、取締役会設置会社よりも多くの事項が株主総会決議事項として定められている（会139条1項、356条1項等）。したがって、取締役会設置会社では、株主総会の権限は一定程度限定されており、取締役会が会社経営の中心的な意思決定機関であるということができる。

しかし、会社の基礎的事項の決定・変更や会社の機関の選解任等会社経営上の重要事項については、法令上、株主総会で決議することが必要とされており、取締役会限りで決定することはできない。会社法上、株主総会の決議を必要とする事項について、株主総会以外の機関が決定することができる旨を定款で定めても無効となる（会295条3項）。また、株主総会は会社経営上の重要事項に関する意思決定の場であると同時に、経営者たる取締役が会社経営の状況を会社の所有者である株主に報告する場でもある。

以下では、株主総会に報告を要する事項と株主総会において決議すべきことが法定されている事項について概観する。

（1）報告事項

報告事項とは、株主総会における決議を要するものではなく、株主総会に対する報告があれば足りる事項をいう。

まず、事業報告については、すべての会社において報告事項とされている（会438条3項）。

次に、計算書類については、原則として、株主総会の承認を受ける必要がある（決議事項）（会438条2項）が、会計監査人設置会社においては、計算書類が法令および定款に従い株式会社の財産および損益の状況を正しく表示しているものとして会社計算規則135条に定める要件を満たす場合には、報告事項となる（会439条）。会計監査人設置会社において連結計算書類（連結貸借対照表、連結損益計算書、連結株主資本等変動計算書、連結注記表）を作成する場合には、定時株主総会に連結計算書類を提出または提供しなければならず、その内容および監査の結果が報告事項となる（会444条7項）。

(2) 決議事項

ア　普通決議事項

普通決議事項とは、議決権を行使することができる株主の議決権の過半数を有する株主が出席し（定足数）、出席した当該株主の議決権の過半数をもって行う決議事項である（会309条1項）。もっとも、定足数については、「定款に別段の定め」をすることによって、引き下げることが可能であるため、多くの会社が、定款上、定足数を排除して、出席株主の過半数をもって議決を行う旨のみを定めている（なお、役員の選任議案に係る定足数については、3分の1までしか引き下げることができない（会341条））。

主要な普通決議事項は次のとおりである。

（ア）計算書類の承認（会438条2項）

計算書類の承認は普通決議事項であるが、実務上、会計監査人設置会社では、上記（1）で述べた要件を満たし、報告事項となるのが一般的である。

（イ）剰余金の処分（会452条）

広義の剰余金の処分議案には、剰余金の配当（会454条1項）、自己株式の取得の承認（会156条1項）、資本金・準備金への組入れ（会450条2項·451条2項）、剰余金のその他の処分（狭義の剰余金の処分。会452条）が含まれる。なお、自己株式の取得の承認については、下記148頁以下で項を改めて述べる。

このうち、狭義の剰余金の処分議案は、剰余金の配当と併せて「剰余金の処分の件」として株主総会に付議されることもある。

（ウ）準備金（資本準備金・利益準備金）の額の減少

準備金の額の減少は、株主総会の普通決議事項である（会448条1項）。

（エ）取締役および監査役の選任

取締役および監査役の選任は普通決議事項である（会329条1項）。なお、先ほど述べたとおり、取締役および監査役の選任決議については、定款により、定足数を3分の1までであれば引き下げることができ、また、決議要件を引き上げることもできる（会341条）。多くの会社が、定款上、取締役および監査役の選任については定足数を3分の1まで引き下げている。これに対して、決議要件を引き上げている例は一般的でない。

取締役および監査役の選任議案は、実務上、社内役員であると社外役員であるとを問わず、9割以上の賛成を得て決議されることも珍しくなく、また、株主の負託に応えるという観点からすれば、かろうじて決議要件を超える支持により選任されれば足りるというべきではなく、会社としては、機関投資家の動向を事前に把握すること等により、株主の圧倒的多数の賛成による選任を目指すべきであろう。

（オ）補欠役員の選任

株式会社は、取締役・監査役が欠けた場合または会社法もしくは定款で定めた員数を欠くこととなるときに備えて補欠の取締役・監査役を選任することができる（会 329 条 3 項、施 96 条）。

監査役会設置会社においては最低 2 名の社外監査役の確保が必要であるため（会 335 条 3 項参照）、補欠社外監査役を選任する議案が株主総会に上程されることが多い。

（カ）会計監査人の選解任

会計監査人の選解任は、普通決議事項である（会 329 条 1 項、339 条 1 項）。なお、会計監査人については、監査役（監査等委員、監査委員）全員の同意による解任の制度も設けられている（会 340 条）。

（キ）取締役および監査役の報酬等

取締役および監査役の報酬等は、定款に定めていないときは、株主総会の決議によって定める。

なお、取締役の報酬等については、以下の表のとおり、その種類に応じて決議すべき内容が異なる（会 361 条 1 項）。また、各議案を株主総会に提出した取締役は、当該事項を相当とする理由を説明しなければならない（同条 4 項）。

	報酬等の種類	決議すべき事項
①	額が確定しているもの	・その額
②	額が確定していないもの	・その具体的な算定方法
③	当該株式会社の募集株式	・その数（種類株式発行会社の場合はその種類および種類ごとの数）の上限 ・会社法施行規則 98 条の 2 で定める事項
④	当該株式会社の募集新株予約権	・その数の上限 ・会社法施行規則 98 条の 3 で定める事項
⑤イ	当該株式会社の募集株式と引換えにする払込みに充てるための金銭	・当該募集株式の数（種類株式発行会社の場合はその種類および種類ごとの数）の上限 ・会社法施行規則 98 条の 4 第 1 項で定める事項
⑤ロ	当該株式会社の募集新株予約権と引換えにする払込みに充てるための金銭	・当該募集新株予約権の数の上限 ・会社法施行規則 98 条の 4 第 2 項で定める事項
⑥	金銭でないもの（③および④を除く）	・その具体的な内容

譲渡制限付株式報酬（リストリクテッド・ストック）や業績連動型株式報酬（パフォーマンス・シェア）については、当該株式を直接付与する構成（上記③）のほか、金銭報酬債権を報酬として付与し、当該債権を現物出資させて株式を付与する構成（上記⑤イ）も考えられる。また、株式会社が役員報酬規程等の内規に基づき役員にポイントを付与し、信託銀行が当該株式会社から信託された金銭を用いて取得した株式をポイント数に応じて役員に交付するといったスキームで行われる株式交付信託については、株式会社が役員に交付するのはポイントであるため、上記⑥に該当することとなる。もっとも、かかるポイントは、株式と等価的に交換されるものであり、株式の払込みに充てられる金銭と同様の機能を果たしているといえることから、「その具体的な内容」として上記⑤イに準じた内容を決議すべきこととなる。なお、これらの場合であっても上記①または②のいずれかに該当すると解する見解があることから、上記①または②所定の事項についても併せて決議する例が多い。

取締役および監査役の報酬としては、一定期間における各取締役および監査役の報酬総額の最高限度額（枠）を決議することもできる。この場合、各取締役の個別の報酬額は取締役会決議により、各監査役の個別の報酬額は監査役の協議（全員の同意）により定められる（会 387 条 2 項）。なお、監査等委員である各取締役については、監査役と同様に、監査等委員である各取締役の協議（全員の同意）により定められる（会 361 条 3 項）。

退職慰労金の支給議案については、具体的な金額を決議するのではなく、会社の支給基準に従って決定することを取締役会に一任する旨を決議する場合もあり、この場合には、株主総会参考書類にその支給基準を明記するか、各株主がその基準を知りうるような適切な措置を講じることが必要である（施 82 条 2 項）。

（ク）自己株式取得の承認

株式会社が、全株主から申込みを募った上で、個々の株主との合意によって自己株式を有償で取得するには、あらかじめ、株主総会の決議によって、①取得する株式の数、②株式を取得するのと引換えに交付する金銭等の内容およびその総額、③株式を取得することができる期間を定めなければならない（会 156 条 1 項）。

なお、取締役会設置会社では、市場取引等により自己株式を取得することを取締役会の決議によって定めることができる旨を定款で定めることができる（会 165 条 2 項）。

（ケ）会計監査人の出席要求

定時株主総会において会計監査人の出席を求める決議があったときは、会計監査人は、定時株主総会に出席して意見を述べなければならない（会 398 条

2 項)。

定時株主総会において会計監査人の出席要求の動議が可決された場合、会計監査人は出席および発言の義務を負うため、特に不正会計等の問題が発覚した会社では、会計監査人を会場の別室に待機させておくことがある。

イ　特別決議事項

特別決議事項とは、議決権を行使することができる株主の過半数が出席し(定足数)、出席した当該株主の議決権の 3 分の 2 以上に当たる多数をもって行う決議事項である（会 309 条 2 項)。普通決議事項と同様、特別決議事項についても定款で定足数を引き下げることが可能であるが、3 分の 1 未満にすることはできない（同項本文かっこ書)。多くの会社が、定款上、定足数を 3 分の 1 まで引き下げている。

主要な特別決議事項は次のとおりである。

（ア）定款変更

定款変更は原則として特別決議事項である(会 466 条、309 条 2 項 11 号)。

例外的に、より厳格な決議要件が必要とされる場合や定款変更であるにもかかわらず取締役会決議によることができる場合がある。たとえば、株式に譲渡制限を設ける場合の定款変更については後述の特殊決議による必要がある（会 107 条 1 項 1 号、309 条 3 項 1 号)。他方、取締役会設置会社においては、単元株式数を減少させる場合や単元株式数の定めを廃止する場合には取締役会決議のみで行うことができる（会 195 条 1 項)。

（イ）特定の株主からの自己株式取得

特定の株主から自己株式を取得するときは、上記**ア（ク）**記載の①ないし③の事項に加えて、当該特定の株主に対してのみ取締役会決議事項の通知（会 158 条 1 項）を行う旨（すなわち、当該特定の株主のみから自己株式を取得する旨）を、株主総会の特別決議により定めなければならない（会 160 条 1 項、309 条 2 項 2 号)。

（ウ）株式の併合

株式の併合をするときは、その都度、株主総会の特別決議により併合の割合等を定めなければならない（会 180 条 2 項、309 条 2 項 4 号)。また、取締役は、当該株主総会において、株式の併合をすることを必要とする理由を説明する義務を負う（会 180 条 4 項)。

（エ）第三者に対する募集株式・新株予約権の有利発行

公開会社においては、募集株式および新株予約権の発行は取締役会決議事項であるが（会 201 条 1 項、240 条 1 項)、第三者割当ての方法による有利発行は、公開会社においても非公開会社においても、特別決議事項である（会 199 条 2 項、238 条 2 項、309 条 2 項 5 号・6 号)。

（オ）資本金の額の減少

資本金の額の減少は、原則として特別決議事項である（会447条1項、309条2項9号）。

例外的に、株式の発行と同時に資本金の額を減少する場合において、当該資本金の額の減少の効力が生ずる日後の資本金の額が当該日前の資本金の額を下回らないときは、取締役会決議によって資本金の額を減少することができる（会447条3項）。

（カ）組織再編の承認

組織再編契約（吸収合併契約、吸収分割契約、株式交換契約および新設合併契約）および組織再編計画（新設分割計画、株式移転計画および株式交付計画）の承認は、いずれも原則として特別決議事項である（吸収合併契約につき、会783条1項、795条1項、309条2項12号）。

例外的に、簡易吸収合併（会796条2項）等の簡易組織再編の要件を満たす場合および略式吸収合併（会784条1項、796条1項）等の略式組織再編の要件を満たす場合には、株主総会決議を省略することができる。

（キ）取締役・監査役・会計監査人等の責任軽減

取締役・監査役・会計監査人等に善管注意義務違反があり、会社に対して損害賠償責任を負う場合であっても（会423条1項）、当該取締役・監査役・会計監査人等が職務を行うにつき善意でかつ重大な過失がないときは、会社法425条1項各号に定める最低責任限度額まで株主総会の決議によって軽減することができるが、この責任軽減は、特別決議事項である（同項、309条2項8号）。なお、会社法上、総株主の同意による責任の全部免除（会424条）や、定款に定めがある場合の取締役会決議による責任の一部免除（会426条1項）、いわゆる責任限定契約（会427条）等も認められている。

ウ　特殊決議事項

特殊決議事項とは、特別決議よりも決議要件が法律上加重されている決議事項であり、以下の2つに分類される。

まず、会社法309条3項の特殊決議事項は、議決権を行使することができる株主の半数以上であって、当該株主の議決権の3分の2以上に当たる多数をもって行う決議事項をいう。全部の株式の内容として譲渡制限を設ける旨の定款変更（同項1号）等、株式の譲渡に制限がかかり、株主に対する影響が特に大きい場合に、決議要件が加重されている。

次に、会社法309条4項の特殊決議事項は、総株主の半数以上であって、総株主の議決権の4分の3以上に当たる多数をもって行う決議事項をいう。剰余金の配当を受ける権利、残余財産の分配を受ける権利、株主総会における議決権について株主ごとに異なる取扱いを行う旨の定め（会109条2項）についての定款変更は、この特殊決議事項である。
いずれの特殊決議事項についても、定款で定足数および決議要件を引き下げることはできない。

〈普通決議と特別決議〉

	普通決議事項	特別決議事項
定足数	議決権を行使することができる株主の議決権の過半数を有する株主の出席 ただし、定款で排除することが可能（役員の選解任については、3分の1以上までの引下げが可能）	議決権を行使することができる株主の議決権の過半数を有する株主の出席 ただし、定款で3分の1以上までの引下げが可能
決議要件	出席した株主の議決権の過半数	出席した株主の議決権の3分の2以上 ただし、定款で加重することが可能
主な事項	i　計算書類の承認 ii　剰余金の処分 iii　準備金の額の減少 iv　取締役および監査役の選任 v　補欠役員の選任 vi　会計監査人の選解任 vii　取締役および監査役の報酬等 viii　自己株式取得の承認 ix　会計監査人の出席要求	i　定款変更 ii　特定の株主からの自己株式取得 iii　株式の併合 iv　第三者に対する募集株式・新株予約権の有利発行 v　資本金の額の減少 vi　組織再編の承認 vii　取締役等の責任軽減

2　株主総会の権限

(1) 定款による権限

株主総会の権限は、会社法に定める事項に限られるものではなく、定款によって株主総会の決議事項の範囲を拡大することも可能である。たとえば、株式や新株予約権の無償割当ては、取締役会設置会社においては、取締役会の決議によって決定されるものであるが（会186条3項、278条3項）、定款で定めることにより株主総会の決議事項とすることができる。

実務上は、このような定款の定めをすることにより、買収防衛策に基づく対抗措置の発動を株主総会の権限とする制度設計をとる会社が存在している。すなわち、株式の大量買付行為への対抗措置として新株予約権無償割当てをするという事前警告型の買収防衛策が導入されている場合に、新株予約権の無償割当てを株主総会の決議事項として定款で定めれば、買収防衛策に基づく対抗措置の発動を株主総会の決議にかからせることができるのである。

（2）勧告的決議

上記 1 のとおり、取締役会設置会社においては「株主総会は、この法律に規定する事項及び定款で定めた事項に限り、決議をすることができる」（会 295 条 2 項）とされているものの、法令または定款によって株主総会の権限とされていない事項について決議する例も存在する。

当該決議は、あくまでも確認的な意味を有するにすぎず、法的な意味を有するものではない。このように法令または定款によって株主総会の権限とされていない事項について行われる決議を、勧告的決議という。

上記（1）とは異なり、買収防衛策の導入・更新および対抗措置の発動につき、法令または定款の根拠なく株主総会で決議する例があるが、これは勧告的決議にとどまるものである。そうであるにもかかわらず、このような勧告的決議を行う会社が多いのは、過去の裁判例の存在によるところが大きいと考えられるが、この点については、下記 153 頁以下で解説する。

3　役員候補者の独立性

上場会社が当該役員を独立役員として届け出る場合には、その要件を満たすかについて検討する必要がある。

東京証券取引所においては、上場会社は、一般株主保護のため、独立役員を 1 名以上確保することが義務付けられており、加えて、取締役である独立役員を少なくとも 1 名以上確保するよう努めなければならないものとされている。また、独立役員として指名する者が、会社から役員報酬以外に多額の金銭その他の財産を得ているコンサルタント、会計専門家または法律専門家（法人、組合等の団体であるものに限る）に過去に所属していた者である場合等には、その旨およびその概要を独立役員届出書に記載する必要がある（いわゆる開示加重要件）[1]。

また、CG コードの策定を経た最近の動向として、社外監査役のほか、特に社外取締役を念頭に、その独立性が強く求められるようになっている。社外取締役・社外監査役に求められる役割は、会社から独立した立場で経営陣にモノを言えることであることからすれば、当然の流れであるともいえる。具体的には、CG コードは、原則 4-8 において、独立社外取締役の員数について、プライム市場上場会社は 3 分の 1（その他の市場の上場会社は 2 名）以上選任すべきであり、過半数を必要と考えるプライム市場上場会社（3 分の 1 以上

1　東京証券取引所「独立役員の確保に係る実務上の留意点（2022 年 4 月改訂版）」Ⅰ・4（https://www.jpx.co.jp/equities/listing/ind-executive/tvdivq0000008o74-att/nlsgeu0000064zhp.pdf）参照。

を必要と考えるその他の市場の上場会社）は十分な人数を選任すべきものとした上で、原則 4-9 において、東京証券取引所の定める独立役員に係る独立性判断基準を踏まえ、各社において、独立社外取締役となる者の独立性をその実質面で担保することに主眼を置いた独立性判断基準を策定・開示すべきであるとしている。その策定に当たっては、日本取締役協会の「取締役会規則における独立取締役の選任基準〔モデル〕」が実務上の参考とされている。また、ISS やグラス・ルイスのような特に外資系の議決権行使助言会社は、独立性についてさらに厳しい考え方をとっており、たとえば、ISS の 2022 年日本企業向けの議決権行使基準には、社外取締役や社外監査役の独立性についての基本的な考え方として、社外取締役や社外監査役として選任される以外の関係が会社との間にないこと、という点が挙げられている。このような流れを受け、近時は、自社の独立性基準を株主総会参考書類に参考情報として記載する例も多くみられ、各社の社外役員の独立性に関する意識は、否応なしに高まってきているといえよう。

4　買収防衛策の導入等

（1）買収防衛策の導入等に係る決議の方法

具体的な買収行為が未だ存在しない平時に買収防衛策を導入する場合には、上記 152 頁で述べたとおり勧告的決議による事例のほか、定款変更を伴う事例がある。具体的には、買収防衛策の導入・対抗措置の発動等を株主総会の決議事項とするために定款変更を行うものであるが、この場合、買収防衛策の導入時には特別決議が必要であり（会 466 条、309 条 2 項 11 号）、また、買収防衛策の更新・対抗措置の発動等の場合にも、変更後の定款の定めに従って株主総会決議が必要になる。

一方で、本来的には買収防衛策の導入等に株主総会決議は不要であるため、定款変更を伴わないものとする場合には、かかる導入等に当たり、そもそも勧告的決議を求めるために株主総会に上程するか否か、（仮に上程する場合）どのような議案の内容とするかについて検討することになる。もっとも、上記 152 頁のとおり、実務上は、勧告的決議を行う会社が多いが、それはブルドックソース事件最高裁決定[2] が買収防衛策の適否の判断において、株主総会の判断が尊重されるべきと判示したことの影響が大きいと考えられる。同事件においては、差別的な内容の新株予約権の無償割当て（特定の株主について新株予約権を行使することができない旨の差別的行使条件や、会社が金員を交付することに

2　最決平成 19・8・7 民集 61 巻 5 号 2215 頁。

よって当該特定の株主の新株予約権を取得することができる旨の差別的取得条項が付されていた）を対抗措置とする買収防衛策の適否が争われたところ、最高裁は、特定の株主による経営支配権の取得が企業価値を毀損するか否かの判断は、最終的には会社の利益の帰属主体である株主自身により判断されるべきであり、株主総会の判断が尊重されるべきである旨判示し、買収関係者以外の株主のほとんどが新株予約権無償割当てに賛成したこと等を理由に、当該新株予約権無償割当てを適法と判断している。上記 151 頁で述べたとおり、取締役会設置会社においては、新株予約権の無償割当ては取締役会決議で実施することができるものであるが、特に近時の裁判例を見ると、少なくとも買収防衛策の導入時または対抗措置の発動時のいずれかにおいて株主総会決議による承認を得ることが必要であるとの実務感覚が形成されてきているものと理解される。具体的には、日邦産業事件[3] では、対抗措置の発動は取締役会決議のみによるものの、事前警告型買収防衛策の導入が、取締役会決議のみにより対抗措置を発動しうるという発動過程も含めて株主総会決議によって承認されていること等を根拠に、取締役会限りでの対抗措置の適法性が認められた。また、富士興産事件[4] では、買収防衛策の導入および対抗措置の発動は取締役会決議のみにより決定されていたものの、その後の株主総会においていずれかの承認が得られなければ対抗措置の発動を撤回することが予定されていた点を考慮の上、敵対的株主による公開買付けの是非について株主に判断させようとするものであると評価され、対抗措置の適法性が認められた。さらに、東京機械製作所事件[5] では、買収防衛策の導入および対抗措置の発動は取締役会決議のみにより決定されていたものの、株主総会において、対抗措置の発動について、大規模買付行為に利害関係を有する者（大規模買付行為者らおよび発行会社の取締役ならびにそれぞれの関係者）以外の出席株主の議決権の過半数の賛成が得られていること等を根拠に、対抗措置の適法性が認められた。他方、日本アジアグループ事件[6] では、買収防衛策が取締役会限りの決議により導入され、かつ、株主総会において買収防衛策の当否および対抗措置の発動の是非につき株主意思を確認することも予定されていなかったこと等を踏まえ、対抗措置の発動が差し止められた。

しかし、ブルドックソース事件最高裁決定およびその後の裁判例はいずれも、買収防衛策の導入・更新または対抗措置の発動について株主総会の承認の有無

3　名古屋高決令和 3・4・22 資料版商事 446 号 138 頁。
4　東京高決令和 3・8・10 資料版商事 450 号 143 頁。
5　東京高決令和 3・11・9 資料版商事 453 号 98 頁。
6　東京高決令和 3・4・23 資料版商事 446 号 154 頁。

のみによりただちにその適法性が決せられるとまで判示したものではなく、実際にも、対抗措置の発動を承認する株主総会決議が経られていた三ッ星事件において、裁判所は、買収防衛策の内容や運用に係る事情を細かく認定した上で、対抗措置がその必要性に応じた相当性を欠く不公正な方法によるものであるとして、その発動の差止めを認めた[7]。このように、株主総会決議の有無にかかわらず、対抗措置は必要性とこれに応じた相当性を備えるものでなければならないし、そもそも勧告的決議はそれ自体が法的意味を有するものではないということにも十分留意する必要があろう[8]。

(2) 買収防衛策の導入・更新および廃止のメリット・デメリット

近年は、金融商品取引法におけるTOB規制の整備とともに、外国人株主の反対も多いという実態から、買収防衛策の導入を見送る、導入したものの有効期間の満了とともに更新しない、あるいは、有効期間の満了前に廃止する会社もみられる一方で、上記154頁および155頁で挙げた裁判例にみられるように敵対的買収の事例が増加していることを踏まえ、買収防衛策の導入・更新を改めて検討する会社も増えつつある。特に、具体的な買収行為の存在を前提とせず導入される、いわゆる平時導入型買収防衛策については、原則として反対する機関投資家が多いのに対し、具体的な買収行為が存在し経営支配権争いが顕在化した状況において導入される、いわゆる有事導入型買収防衛策の導入については、個別に判断することを議決権行使基準に定める機関投資家もみられるところであり[9]、敵対的買収リスクへの対応として、有事導入型買収防衛策をはじめとする買収防衛策の導入・活用は一考に値する。また、買収防衛策の更新については、CGコード原則1-5の要請を踏まえつつ、機関投資家等の意見等も参酌して、導入した買収防衛策の内容等について、手直し等を加えた上で改めて株主総会に諮る等の対応をとる例もみられる。

7　大阪地決令和4・7・1資料版商事461号162頁。同決定の判断は、異議審（大阪地決令和4・7・11資料版商事461号158頁)、抗告審（大阪高決令和4・7・21資料版商事461号153頁）および許可抗告審（最決令和4·7·28資料版商事461号147頁）においても維持された。

8　なお、近時、大量買付行為の中止を要請する旨を承認する株主総会決議（勧告的決議）の無効確認の訴えが提起された事例において、セゾン情報システムズ株主総会決議無効確認請求事件・東京地判平成26・11・20判時2266号115頁は、その訴えに確認の利益がないとして、これを却下した。本判決については、法定決議事項（会295条2項）を対象とした決議であるか否かにかかわらず確認の利益の有無を判断すべきとの枠組みを示している点で、勧告的決議を行うことの意義を是認しているものと考えられる（本村健ほか「新商事判例便覧No.669」商事2060号（2015）68頁参照)。

9　このような機関投資家として、りそなアセットマネジメント株式会社や三井住友トラスト・アセットマネジメント株式会社等が挙げられる。

買収防衛策の導入・更新および廃止の主たるメリット・デメリットは以下のとおり整理できるが、敵対的買収が懸念されるリスクだけでなく、当該会社の状況（株主構成、財務状況、株価等）、他社動向を勘案してその是非を検討する必要がある。

	導入・更新	廃止
メリット	・買収提案の内容を検討するための手続（ルール）が定められ、TOB 規制よりも十分な時間と情報の確保が可能となる。 ・買収防衛策対応の負担を考慮させることで、買収ターゲットから外される可能性を高める。 ・買収者がルールを遵守しない場合には、買収者が事前に公表されたルールを遵守しない者であることについてメディア等を通じた印象づけが可能となる。	・投資家にポジティブな印象を与える。 ・CG コード（原則 1-5）に基づき、買収防衛策更新の必要性・合理性の説明をする必要がなくなる。 ・買収防衛策に係る定期的なアドバイザー費用等のコストが今後発生しない。
デメリット	・投資家にネガティブな印象を与える可能性がある。 ・CG コード（原則 1-5）に基づき、買収防衛策更新の必要性・合理性の説明を求められる可能性がある。 ・株主総会において役員選任議案の反対票が増える可能性がある。	・TOB 規制によるため、株主および経営陣が買収提案の内容を検討する十分な時間と情報を確保できない可能性がある。 ・買収ターゲットとなる可能性が高まる。 ・再導入の場合の理由づけが困難となる可能性がある。

第2節　議案の決定

●解説

1　議案の決定と招集通知の発送

（1）招集決定

株主総会の招集権者は、取締役会設置会社においては取締役会である（会298条4項）。例外的に、少数株主による招集（会297条1項）、裁判所の命令による招集（会307条1項、359条1項）がなされる場合がある。

取締役会設置会社においては、取締役会が開催の日時・場所・議題等を決議し、定款の定めに従って取締役が招集することになる（会296条3項）。

（2）招集手続

招集通知は、株主総会の日の2週間前までに各株主に対して発しなければならない（会299条1項）。「株主総会の日の2週間前までに」とは、発送日と株主総会の日の間に2週間以上置かなければならない（中2週間）という意味である[10]。

近年、機関投資家からの要請、証券取引所規則による努力義務化[11]、IRへの配慮から、招集通知の発送日を早める会社が増加しており、CGコード補充原則1-2②においても、株主が株主総会議案の十分な検討期間を確保することができるようにするための措置として、招集通知の早期発送およびTDnetや自社のウェブサイトによる招集通知発送前の開示が要請されている。

ただし、発送日を前倒しすることは、万が一招集通知や添付書類に誤りがあった場合に、再度の発送やウェブ修正等の事後の対応を容易にするというメリットもある一方で、準備のスケジュールがタイトになったり、発送後に議案変更の必要が生じるリスクが高まるといったデメリットもあるため、会社の事情に応じて慎重に判断する必要がある。

ところで、第3章73頁以下で触れた電子提供措置をとる場合であっても、会社は狭義の招集通知を株主総会の日の2週間前までに発送する必要があるが（会325条の4第1項、299条1項）、その記載事項は、株主が株主総会資料の掲載されているウェブサイトにアクセスすることを促すために重要である事項に限定されている（会325条の4第2項）。もっとも、書面で送付する資料が減少すると、個人株主を中心に議決権行使比率が低下する可能性も

10　大判昭和10・7・15民集14巻1401頁。

11　東京証券取引所有価証券上場規程施行規則437条3号。

否定できないことから、定足数の確保等を目的として、招集通知の法定記載事項以外の事項も記載した書面を任意に送付することも考えられる。また、電子提供措置（ウェブサイト上に株主総会資料を掲載）は、株主総会の日の３週間前の日または招集通知の発送日のいずれか早い日からとることとされているが（会 325 条の３第１項柱書）、先程述べた早期の情報提供を求める社会的な要請を踏まえ、特に上場会社においてはこれをさらに早める努力をすることも考えられる。

なお、招集通知の記載事項等については、第３章 80 頁以下を参照されたい。ハイブリッド型参加型バーチャル株主総会においては、ライブ中継動画配信のためのウェブサイトの URL や ID、パスワード等も株主に案内する必要がある。

2　議決権

(1) 原　則

株主は、株主総会において、原則としてその有する株式１株につき１個の議決権を有する（会 308 条１項。一株一議決権の原則）。

(2) 例　外

会社の経営政策上必要がある場合（下記**アイ**）や株主に公正な議決権行使が期待できない場合（下記**ウエ**）等には、例外的に一株一議決権の原則が妥当せず、議決権が認められないか、制限されることがある。

ア　議決権制限株式

株式会社は、株主総会において議決権を行使することができる事項につき異なる定めをした内容の異なる２種類以上の種類株式を発行することができる（議決権制限株式。会 108 条１項３号）。会社が、議決権制限株式を発行する場合、当該株式を有する株主は全部または一部の事項について議決権を有しないこととなる。

ただし、議決権制限株式であっても、定款変更によりその株主に損害を及ぼすおそれがある場合の種類株主総会においては議決権を行使することができる（会 322 条１項）。

イ　単元未満株式

単元株式数を定款で定めている場合、株主は、１単元の株式につき１個の議決権を有することとなる（会 308 条１項ただし書）。単元未満株式には、議決権が認められない。単元株式数を定款で定めることにより、会社は株主管理のコストを削減することができる。

なお、2014 年、CYBERDYNE 株式会社が、１単元の株式数を 100 株とする普通株式とは別に、１単元の株式数を 10 株とする種類株式（１単元の株式数が普通株式の 10 分の１である結果、同じ株式数であれば議決権数は

10倍となる）を発行し、これを創業者が保有する状態のままで東京証券取引所マザーズ市場に上場を果たしたことで注目された。そして、この株式は、普通株式を保有する株主の利益を害するおそれがあることから、当時の東京証券取引所の審査基準[12]に沿って、いわゆるサンセット条項（創業者が取締役を退任した場合には、種類株式の存続の是非について株主意思確認を行う旨の条項）、ブレークスルー条項（公開買付けにより公開買付者が発行済株式総数の75%を取得した場合には、種類株式を普通株式に転換する旨の条項）が付されている。

ウ　自己株式

会社は、自己が保有する株式については、議決権を有しない（会308条2項）。

エ　相互保有株式

相互保有株式とは、たとえば、A社の総株主の議決権の4分の1以上をB社が有する場合のA社が有するB社の株式をいう（会308条1項かっこ書、施67条）。この場合、A社はB社の株主総会における議決権を有しない。

3　議決権の行使方法

（1）行使方法

株主が議決権を行使する方法はいくつかあり、原則的なものとしては、株主が株主総会に出席して自ら議決権を行使する方法がある。会社法はそれ以外にも議決権行使方法を認めており、実務上は、株主総会当日の議決権行使以外の方法によって株主総会前日までに事前に行使された議決権を集計することで、議案の採否の結論が決していることが多い。その他の議決権の行使方法の概要は以下のとおりである。

ア　書面による議決権の行使（書面投票制度）

株主総会に出席しない株主が書面によって議決権を行使すること（書面投票制度）ができるか否かは、株主総会招集の取締役会決議によって定められ（会298条4項・1項3号）、株主総会において議決権を行使することができる株主数が1000人以上である場合には、書面投票制度を採用しなければならない（会298条2項）。

書面による議決権行使は、議決権行使書に必要な事項を記入し、株主総会の日時の直前の営業時間の終了時（施69条）または特定の時をもって書面によ

12　東京証券取引所「上場審査等に関するガイドライン」。CYBERDYNE株式会社のマザーズ上場後、2014年に、同種の種類株式を導入することの必要性・相当性を審査基準に加える等の改正がなされて現在に至っている。

る議決権行使の期限とする旨定められた場合における当該特定の時（施63条3号ロ。この特定の時は招集通知を発送した日から2週間を経過した日以降（中2週間以上）であることを要する）までに記入済みの議決権行使書を会社に提出して行う（会311条1項）。

また、株主総会の招集の決定の際、議決権行使書に賛否の表示がない場合の取扱いの内容を定めることができ（施63条3号ニ）、それを議決権行使書に記載することにより、賛否を記載する欄に記載がない議決権行使書が提出された場合は会社提案については賛成として取り扱い、株主提案については反対として取り扱う旨を定めることも可能である（施66条1項2号）。これらの事項は、株主総会の都度決定するのが原則であるが（会298条1項柱書参照）、包括的に以降の株主総会においても同様とすることを定めることも可能であると解される。なお、書面による議決権行使をした株主が株主総会当日に会場に出席した場合は、書面による議決権行使は撤回したものとして取り扱う。

イ　電磁的方法による議決権の行使（電子投票制度）

上記**ア**の書面投票制度と同様に、会社は取締役会の決議をもって、電子投票制度（電磁的方法による議決権行使）を採用することができる（会298条1項4号）。電磁的方法による議決権行使は、議決権行使書に記載すべき事項を会社に電磁的方法により提供して行う（会312条1項）。投票の期限については、書面投票制度と同様の規制がなされている（施70条、63条3号ハ）。

電子投票制度は、実務上は書面投票制度と並行して行われることが多い。この場合、電磁的方法による議決権行使の方法は、議決権行使書に記載された議決権行使サイトのアドレスから、同じく議決権行使書に記載された議決権行使コードとパスワードを入力して本人確認を行うことになる。会社によっては議決権行使書に記載されたQRコード®をスマートフォンで読み取ることで、議決権行使コード・パスワードを入力することなく専用サイトにログインし、議決権を行使する方法にも対応している。電子投票制度特有の問題としては二重行使への対応と書面投票との重複投票への対応があるが、いずれについても取締役会にていずれの議決権行使を有効とするかを定めることが可能である（施63条3号ヘ・4号ロ）。なお、書面投票制度と同様に、電磁的方法による議決権行使を行った株主が株主総会当日に会場に出席したときは、電磁的方法による議決権行使は撤回されたものとして取り扱う。

電子投票制度を利用した制度として「機関投資家向け議決権電子行使プラットフォーム」が構築されている。この制度は各関係者の契約により運営されるもので、外国人投資家や機関投資家といった名義株主（信託銀行やグローバルカストディアン等）の背後に存在する実質株主が直接議決権を行使することを可能にする制度である。この制度を利用すれば外国人投資家や機関投資家の議決権行使状況をタイムリーに把握することができるため、招集通知発送後の議案の得票率を早期に把握するための一助となる。CG コードにおいても、議決権電子行使プラットフォームの利用が推奨されており、特にプライム市場上場会社についてはこれを利用可能とすべきとされている（CG コード補充原則1-2④）。

ウ　議決権の代理行使（包括委任状）

上記のほか、株主は代理人によってその議決権を行使することができる（会310 条 1 項前段）。

議決権の代理行使は、株主の権利行使の機会をできる限り確保するための制度であるから、定款で代理人資格を不当に制限することは許されない。もっとも、実務的には、定款で代理人資格を株主に制限する会社が多く、こうした制限は株主総会が第三者によってかく乱されることを防止し、会社の利益を保護するための合理的理由に基づくものとして有効と解されている。株主が代理人によって議決権を行使する場合、株主または代理人は、株主総会ごとに会社に対して代理権を証明する書面を提出することが必要である（会 310 条 1 項後段·2 項）。事務方としては、代理行使分も含めて誰がどれだけの議決権を持っており、どこに着席しているか等について、事前に確認の上、議長にすみやかに報告し、議場での過半数が確保されるよう徹底しておくべきである。

会社は株主総会に出席する代理人の数を制限することができ（会 310 条 5 項）、制限の方法は定款の定めまたは株主総会招集の取締役会決議による（施63 条 5 号）。実務的には定款において代理人の数を 1 名に限定している例が多い。

大株主が議案に反対することが明らかな場合や株主総会当日の議場における投票まで決着がつかないと想定される状況においては、会社が委任状用紙を株主に送付し、委任状による議決権行使を勧誘する委任状勧誘（いわゆるプロキシーファイト）が行われる場合がある。

もっとも、一般に、会社側が大株主から包括委任状を取得する（138 頁）直接の目的は、定足数を満たすためや議案を通過させるためではなく、議場における動議への対応のためであると考えられる。すなわち、議決権行使書等では、その株主の動議への賛否が明らかではないことから、上記のようないわゆるプロキシーファイトの状況以外でも、議場における議事進行に関する動議に対応するため会社が大株主から包括委任状の提出を受けることは多く、その場合、大株主の支持を確認することによって、動議を否決することができる。大株主からの包括委任状の取得は、円滑な議事進行にも資するのである。

上場会社が包括委任状の勧誘を行う場合には、いわゆる委任状勧誘府令（上場株式の議決権の代理行使の勧誘に関する内閣府令）に従う必要があるが（180

頁。金商法 194 条、金商法施行令 36 条の 2)、上場会社またはその役員のいずれでもない者が行う議決権の代理行使の勧誘であって、被勧誘者が 10 人未満である場合等にはこの規制は及ばない（金商法施行令 36 条の 6 第 1 項 1 号)。実務上は、役員でない総務部長等が 10 人未満の範囲内で大株主から包括委任状を集めている例も見られる。もちろん、安定株主が自らの意思で任意に包括委任状を提出する場合にもこの規制は及ばない。

(2) イレギュラーな行使方法

ア　不統一行使

1 人の株主が複数の議決権を有している場合、当該株主はその有する議決権の全部を賛成または反対のいずれかに投じるのが通常であり、そのように統一的に議決権を行使することが期待されているというべきである。しかし、信託銀行やカストディアンのように複数の委託者のために株式を保有している場合には、委託者のそれぞれから議決権行使の指図を受けることがあり、これに従って議決権を不統一行使する必要性・合理性がある。そこで、会社法上、議決権の不統一行使が認められており（会 313 条 1 項)、取締役会設置会社においては、議決権の不統一行使をしようとする株主は、株主総会の 3 日前までに、会社に対して議決権を不統一行使することおよびその理由を通知しなければならない（同条 2 項)。

もっとも、議決権の不統一行使は、上記のような必要性・合理性のある場合に認められるものであるから、会社は、他人のために株式を有する株主以外の株主からの不統一行使を拒むことができる（会 313 条 3 項)。これは会社に拒否権を与える趣旨であるため、会社が不統一行使を認めることは差し支えない。

なお、議決権の不統一行使に関し、いわゆる従業員持株会を通じて株式を保有する従業員が、その持分に相当する株式に係る議決権の行使を従業員持株会の理事長に対して指示する場合がある。実務上、従業員持株会の規約においては、会員の持分に相当する株式に係る議決権の行使に関して、当該会員が理事長に対して指示することができる旨が規定されていることが多い[13]。上場会社等においても従業員持株会が当該会社の相当数の議決権を有している場合があ

13　たとえば、日本証券業協会が、金融商品取引業者が行う持株制度に係る事務の取扱いについて定めた指針である「持株制度に関するガイドライン」では、従業員持株会の規約に「株主総会における議決権は、理事長が行使するが、各会員は総会ごとに理事長に対して特別の行使（不統一行使）をする旨の指示ができること」を規定することとされている（https://www.jsda.or.jp/shijyo/minasama/content/20201020_motikabuguideline.pdf)。

るが、経営紛争に端を発して従業員の意見が分かれたときに、従業員持株会が議決権の不統一行使を行う場合も想定される。

イ　議決権拘束契約

株主間または会社・株主間であらかじめそれぞれの議決権行使の方法について合意する契約を議決権拘束契約という。特定の株主が指名する取締役の選任議案に賛成することを合意する契約や議決権を共同行使することを合意する契約等、その用いられ方はさまざまである。

議決権拘束契約を締結することにより、定款では実現困難な経営体制を実現することや、場合によっては特別決議事項である定款変更（会466条、309条2項11号）を避けつつ経営体制の変更を実現することも可能である。全株主が参加する議決権拘束契約については、議決権拘束契約に違反した議決権行使がされた場合の株主総会決議は取り消しうるとする見解が多数説である[14]。

また、会社が当事者となっている議決権拘束契約や、一部の株主のみが参加する議決権拘束契約については、争いがあるものの、一定の場合に議決権拘束契約に違反した議決権行使・株主総会決議に瑕疵を認める見解も近時有力に唱えられている[15]。

なお、株主間において議決権拘束契約を締結している場合、金融商品取引法における大量保有報告規制上、議決権の行使に関する合意があるものとして、契約当事者を共同保有者として株券等保有割合を算定する必要があることに留意が必要である（金商法27条の23第4項・5項）。また、TOB規制においても実質的特別関係者に該当するとして買付者の株券等所有割合の計算でカウントする必要がある点にも注意すべきである（金商法27条の2第7項2号・8項）。

14　田中亘＝森・濱田松本法律事務所編『会社・株主間契約の理論と実務――合弁事業・資本提携・スタートアップ投資』（有斐閣、2021）10頁〔田中亘〕。

15　田中＝森・濱田松本法律事務所編・前掲注14）8～14頁〔田中〕、209～226頁〔松中学〕。

第３節　賛成票の事前把握

202Y 年４月30日

●解説

1　得票数を事前把握するための方法

本章 159 頁以下において株主総会前日までに事前に議決権を行使するための方法を概観した。実務的には、これらの議決権行使の結果を事前に集計することで、株主総会当日までに議案の採否の結論が判明している場合が多い。

会社が議決権行使の結果（特に、会社提案議案の得票数）を事前に把握するためには、会社による議決権行使の促進が必要であるが、株主提案がなされた場合や主要株主が議案に反対を表明している場合といった特殊な状況を除き（株主提案等に伴う委任状争奪戦の場合については本章 180 頁以下を参照）、議決権行使の促進のための活動は委任状勧誘府令の適用を受けない形式で行うことが一般的である。広く行われているのは、安定株主から任意に包括委任状の提出を受ける方法であるが、その他にも以下のような議決権行使促進策が行われており、かかる施策を通じて得票数の把握がある程度可能となる。

（1）安定株主との事前面談等

国内の安定株主がいる場合には、議決権行使促進のために、安定株主の担当者に面談等を申し入れ､会社提案議案について説明を行うことが効果的である。実務的にも、大株主に議決権行使を依頼している割合は 47.4%、電話での依頼も 12.6%となっている[16]。そのほかにも、近時、招集通知を早期に発送する（58.3%）、株主宛発送前に招集通知を自社ウェブサイトに掲載する（59.6%）等の方法により、議決権行使促進を行う会社が増加している[17]。このような安定株主との事前面談等は議案決定前に行うことも有効であり、株主との対話を促す CG コード原則 5-1 の趣旨にも沿い、議案のみならず広く会社の経営方針・業況等に関する意見交換をしたり、大株主の要望を聞いたりすることで、議案への賛成が得やすくなる（ただし、株主との対話に当たってはインサイダー情報を適切に管理すること等には留意すべきである。CG コード補充原則 5-1 ②ⅴ参照）。

（2）実質株主の調査と事前面談

株主名簿上の名義人としての信託銀行の背後には、当該信託銀行に議決権行使の指図をしている意思決定権者（実質株主）が存在する可能性がある。信託銀行が株式の管理を委託されているものの、投資判断は委託者または第三者が行っている場合があるからである。この場合の多くは、委託者と信託銀行の間

16　商事法務研究会編『株主総会白書 2021 年版〔商事 2280 号〕』129 頁。
17　商事法務研究会編・前掲注 16）129 頁。

に投資顧問会社等が介在して運用を行っており、このような信託銀行名義の議決権比率が高い場合には、IR 会社等に対して実質株主の調査を依頼して投資運用業者等（実質株主）を特定し、当該実質株主との面談を実施することにより賛成票を投じてもらうように要請することが、得票率の把握につながることになる。なお、平成 27 年 11 月 13 日付で全国株懇連合会が公表した「グローバルな機関投資家等の株主総会への出席に関するガイドライン」では、信託銀行等の名義で株式を保有するグローバルな機関投資家等が株主総会に出席する方法として考えられるものが公表されている。かかるガイドラインの制定は、CG コード補充原則 1-2 ⑤を受けてのものであるが、上場会社においては、実質株主が株主総会への出席を希望する場合に（出席を認めるか否かにかかわらず）きちんと対応ができるよう、当該ガイドラインも参考としつつ、会社の方針を検討しておくことが肝要である。

(3) 議決権電子行使プラットフォームの利用

上記（2）と同様、実質株主の議決権行使促進策として期待できる制度が、本章 160 頁で述べた「機関投資家向け議決権電子行使プラットフォーム」である。国内の機関投資家の背景にある実質株主のみならず、グローバル・カストディアンの背後に存在する海外の実質株主が直接議決権を行使することを可能にするため、外国人投資家や機関投資家の議決権行使状況をタイムリーに把握でき、招集通知発送後の議案の得票率を早期に把握するための一助となる。

ただし、このプラットフォームは、実質株主の調査を目的としたものではないため、議決権の行使指図は実質株主により行われるものの、議決権行使結果は名簿上の株主名称に変更されて届けられる。そのため、会社において実質株主を把握する場合には、別途、実質株主の調査を行う必要がある。

2 国内機関投資家や議決権行使助言会社の議決権行使基準の検討

(1) 国内外の議決権行使基準を踏まえた得票率の検討

上記 1 で述べたような議決権行使者へのコンタクトや行使結果の早期集計によって得票率を事前に把握することは可能であるが、これらの手法だけでは、すべての株主の動向を網羅することは不可能であるケースが多い。

そこで、上記 1 の施策と並行して、主要株主である国内機関投資家の議決権行使の動向について意見交換をするために国内機関投資家と面談したり、企業年金連合会や主要国内機関投資家が公表している議決権行使基準を分析したり、さらには証券代行機関が提供するコンサルティングサービス等も通じて、主要国内機関投資家全般の議決権行使動向を把握することで、国内機関投資家が保有する議決権の賛成率を予測することができる。

また、海外機関投資家が重視する議決権行使基準として、米国の ISS とグラス・ルイスの2社が公表しているものがあり、外国人株主比率が上昇している昨今、これらの議決権行使助言会社の影響力は年々増加してきている。これらの議決権行使助言会社は、各上場企業の株主総会議案について個別に審査・分析し、顧客とする機関投資家に対して賛否助言レポート等を有料で提供している。

国内機関投資家の議決権行使基準と海外機関投資家のそれとでは、議案によって賛否推奨要件の厳格さが異なり、特に役員選任議案に関しては海外機関投資家の議決権行使基準は要件がやや厳しい傾向にあるとされている。たとえば、ISSは、2022年の日本向け議決権行使助言基準の中で、取締役選任について、監査役設置会社における株主総会後の取締役会に占める社外取締役の割合が3分の1未満の場合や社外取締役が2名未満の場合には、経営トップである取締役に対して、原則として反対を推奨するとし、同じくグラス・ルイスは、取締役会と監査役会の独立役員の合計人数の割合が3分の1未満の場合に加えて2名以上の独立社外取締役がいない場合には、責任追及という意味で会長（会長職が存在しない場合、社長またはそれに準ずる役職の者）に対して、反対助言を行うとしている。

また、国内・海外機関投資家ともに、取締役報酬に関する議案については、会社における反社会的行為の有無、業績基準への抵触の有無、付与対象者が社外役員かどうかといった基準を設けている。そのため、より正確な得票率を把握するためには、国内外の議決権行使基準の差異を意識した上、会社の業況および議案の内容等も勘案して、個別具体的に賛否の分析を行うことが必要である。

このほか、現在では、証券代行機関においても国内および外国人株主の議決権行使結果を分析する業務を行っているため、自己分析の結果、得票率が低いと判断される場合には、このようなサービスの導入も検討に値しよう。

（2）得票率が低い場合の対処

票読みの結果、反対票が多いことが判明した場合、会社としては、①そのまま株主総会を開催し、当日投票分も含めて採否を判断するのか、②賛成されうる内容に議案を修正するのか、③議案の撤回をするのか、あらかじめ検討しておく必要がある。

①の対応を実施する場合は、事前の反対票は多いものの、賛成票も同程度以上集まっており、株主総会当日にならないと採否が決定しないようなケースであろう。この場合、当日の投票分のカウントを適切に行うべく、採決方法の詳細をあらかじめ詳細に協議・決定しておく必要がある。そのため、事務局の議決権集計事務がきわめて重要となることはいうまでもない（当日投票分のカウントの準備については、第5章243頁参照）。

また、CGコード補充原則1-1①や「投資家と企業の対話ガイドライン」4-1-1を踏まえ、反対の理由や反対票が多くなった原因の分析を事前に実施しておくことが望ましい。

②の対応を実施する場合、株主総会で原案を修正できる範囲については、株主に予見可能な範囲内でなければならず（議案の修正が許容される範囲については、本章191頁参照）、その上、修正できる範囲内であったとしても、会社が修正動議を提出してよいかという問題もある。そこで、実務的には、議案を修正する場合には、株主から修正動議を提出してもらう等の工夫が必要となる。さらに、修正動議を提出したとしても、実際にはそれについて可決に必要な賛成票を集めなければならない。実務的には大株主が議場にいて修正動議に賛成してくれる、あるいは、事前に大株主から包括委任状を取得している等の事情がある場合でないと、修正動議により議案を修正して可決に導くのは相当困難であるといわざるをえないであろう。

反対票の多いことが事前に把握できた場合にとる現実的対応としては、③の方法による場合が多いと思われる。特に、平成22年3月31日の「企業内容等の開示に関する内閣府令」（開示府令）の改正により、臨時報告書において株主総会における決議結果を開示することが義務付けられてからは、否決されて賛成率（の低さ）が公表されるくらいならば、そもそも議案をなかったことにした方がよいという判断もあると思われる。

反対票が多いことが判明した後に議案を撤回する場合は、株主総会まで数日しか残されていないケースが多いと思われるところ、このような場合の議案の撤回方法については、本章191頁を参照されたい。

（3）謝礼・株主優待制度の検討と利益供与規制

株主総会における実務では、定足数の確保等を目的として、出席株主に対するお土産や、事前の議決権行使をした株主に対する粗品等の謝礼を贈呈することがある。一般的に、このような株主への謝礼の贈呈は、株主総会における議決権行使を促して、株主総会決議の成立を確保するために行われるものであり、会社の正当な利益擁護の目的に出ているものであるから、会社法で禁止される利益供与には該当しないと解されている[18]。

しかし、会社提案議案と株主提案議案が競合し、委任状勧誘が行われている状況下での謝礼の贈呈が利益供与に該当すると判断された事例があることから、株主提案権が行使されているような場面においては、謝礼の贈呈については慎重に検討すべきであろう[19]。

18　河本一郎＝今井宏『鑑定意見 会社法・証券取引法』（商事法務、2005）68頁。

また、謝礼の贈呈と同様に問題となるのが株主優待制度である。通常、株主優待制度は、長期安定保有株主の創出や会社のサービスの宣伝といった目的で行われるものであるが、株主提案がなされ委任状勧誘に発展している中で、会社が株主優待制度の拡充を発表したケースもある。謝礼の贈呈と同様にこのような株主優待制度の実施についても慎重な検討が必要なことはいうまでもないであろう。

なお、利益供与規制の問題を離れて、謝礼や株主優待制度の意義について翻って考えてみると、これらの施策は、安定株主・個人株主を増加させ、その株主総会への出席率・議決権行使率を高めるという積極面があり、そうした観点から、株主優待制度においては保有年数に応じて優待サービスの内容を向上させる傾向もみられる。他方で、会社側の管理コストの問題もあることから、特にお土産については、従来より、廃止する会社が増加傾向にあるが、バーチャル株主総会の普及とともにお土産廃止の流れは続くものと思われる。これらの施策は「日本的」な慣行ともみられるが、そのメリット・デメリットも踏まえつつ、各社において対応を考えていくべきものと思われる。

19　会社の行った謝礼の贈呈が、会社提案へ賛成する議決権行使の獲得をも目的としたものであり、会社法120条1項の禁止する利益供与に該当すると判断された事例として、モリテックス事件・東京地判平成19・12・6判タ1258号69頁参照。これに対して、株主が、会社法297条4項に基づき裁判所から招集許可決定を得て招集した臨時株主総会に関し、他の株主に対して、議決権行使に対する謝礼を贈呈する旨表明したことにより、株主総会の招集手続がただちに違法となるものではない等と判断された事例として、プラコー事件・東京高決令和2・11・2資料版商事441号62頁参照。

第４節　イレギュラー対応に注意

202Y 年４月８日

●解説

1　株主提案権の行使要件

株主提案権とは、①議題提案権（会303条）、②議案提案権（会304条）、③議案の要領の通知請求（会305条）の総称である。このうち、②は株主総会会場における議案の提出であり、いわゆる修正動議がこれに該当する（修正動議への対応については第5章232頁以下を参照）。①および③については、一定の行使要件が存在する。以下概要を説明する。

（1）持株保有要件

ア　持株要件

総株主の1%以上または300個以上の議決権を有することが必要である（会303条2項、305条1項）。ただし、定款でこれを緩和することは可能である。また、持株要件の算定においては、当該株主提案に係る事項について議決権を行使することができない株式の数は総株主の議決権の数に算入されない（会303条4項、305条3項）。複数株主で共同して行使することは可能であり、この場合には、それらの株主が保有している議決権数の合算が持株要件を充足していれば足りる。近時、電力会社等においてなされる株主提案のうち多くのものがこのケースである（招集通知には「株主（100名）からのご提案（第4号議案から第10号議案まで）」等と記載される）。

イ　保有期間要件

上記アに加え、公開会社ではない取締役会設置会社を除き、6か月前から継続して保有していることが必要である（会303条2項、305条1項）。上記ア同様、保有期間要件を定款の定めにより短縮することは可能である。6か月間の期間については、請求の日から逆算して丸6か月の期間を意味し、同期間は、初日不算入の原則（商法1条、民法140条）により、株式を取得した日の翌日から起算するものと解されている[20]。

また、いつまで行使要件（持株保有要件）が維持される必要があるかについては、株主総会終結時まで行使要件（持株保有要件）が維持されることの確認を要するとするのは会社側の負担になること、株主提案権は当該株主が議決権を行使することができる場合に限り認められるものであるところ、少なくとも基準日時点で株主であれば議決権が行使できること等から、実務上は株主提案権の行使日と基準日のいずれか遅い日までという見解を基に運用されている[21]。

20　日本電気株主総会決議取消請求事件・東京地判昭和60・10・29商事1057号34頁、東京高判昭和61・5・15判タ607号95頁。

(2) 実質的要件——議題提案権の範囲

議題提案権は、その範囲について明文の規定はないものの、一定の事項を株主総会の目的とすることを請求する権利である以上、その権利行使の対象事項は、株主総会の権限に属する事項に限られる[22]。取締役会設置会社では、株主総会は、会社法の規定する事項および定款で定めた事項に限り決議することができることから（会295条2項）、議題提案権の対象もこれらの事項に限られる。

議題提案権の対象となるか否かについて定款の解釈が問題となったものとして、「株主総会においては、……当会社の株券等……の大規模買付行為への対応方針を決議することができる」との定款規定の下で、当該対応方針、すなわち事前警告型買収防衛策の廃止を株主総会の目的事項とすることができるかが問題となった事案がある[23]。この事案で東京高裁は、①取締役会設置会社においては、株主総会決議事項とすることができる業務執行の決定の範囲を厳格に解すべきこと、②取締役会の決定で事前警告型買収防衛策の導入をしている株式会社も存在すること、③当初から一定期間の経過によって当該対応方針が失効することとされていたこと等から、上記定款規定が定める株主総会決議事項には、当該対応方針の廃止は含まれていないものと解するのが相当であるとして、その廃止を株主総会の目的とすることを求める株主提案をすることはできないとした。ただし、同決定に対しては、疑問を呈する見解も多い[24]。

なお、会社が株主総会を招集する場合には、法令および定款において株主総会の目的事項として定められていない事項についても、会社の裁量で議題とすることは可能であるため、会社が提案する場合と、株主が提案する場合とでは、議題とすることができる事項に差異が生じることになる。もっとも、かかる差異は、所有と経営の分離の観点から株主総会の権限の限界を定めた会社法295条2項の趣旨に鑑みれば許容されると考えられる[25]。

(3) 行使期限

株主提案権の行使は、株主総会の日の8週間前までに行う必要がある（会303条2項、305条1項）。この期間についても、定款の定めにより短縮

21　中村直人編著『株主総会ハンドブック〔第4版〕』（商事法務、2016）557頁。

22　岩原紳作編『会社法コンメンタール7——機関(1)』（商事法務、2013）100頁〔青竹正一〕。

23　東京高決令和元・5・27資料版商事424号118頁。

24　弥永真生「判批」ジュリ1539号（2019）3頁、志谷匡史「判批」重判令和元年度（ジュリ臨増1544号）（2019）94頁、北村雅史「判批」法教471号（2020）141頁等。

25　株主総会招集許可申立ての事案であるが、名古屋地決令和3・7・14資料版商事451号121頁。

することが可能である。かかる期間の経過後に行われた株主提案は、当該株主総会における株主提案としての効果が生じることはなく、会社はこれを取り上げる必要がない。

（4）個別株主通知

上場会社においては、株主提案権を含む少数株主権は、振替機関から会社に対して個別株主通知がなされた日から４週間以内に行使しなければならない（振替法 154 条２項、振替法施行令 40 条）。なお、個別株主通知は、株主提案権の行使に先立って会社に到達している必要はないが、株主総会の日の８週間前までに会社に到達していることが必要である[26]。

（5）株主提案の拒否事由

ア　議案要領通知請求における提案可能議案数の制限

議案要領通知請求権については、令和元年改正会社法により、取締役会設置会社の株主が議案要領通知請求権を行使する場合において、これにより提出することができる議案の数が 10 個[27] を超えてはならないこととされた（会 305 条４項）[28]。これは、近時、１人の株主により膨大な数の議案が提出される等、株主提案権が濫用的に行使される事例がみられるようになった（下記 185 頁以下参照）ことを受け、濫用的な株主提案にかけられる検討コストや審議時間等を削減し、株主提案権が本来の目的に資するように行使されることを確保するため、株主提案権の濫用的な行使を制限するための措置として設け

26　大阪地判平成 24・2・8 判時 2146 号 135 頁および本村健ほか「地域金融機関と株主総会Ｑ＆Ａ」金法 1919 号（2011）54 頁。なお、個別株主通知のタイミングに関する裁判例については、上記裁判例のほか、会社法 172 条１項に基づく価格の決定の申立てを受けた会社が、株式価格決定申立事件の審理において、申立人が株主であることを争った場合における振替法 154 条３項所定の通知の要否が問題となった事案について、個別株主通知は、申立時までにではなく、その審理終結までの間になされることをもって足りると判示したものとして、最決平成 22・12・7 民集 64 巻 8 号 2003 頁。また、会社法 117 条２項に基づき、それぞれ当該株式の価格の決定の申立てがされた事案において、同決定を引用し、振替株式について株式買取請求を受けた株式会社が、買取価格の決定の申立てに係る事件の審理において、同請求をした者が株主であることを争った場合には、その審理終結までの間に個別株主通知がされることを要すると判示したものとして、最決平成 24・3・28 民集 66 巻 5 号 2344 頁。

27　一部の議案については、議案の数を形式的に数えることによる不都合を避けるため、特別な取扱いが設けられている。具体的には、①役員等の選任・解任および会計監査人を再任しないことに関する議案は、議案の数（対象となる役員等または会計監査人の数）にかかわらず、１個の議案とみなすこと（会 305 条４項１号～３号）、および、②定款の変更に関する２つ以上の議案は、当該２つ以上の議案について異なる議決がされたとすれば当該議決の内容が相互に矛盾する可能性がある場合には、これらを１個の議案とみなすこと（会 305 条４項４号）が定められている。

られたものである。議題提案権（会303条）および議案提案権（会304条）については同様の制限はない。

株主が10個を超えた数の株主提案を行う場合、会社は、10個を超える数に相当することとなる数の議案の提案を拒絶することができる。たとえば、株主が15個の議案を提案した場合、会社は、5個の株主提案を拒絶できる。拒絶する5個の議案は、原則として取締役が選択できるが、株主が優先順位を定めている場合は、取締役はその順位に従わなければならない（会305条5項）。なお、拒絶する議案の選択方法に法律上制限はないものの、実務上の混乱を避けるためにも、株主取扱規程等において、あらかじめ10個を超える提案の選択基準を定めておくことが考えられる[29]。

イ　法令定款違反・重複提案

議案提案権（会304条）および議案要領通知請求権（会305条）については、当該議案が法令もしくは定款に違反する場合または実質的に同一の議案につき株主総会において総株主の10分の1の賛成を得られなかった日から3年を経過していない場合のいずれかに該当するときは、かかる株主提案権の行使を拒否することができる（会304条ただし書・305条6項）。

2　株主提案に伴い行使される手段

（1）法定書類の閲覧謄写請求

株主提案に伴い、株主から、会社に備え置いている法定書類につき閲覧・謄写等の請求がなされることがある。以下では、株主名簿、取締役会議事録および会計帳簿について、閲覧等の請求権の内容とその対応等について概説する。

ア　株主名簿の閲覧謄写請求と会社の対応

株主名簿については、株主は、会社の営業時間内は、いつでも、その請求の理由を明らかにした上で、株主名簿の閲覧謄写請求をすることができ（会125条2項）、会社は、次の事由に該当しない限り、当該請求を拒むことができない（同条3項各号）。

①　当該請求を行う株主または債権者がその権利の確保または行使に関する調査以外の目的で請求を行ったとき。

28　令和元年会社法改正では、もっぱら人の名誉を侵害する等の不当な目的等による議案の提出等を制限する規定の新設も検討されていたが、これは見送られた。

29　具体的には、原則として、株主が記載している順序に従って、上から数えて決定するものとするが、議案が秩序立って記載されていない等、その順序を判断することが困難である場合には、取締役が任意に選択するものとする方法等が考えられる（竹林俊憲ほか「令和元年改正会社法の解説〔Ⅱ〕」商事2223号（2020）10頁）。

② 請求者が当該株式会社の業務の遂行を妨げ、または株主の共同の利益を害する目的で請求を行ったとき。

③ 請求者が株主名簿の閲覧または謄写によって知りえた事実を利益を得て第三者に通報するため請求を行ったとき。

④ 請求者が、過去２年以内において、株主名簿の閲覧または謄写によって知りえた事実を利益を得て第三者に通報したことがあるものであるとき。

たとえば、委任状勧誘を目的として株主名簿閲覧請求を受けた場合には、形式上は上記①に該当する事由は認められないことになるケースが多いと考えられるため[30]、上記②の該当性を検討することになる。しかしながら、委任状勧誘により多様な意見が主張される方がコーポレート・ガバナンスの観点から望ましいことからすれば、委任状勧誘を目的とする限りにおいて、株主名簿の閲覧等の請求が、上記②の「株式会社の業務の遂行を妨げ、または株主の共同の利益を害する目的」に該当するケースは例外的であると考えられる[31]。

イ　取締役会議事録の閲覧請求と会社の対応

株主は、その権利を行使するため必要があるときは、会社の営業時間内は、いつでも、取締役会議事録の閲覧等の請求を行うことができる（会371条2項）。ただし、監査役設置会社、監査等委員会設置会社または指名委員会等設置会社に対し、当該請求を行うためには、裁判所の許可が必要である（同条3項）。これに対する会社側の対応としては、取締役会議事録が当該会社における営業秘密・企業秘密等を含むものであるという性質上、「請求に係る閲覧又は謄写をすることにより、当該取締役会設置会社又はその親会社若しくは子会社に著しい損害を及ぼすおそれがある」（同条6項）ことを主張して閲覧等の請求に応じないことが通常の対応であろう。また、実務上、閲覧等の請求を拒絶できるかが微妙な事案（裁判所の許可が出る可能性が高い事案）では、請求者と和解をし、請求者に秘密保持義務を負わせた上で、一部に限って自主的に閲覧等を認める場合もある。

なお、M&A取引に関する取締役会議事録の謄写の許可を求めた事案として、

30　株主による株主名簿の閲覧および謄写の請求が、自ら発行する新聞等の購読料名下の金員の支払いを再開、継続させる目的をもってされた嫌がらせあるいは右金員の支払いを打ち切ったことに対する報復としてされたものであるときは、上記①の事由に該当すると考えられる（平成17年改正前商法下の裁判例であるが、同様の事案で権利濫用を認めたものとして、愛知銀行株主名簿閲覧謄写請求事件・最判平成2・4・17判時1380号136頁）。

31　大盛工業株主名簿閲覧謄写仮処分命令申立事件・東京地決平成22・7・20金判1348号14頁。

佐賀銀行事件[32]がある。同事案において、裁判所は、株主の地位に仮託して、個人的な利益を図るためにM&A取引をめぐる訴訟の証拠収集目的で申請をしたものと認められるとし、M&A取引を進めるべきか否かの会社における取締役会の審議の内容が企業秘密たる事項であることは明らかであるところ、これらの記載部分が閲覧・謄写されることになれば、将来の事業実施等についても重大な打撃を生じるおそれがあるため、全株主にとっても著しい不利益を招くおそれがあるとして、謄写申請は、会社法371条2項にいう「株主の権利を行使するため必要であるとき」という要件を欠くか、あるいは権利の濫用に当たるというべきであるから許可すべきでないとした。

ウ　会計帳簿の閲覧謄写請求と会社の対応

会計帳簿については、総株主の議決権の100分の3以上の議決権または発行済株式の100分の3以上（いずれの割合もこれを下回るものを定款で定めた場合についてはその割合）の数の株式を有する株主は、会社の営業時間内は、いつでも、その請求の理由を明らかにした上で、会計帳簿の閲覧謄写請求をすることができ（会433条1項）、会社は、次の事由に該当しない限り、当該請求を拒むことができない（同条2項各号）。

① 当該請求を行う株主がその権利の確保または行使に関する調査以外の目的で請求を行ったとき。
② 請求者が当該株式会社の業務の遂行を妨げ、株主の共同の利益を害する目的で請求を行ったとき。
③ 請求者が当該株式会社の業務と実質的に競争関係にある事業を営み、またはこれに従事するものであるとき。
④ 請求者が会計帳簿またはこれに関する資料の閲覧または謄写によって知りえた事実を利益を得て第三者に通報するため請求したとき。
⑤ 請求者が、過去2年以内において、会計帳簿またはこれに関する資料の閲覧または謄写によって知りえた事実を利益を得て第三者に通報したことがあるものであるとき。

会計帳簿の閲覧謄写請求を受けた会社としては、まずは、閲覧謄写の対象を特定させる必要がある。この点に関して、閲覧謄写請求の対象になる「会計帳簿」とは、計算書類およびその附属明細書の作成の基礎となる帳簿（計59条3項。仕訳帳、総勘定元帳、各種の補助簿等）をいい、「これに関する資料」とは、かかる会計帳簿の記録材料となった資料、その他会計帳簿を実質的に補充する資料（伝票、受取証、契約書、信書等）を意味すると解する見解が多数

32　福岡高決平成21・6・1金判1332号54頁。

である[33]。

また、請求の理由を明らかにさせ、上記①から⑤に該当しないかを検討し、対応を決定する必要がある。このうち③について、TBS 事件決定[34]は、「当該株主が当該会社と競業をなす者である等の客観的事実が認められれば足り、当該株主に会計帳簿等の閲覧謄写によって知りうる情報を自己の競業に利用する等の主観的意図があることを要しないと解するのが相当」であると述べており、裁判所は③の要件を緩やかに認定する傾向にあるともいわれている[35]。加えて、裁判例上、あらゆる「会計帳簿」の閲覧謄写が可能になるものではなく、請求の理由と関連性のある範囲の会計帳簿に限って閲覧謄写請求が認められると解されている[36]ことから、その意味でも請求の理由の確認は重要である。

（2）株主総会検査役の選任

委任状争奪戦が展開されている会社のように、紛糾が予想される株主総会については、会社と提案株主との間で、株主総会の招集手続、説明義務の履行の状況、委任状の取扱い等の決議方法の適法性について争われる可能性が高く、株主から、株主総会決議の取消訴訟を提起した場合の証拠保全等のため、裁判所に対し、検査役の選任の申立て（会 306 条）がなされることがある。公開会社である取締役会設置会社においては、総株主の議決権の 1%以上（これを下回る割合を定款で定めた場合についてはその割合）を有する株主（公開会社においては 6 か月前から引き続き有する者に限る）は、検査役の選任を申し立てることができ、会社からも検査役の選任を申し立てることができる。実務上、委任状争奪戦となることが予想される株主提案がある場合には、会社または株主から検査役の選任申立てがなされることが多い。検査役が選任された場合には、実務上、検査役の検査をスムーズに行うため、裁判所において、裁判官、検査役、申立人（株主）および会社の 4 者が同席した場で、検査方針や処理基準について認識を共有しておくことが有益である。具体的には、①検査に必要な書類（定款、基準日における株主名簿、招集通知および付属書類等）、②株主総会当日までに返送された書面投票用紙または委任状の確認方法、③会場の設営、④出席株主の確認方法、⑤議案の採決方法について確認することが

33　江頭憲治郎＝弥永真生編『会社法コンメンタール 10――計算等(1)』（商事法務、2011）137 頁〔久保田光昭〕、横浜地判平成 3・4・19 判時 1397 号 114 頁。ただし、「会計帳簿又はこれに関する資料」とは、会社の経理の状況を示す一切の帳簿・資料を意味すると解する見解もある（江頭憲治郎『株式会社法〔第 8 版〕』（有斐閣、2021）734 頁）。

34　最決平成 21・1・15 民集 63 巻 1 号 1 頁。

35　中村編著・前掲注 21）548 頁。

36　東京高判平成 28・3・28 金判 1491 号 16 頁。

考えられる[37]。

3　株主提案への会社の対応

株主提案がなされた場合の会社の初期対応としては、まずは、当該株主提案が適法かどうかを確認する必要がある。すなわち、持株保有要件および実質的要件を満たしているかどうか（上記171頁参照）、行使期限を遵守しているかどうか（上記172頁参照）、個別株主通知が完了しているかどうか（上記173頁参照）、株主提案の方式について社内規程を置いている場合に、当該社内規程に定める方式を遵守しているかどうか、拒否事由に該当することがないかどうか（上記173頁参照）について確認し、当該株主提案が適法なものであれば、かかる株主提案を採用する。その場合、株主総会に付議する等の諸手続、その他の対応をする必要があるが、具体的には以下の対応が必要となる。

（1）提案株主との協議

当該株主提案の適法性に疑義がある場合や、内容に不明確な点がある場合、会社としては、提案に係る議題・議案の撤回や内容の変更等について、提案株主と協議をすることが考えられる。また、株主提案が適法である場合であっても、提案株主側で委任状勧誘を実施する予定の有無や議場での補足説明の意向の有無等を提案株主に確認することが考えられる。提案株主側が委任状勧誘を行う場合には、提案株主が株主総会当日に多数の委任状を持参すれば集計に時間を要し、株主総会の開会が遅延してしまう可能性があるため、株主総会前日までに提案株主が集めた委任状をあらかじめ集計しておくことができるよう、事前に会社に持参して確認させるよう依頼することも考えられる。このような協議等の機会は、会社側からの働きかけにより設けられる場合も、株主側からの連絡を受けて設けられる場合もあり、いずれであっても法的に特段の問題は生じない。しかしながら、利益供与（会120条）と疑われる行為がないように留意することは当然として、インサイダー情報の管理にも十分な留意が必要である。また、インサイダー情報に該当しない情報であっても、投資家の投資判断に重要な影響を及ぼす会社の運営、業務または財産に関する未公表の重要情報を投資家等に伝達した場合には、伝達と同時に当該情報を公表しなければならないため（フェア・ディスクロージャー・ルール。金商法27条の26第1項）、同ルールにも留意する必要がある。

37　東京地裁商事研究会『商事非訟・保全事件の実務』（判例時報社、1991）228頁。また、大竹昭彦ほか編『新・類型別会社非訟』（判例タイムズ社、2020）264頁も参照。

(2) 招集決定・株主総会参考書類への影響

ア　招集決定への影響

株主提案が適法なものであり、かつ拒否事由もないときには、会社としてはこれを株主総会に付議する必要があり、当該提案内容を招集決定（会 298 条）に反映する必要がある。したがって、株主提案に係る議題については、会議の目的事項（同条 1 項 2 号）とし、提案された議案については、株主総会参考書類に記載する事項として決定する必要がある（同項 5 号、施 63 条 3 号イ・93 条）。なお、招集通知には、議案の内容によって特に付議すべき順序が決まるような場合でない限り、先に会社提案に係る議案を記載し、その後に株主提案に係る議案を記載するのが一般的である[38]。

イ　株主総会参考書類への影響

株主提案がなされた場合の株主総会参考書類の記載事項は、以下のとおりである（施 93 条 1 項）。

①　議案が株主の提出に係るものである旨

②　議案に対する取締役（取締役会設置会社である場合にあっては、取締役会）の意見があるときは、その意見の内容

③　株主が議案の通知請求に際して提案の理由を会社に対して通知したときには、その理由（当該提案の理由が明らかに虚偽である場合または専ら人の名誉を侵害し、もしくは侮辱する目的によるものと認められる場合における当該提案の理由を除く）

④　議案が取締役、会計参与、監査役または会計監査人の選任に係るものである場合において、これらの者の選任議案における株主総会参考書類記載事項（施 74 条～ 77 条）

⑤　議案が全部取得条項付種類株式の取得または株式の併合に係るものである場合において、これらの議案における株主総会参考書類記載事項（施 85 条の 2、85 条の 3）

ただし、上記③から⑤については、株主から通知された内容が株主総会参考書類にその全部を記載することが適切でない程度の多数の文字、記号その他のものをもって構成されている場合（会社がその全部を記載することが適切であ

38　松山遥『敵対的株主提案とプロキシーファイト〔第 3 版〕』（商事法務、2021）46 頁。たとえば、会社提案として「買収防衛策更新の件」が付議されているのに対し、提案株主から「定款一部変更の件」として買収防衛策更新決議には株主総会の特別決議を要する旨の定款一部変更議案が提案されている場合には、株主提案が承認可決されるかどうかによって会社提案の承認要件が異なってくるため、株主提案に係る「定款一部変更の件」を先議すべきと解される、とする。

るものを定めた分量を超える場合を含む）にあっては、当該事項の概要を記載することで足りる（施93条1項柱書）。

ウ　議決権行使書への影響

議決権行使書には、議案ごとに株主が賛否を記載する欄を設けなければならないから（施66条1項1号）、株主提案がなされている場合には、議決権行使書において、株主提案に係る議案についても賛否を記載する欄を設けなければならない。

賛否の記載のない議決権行使書については、あらかじめ会社側で各議案について賛成・反対・棄権のいずれかの意思表示があったものとして取り扱う旨を定めることができる（施63条3号ニ、66条1項2号）。この点に関して、委任状争奪戦が繰り広げられている場合には、賛否の記載のない議決権行使書をどのように扱うかは重要であり、通常は、賛否の欄に何も記載されないときは、会社提案に係る議案については賛成の意思表示、株主提案に係る議案については反対の意思表示があったものとして取り扱う旨を決定し、その旨を議決権行使書に記載することが多い。

（3）株主による委任状勧誘と会社の対応

ア　委任状勧誘規制の趣旨・対象

上場企業において、株主に対して委任状の提出を勧誘する場合には、金融商品取引法194条、金融商品取引法施行令36条の2～36条の6、委任状勧誘府令の規制がなされている（以下、これらの法令に基づく規制を「委任状勧誘規制」という）。委任状勧誘規制の趣旨は、被勧誘者に対する情報提供や、議案ごとの賛否の欄等が記載された所定の様式の委任状用紙の交付を義務付けることにより、株主意思の決議への反映を確保することにあると解されている。委任状勧誘規制については、会社側からの勧誘だけではなく、会社以外の者が行う委任状勧誘であっても対象となりうる（金商法194条）。なお、非上場会社の株式に関する委任状勧誘は規制の対象外である。

委任状勧誘規制は、①当該株式の発行会社またはその役員のいずれでもない者が行う議決権の代理行使の勧誘であって、被勧誘者が10人未満である場合、②時事に関する事項を掲載する日刊新聞紙による広告を通じて行う議決権の代理行使の勧誘であって、当該広告が発行会社の名称、広告の理由、株主総会の目的たる事項および委任状の用紙等を提供する場所のみを表示する場合、③他人の名義により株式を有する者が、その他人に対し、当該株式の議決権について、議決権の代理行使の勧誘を行う場合には適用されない（金商法施行令36条の6）。

また、委任状の交付を求めるのではなく、自身の意向に沿った書面投票を行うよう要請する行為が委任状勧誘規制の対象となるかについても問題となるが、委任状勧誘と書面投票制度とは別個の制度であり、書面投票を行うよう要請する行為は委任状の獲得に向けた行為とはいえないとして、規制の対象とはならないと解されている[39]。ただし、将来的に委任状の提出を受けることまでを想定している場合には、その時点では委任状自体の勧誘を行っていない場合であっても、賛成票を投じてもらうように要請する行為が委任状勧誘の一部とみられ、委任状勧誘府令上の制約を受ける可能性があるため、本章162頁で述べたとおり、会社やその役員が行った形式をとらずに、依頼対象も10人未満に限定する（上記①）といった配慮を考える必要がある。

イ　委任状勧誘規制の内容

（ア）委任状用紙および参考書類の交付

議決権の代理行使の勧誘を行おうとする者は、委任状用紙および参考書類を、勧誘の相手方に対し交付する必要がある（金商法施行令36の2第1項）。委任状用紙には、議案ごとに被勧誘者が賛否を記載する欄を設けなければならないとされている（同条5項、委任状勧誘府令43条）。また、代理権の授与に関し参考となるべき事項を記載した書類（参考書類）を交付しなければならない（金商法施行令36条の2第1項、委任状勧誘府令1条～41条）。

（イ）金融庁長官への提出

勧誘者は、被勧誘者に対して委任状の用紙および参考書類を交付したときは、ただちに、これらの書類の写しを金融庁長官（金商法施行令43条の11により、受理の権限は財務局長に委任されている）に提出しなければならない（金商法施行令36条の3）。ただし、会社法に基づく株主総会参考書類と委任状勧誘府令に基づく参考書類の記載事項は基本的に同様の内容であることから、同一の株主総会に関して株主（当該株主総会において議決権を行使することができる者に限る）のすべてに対し株主総会参考書類および議決権行使書が交付されている場合には提出を要しないものとされている（委任状勧誘府令44条）。

（ウ）虚偽記載の禁止

勧誘者は、重要事項について虚偽の記載等がある委任状の用紙、参考書類その他の書類または電磁的記録を利用して、議決権の代理行使の勧誘を行ってはならないものとされている（金商法施行令36条の4）。

（エ）参考書類の交付請求

会社により、または当該会社のために当該株式について議決権の代理行使の

39　森本滋ほか「<座談会>会社法への実務対応に伴う問題点の検討―― 全面適用下の株主総会で提起された問題を中心に」商事1807号（2007）23頁〔森本発言〕、松山・前掲注38）107頁。また、江頭・前掲注33）357～358頁もこれに賛成している。

勧誘が行われる場合においては、委任状勧誘を受けていない株主は、当該会社に対し、当該会社の定める費用を支払って、参考書類の交付を請求することができる（金商法施行令36条の5）。

ウ　会社がとるべき対応

株主による委任状勧誘がなされた場合（または、委任状勧誘が開始されるまでの間に、委任状勧誘を前提とした株主名簿の閲覧謄写請求がなされたような場合）には、その対応・対策をその都度、会社側の各関係者を交えて検討することになる。

委任状争奪戦となった場合には、以下のような対応が考えられる。

（ア）書面投票の勧誘

会社側が、書面投票制度による議決権行使を促す書面を送付したり、会社提案に賛成するよう会社側の意向に沿った書面投票を大株主等に要請する方法である。かかる要請について、原則として委任状勧誘規制の対象にならないと解されていることは上記180頁で述べたとおりである。議決権行使を促す手段として謝礼の交付も検討の余地がないではないが、上記168頁のとおり、委任状争奪戦が展開されているような状況の下では、議決権行使を促すために謝礼を交付する行為は、会社提案に賛成した株主のみならず、株主提案に賛成した株主に対しても同一の謝礼を交付する場合であっても、会社提案に対する賛成票を増やす目的であるとして、利益供与であると解される可能性があるため、差し控えるべきである[40]。

（イ）包括委任状の取得

上場会社の場合、書面投票を通じて会社提案に対する賛成を求めることになろうが、手続的動議に対応するため、大株主等からは包括委任状を取得しておく（161頁）。包括委任状については、委任状勧誘規制の適用除外（金商法施行令36条の6第1項1号参照）に該当する方法にて取得する方法、たとえば、①大株主から自発的な提出を受ける、②元社員であって現株主である者が勧誘を行う、③総務部長等の社員であって現株主である者が勧誘を行うといった態様により、10名未満の大株主から提出を受けることが通例である[41]。

ただし、株主提案権が行使されている場合には、後日に委任状勧誘手続に関して紛争に発展する可能性も否定できないことから、このように交付を受ける委任状についても、その様式上、議案に対する賛否の欄を設けておくことによって、実質的に委任状勧誘府令の要件を充足できるように配慮しておくことも一

40　松山・前掲注38）109～111頁。また、モリテックス事件・東京地判平成19・12・6判タ1258号69頁参照。

41　中村編著・前掲注21）576頁。

考に値する[42]。すなわち、委任状勧誘府令の定める委任状勧誘手続に従うには、上記イ（ア）および（イ）のとおり、原則として、委任状用紙と参考書類を作成し、金融庁長官に提出する必要があるが、書面投票制度を採用している場合には、全株主に対して株主総会参考書類および議決権行使書が交付されている限り、金融庁長官への提出も不要となる（委任状勧誘府令 44 条）ため、議案に対する賛否の欄を設けた書式の委任状を利用することによって、後日に委任状勧誘府令違反の指摘を受けないようにすることができる。

（ウ）検査役の選任

委任状の有効性等、後日紛争が生じる可能性があることから、会社側から検査役の選任の申立てを行うことも検討すべきである（会 306 条）。

（エ）勧誘者との打ち合わせ

委任状勧誘者（株主）との間で、委任状の有効性・入場の許否の基準や、議事運営等についてあらかじめ確認しておくことは双方にとってメリットがあるとされる[43]。検査役が選任されている場合には、検査役を含めた 3 者にてかかる打ち合わせを行うこともある。

（オ）事前集計

会社提案と株主提案のいずれが可決されるかが事前に判明しているか否かによって、①当日のシナリオ、②会社提案をあらかじめ撤回することの要否等に影響が生じるため、会社としては前日までに書面投票結果・電子投票結果・委任状を集計しておくことが必要である。なお、提案株主が委任状勧誘を行う場合には、当該株主に対し、取得した委任状を前日までに会社側に持参するよう依頼しておくことにより、事前にこれらの委任状を集計することも可能となり、当日は当該集計時以降に提出された委任状のみを集計することで足りることとなる（上記 178 頁参照）。

4　会社による委任状勧誘

株主提案権を行使し、提案株主から委任状勧誘がなされているような場合、その対策としては、会社から書面投票制度による議決権行使を促すという方法のほか、会社による委任状勧誘を行うことも選択肢としてはありうる。

具体的には、①書面投票制度を採用せず、全株主に対して委任状勧誘規制に則った委任状勧誘を実施すること（会 298 条 2 項ただし書、施 64 条）、②書面投票制度を採用しつつ、一部の株主に対してのみ、委任状勧誘規制に則った委任状勧誘を実施すること、および、③全株主に関して、書面投票制度と委

42　三浦亮太ほか『株主提案と委任状勧誘〔第 2 版〕』（商事法務、2015）131 頁。
43　中村編著・前掲注 21）617 頁。

任状勧誘規制に則った委任状勧誘を併用することが考えられる[44]。会社の実情に応じて選択することになろうが、書面投票制度を採用している多くの上場会社の場合、通常は書面投票を通じて会社提案の賛成票を集め、または併せて大株主から委任状勧誘規制の適用除外に該当する方法で包括委任状を取得する方法によることが多いであろう[45]。なお、上記③の場合には、議決権行使書と委任状がミシン目加工により切り離し可能な状態で一体とされたものを活用することが考えられる。これにより、会社は、委任状を取得する際に議決権行使書も回収できる可能性が高まり、委任者である株主が、会社に委任状を提出した後に、他の株主に対して、議決権行使書を本人確認書類として添付する簡便な方法で委任状を重複して提出することにより、会社が取得した委任状による委任が撤回され、他の株主が取得した委任状が有効なものとして取り扱われるリスクを可及的に低減することができる[46]。

なお、書面投票制度を採用する会社が、委任状勧誘府令の適用を受ける委任状勧誘をする際に、同府令を遵守しなかった事案（議案ごとに被勧誘者の賛否を記載する欄が設けられていなかった事案。金商法施行令 36 条の 2 第 1 項・5 項、委任状勧誘府令 1 条・43 条参照）において、これらの規制は、株主総会の「決議の方法」を規定する法令に該当せず、かつ、決議の方法が著しく不公正であるとはいえないとした裁判例[47]がある。もっとも、書面投票制度を採用しない上場会社が書面投票制度に代えて委任状勧誘をする場合（会 298 条 2 項ただし書、施 64 条）は、委任状勧誘府令が株主総会決議の方法を規定する法令に取り込まれると考えられるため、委任状勧誘府令を遵守しなくても会社を救済した上記結論は妥当しないと解され[48]、留意が必要である。

5　株主提案があった場合の議事進行[49]

（1）提案株主による説明の機会

株主提案がなされた場合の審議の順序については会社法上特段の定めはない。そのため、一括上程・一括審議方式を採用している場合は、会社提案・株

44　中村編著・前掲注 21）576 頁。
45　松山・前掲注 38）105 ～ 106 頁。
46　伊藤広樹＝冨田雄介＝森駿介「賛否拮抗総会に関する近時の裁判例からの実務上の示唆」商事 2294 号（2022）41 頁。
47　日本エム・ディ・エム株主総会決議取消請求事件・東京地判平成 17・7・7 判時 1915 号 150 頁。
48　江頭・前掲注 33）359 頁。
49　本項につき、泉篤志＝伊藤菜々子＝本村健「株主総会当日の議事運営等」商事 2292 号（2022）33 頁。

主提案を一括して上程・審議し、その上で個々の議案について採決すれば足りる。

株主提案に係る議案についても、会社が株主総会に付議するのであるから、議長がこれを上程し、その内容および提案理由について説明することになる。その際、議長は、提案株主に対して、提案理由等の補足説明を行う機会を与えるべきであると考えられ[50]、実務上も、議案説明の際にそのような場を設けることが多い。ただし、補足説明を行う機会は無制限に与えられるべきではなく、時間制限を設ける等、議事運営上適切な範囲内で認めるべきである。提案株主の発言が長時間に及んだ場合や、虚偽･名誉毀損等不適切な内容である場合は、議長の議事整理権に基づき、発言を制限したり、場合によっては、事前に注意･警告を行った上で、退場命令を出すことも考えられる。

（2）株主提案に係る議案についての取締役等の説明義務

取締役および監査役は、株主が提案する議案に関しても説明義務を負う[51]。もっとも、取締役等は株主提案の背景や内容の詳細について不明であることが多いため、このような取締役等が把握していない事項についての質問がなされた場合には、議長が提案株主を指名して説明させることになる。もっとも、議長から指名を受けた提案株主は回答義務を負うものではないため、議長は提案株主に回答を強制することはできない。なお、株主提案に係る議案に対する取締役会の意見の趣旨、当該議案が承認された場合の業績等に与える影響、その他当該議案に賛成するか否かを判断するに当たって必要となる会社情報等、取締役等が把握している事項については、取締役等が説明する必要がある。

6　濫用的な株主提案に対する対応

上記 172 頁のとおり、株主提案権の対象に、取締役会の権限に属する業務執行上の事項は含まれないが、会社の本質または強行法規に反しない限り、いかなる事項も定款規定により、株主総会の権限に留保しうると解するのが通説であるから、定款変更についての提案という形式をとる限りは、株主提案による業務執行についての提案も広範囲にわたってすることが理論的には可能となってしまう[52]。

このように、定款変更についての提案の形をとることにより形式的には行使要件を充足する株主提案であっても、①株主たることと関係のない利益のため

50　山形地判平成元・4・18 判時 1330 号 124 頁。

51　岩原編・前掲注 22）257 頁〔松井秀征〕。

52　上柳克郎＝鴻常夫＝竹内昭夫編集代表『新版注釈会社法(5)』（有斐閣、1986）69 頁〔前田重行〕。

に株主権が行使されること、②これにより会社利益を侵害することは許されず、このような場合には、権利濫用として[53]、不適法な株主提案と解される余地もありうる。ただし、権利濫用の概念自体が必ずしも明確ではない上に、株主提案を取り上げなかった場合、提案株主から、株主提案の議題、議案の要領および提案理由を招集通知および株主総会参考書類に記載するよう命じる仮処分命令の発令を申し立てられること等により、会社側にそれに対する対応コストが生じる可能性があることから、株主提案をすること自体が濫用的な提案と思われる場合であっても、事前の票読みにおいて否決が見込まれる場合には、会社側の実務上の対応としては、形式的には定款変更が株主総会の決議事項であること（会 466 条）を考慮して取り上げておくのが無難であろう[54]。

いわゆる濫用的な株主提案の事例として、大きく報道され耳目を集めた野村ホールディングスにおける 2012 年の定時株主総会の株主提案がある。同社においては、「オフィス内の便器を和式として足腰を鍛錬する」とか「取締役の社内での呼称を『クリスタル役』とする」等の定款一部変更議案が提出された。株主からの提案は 100 議案ほどあったとのことであるが、株主総会参考書類には 18 議案のみが記載されている。これは、当該株主提案が定款変更議案とされているか否かによって形式的に選別されたものと推測されているが[55]、その判断は是認できるところであろう。

また、同様に注目すべきものとして、株主提案権が権利濫用に該当するかについて、裁判所が判断を示したHOYAに対する株主提案がある[56]。この事例は、HOYA の株主が、2008 年から 2010 年の株主総会に際して議案を提案し、当該議案の要領を招集通知により株主に通知することを請求したところ、会社から議案の削減を強要され、議案の一部が招集通知に記載されなかったことで株主提案権が侵害され損害が発生した等と主張して、HOYA およびその取締役・執行役等に対して、共同不法行為ないし会社法 429 条等に基づき損害賠償請求をしたものである。このうち、2009 年の株主総会における株主提案に関し、東京高裁は、「個人的な目的のため、あるいは、控訴人会社を困惑させる目的のためにされたものであって、全体として株主としての正当な目的を

---

53 大隅健一郎「いわゆる株主の共益権について」同『会社法の諸問題〔新版〕』（有信堂高文社、1983）141 頁。

54 ただし、かかる対応は海外投資家に対し無用な疑念を抱かせかねず、ひいては全株主が迷惑を被ることになるから、「濫用的株主提案であってもとりあえず上程して株主が否決すればよい」と法解釈することは危険性があるとの指摘がある（武井一浩「株主提案権の重要性と適正行使」商事 1973 号（2012）56 頁）。

55 澤口実「株主提案権の今」資料版商事 340 号（2012）22 頁。

56 東京高判平成 27・5・19 金判 1473 号 26 頁。

有するものではなかったといわざるを得ない」、「会社の側からみれば、……その提案を招集通知に記載可能であり、株主総会の運営として対応可能な程度に絞り込むことを求めることには合理性があるといえる」、「会社が……協議を申し入れ、その調整に努めたことは前記認定のとおりであり、このような経過を経ても……特定個人の個人的な事柄を対象とする倫理規定条項議案及び特別調査委員会設置条項議案を撤回しなかったことは、株主総会の活性化を図ることを目的とする株主提案権の趣旨に反するものであり、権利の濫用として許されないものといわざるを得ない」とし、当該株主による株主提案の全体が権利の濫用に当たるもので、招集通知に記載しなかったことには正当な理由があるから、不法行為は認められないものと判断した。

COLUMN

株主提案議題の議案の説明の一部省略が認められる場合

議案が株主の提出によるものである場合には、提案の理由および取締役等の候補者に関する事項を（議案が取締役等の選任に関するものである場合）株主総会参考書類に記載しなければならない(施93条1項3号・4号)。

もっとも、旧商法施行規則17条1項1号とは異なり、400字の制限は課されていないものの、会社法施行規則93条1項柱書かっこ書では、「株主総会参考書類にその全部を記載することが適切でない程度の多数の文字、記号その他のものをもって構成されている場合（株式会社がその全部を記載することが適切であるものとして定めた分量を超える場合を含む。)」には、概要を記載すれば足りるとされている。また、提案理由に関しては、当該提案の理由が明らかに虚偽である場合等には、その記載をする必要がないものとされている（施93条1項3号かっこ書)。

ここで、文字数に関する「その全部を記載することが適切でない程度の多数の文字」とは、旧商法施行規則17条1項1号にいう400字を意味するものではなく、会社が株主総会参考書類の他の記載事項の量との関係を考慮しつつ、適切に判断すべきこととなる[57]。定款や定款の委任に基づく株式取扱規程、株主総会決議、取締役会決議で字数を制限することもできる（施93条1項柱書かっこ書)。

もっとも、定款等で定めた文字数制限を超える等、会社としては概要の記載とし、あるいは記載の一部を省略することが相当であると考えた場合

57　相澤哲＝葉玉匡美＝郡谷大輔編著『論点解説新・会社法』（商事法務、2006）481頁。

であっても、提案議案の内容に鑑み、厳格に対応することが適当ではないケースもありうるので、柔軟に対応すべき場合もある。なお、HOYA の平成 25 年の株主総会に関しては、株主提案の一部について、提案理由に虚偽が含まれるとした会社の主張を退け、株主提案に係る理由の全文を株主総会参考書類に記載すべきものと判断されている[58]。

概要を記載し、あるいは記載の一部を省略する場合には、株主との間で紛争を避けるため、実務上の対応としては、提案株主に対し要約の作成を求める、あるいは事前に提案株主の了解を得ることが望ましいが、実際には、株主から提出された株主提案書の記載を原文のまま掲載している旨を記載した上で、株主提案書記載の提案の理由等の全文を株主総会参考書類に掲載している例が多く見られる。また、仮に株主総会参考書類に全文を掲載しない場合でも、全文をウェブ開示(施 94 条)することは考えられる。

COLUMN

近時の株主提案の動向[59]

2020 年 7 月から 2021 年 6 月までの株主総会において株主提案が付議された上場会社はのべ 65 社であった[60]。そのうち、株主提案に係る議案が可決された会社は 5 社あったほか、否決されたものの賛成率が 40% 以上に至った株主提案があった会社も複数あり、株主提案は相応に積極的に活用されているとともに、可決されることも現実的な状況になってきているといえる。

同時期の株主提案の具体的な内容としては、役員報酬等の個別開示、政策保有株式の売却、資本コストの開示、相談役・顧問等の廃止等、CG コー

58　東京地決平成 25・5・10 資料版商事 352 号 34 頁。

59　本項につき、牧野達也「株主提案権の事例分析（1）――2020 年 7 月総会～ 2021 年 6 月総会」資料版商事 449 号（2021）59 頁、商事法務研究会編『株主総会白書 2021 年版〔商事 2280 号〕』26 頁以下、水嶋創「本年 6 月総会における株主提案の内容とこれに対する株主の賛否判断　――東証一部上場企業を対象に」商事 2278 号（2021）34 頁等参照。

60　なお、2019 年 7 月から 2020 年 6 月までの株主総会において株主提案が付議された上場会社はのべ 64 社（牧野達也「株主提案権の事例分析（1）――2019 年 7 月総会～ 2020 年 6 月総会」資料版商事 437 号（2020）6 頁）、2018 年 7 月から 2019 年 6 月まではのべ 65 社であった（牧野達也「株主提案権の事例分析――2018 年 7 月総会～ 2019 年 6 月総会」資料版商事 426 号（2019）36 頁）。

ドを意識した事項や機関投資家から賛同を得られそうな事項を内容とする定款変更議案が目立つ。このような株主提案については、機関投資家が開示する議決権行使ガイドラインで原則として賛成すると定められている場合もあり[61]、その他の議案に比べて相対的に賛成率が高いようである[62]。また、2020 年に、みずほフィナンシャルグループに対し、大手日本企業に対するものとしてはじめて気候変動関連の株主提案が出されたことに続き、2021 年および 2022 年にも、気候変動に関する目標や戦略、実施状況等の開示を求める株主提案が複数みられ（米国でも ESG 関連の株主提案権数が増加傾向にあり、2022 年も過去最高を更新した模様である[63]）、それぞれ複数の機関投資家が賛成しており、注目される。そのほか、剰余金の配当議案や役員の選解任議案等が多く提出されている。

今後も、こうした議案を中心に少なくない賛成票が投じられる株主提案議案が増える可能性があるが、機関投資家の議決権行使ガイドライン等に照らして多数の賛成票が集まることが見込まれ、事前の票読みで賛否の結果が明らかにならないような議案については、議場において、投票用紙を使用した投票を行うことも検討する必要がある（投票を行う場合のシナリオについては第 6 章 311 頁以下を参照）。

61　大和アセットマネジメント株式会社「議決権の行使に関する方針（国内株式）」（https://www.daiwa-am.co.jp/company/managed/guideline_03.pdf）10 頁、野村アセットマネジメント株式会社「日本企業に対する議決権行使基準」（https://www.nomura-am.co.jp/special/esg/pdf/vote_policy.pdf）14 頁等。これらにおいては、株主提案に対する議決権行使基準が詳細に記載されている。

62　牧野・前掲注 59）69 頁。

63　「米国の 2022 年総会シーズンのトピックス」商事 2297 号（2022）53 頁。

第５節　招集通知発送後の議案の撤回・修正の判断

202Y 年６月20日

●解説

1　招集通知発送後の議案の撤回・修正

(1) 株主総会前の撤回・修正

招集通知を発送した後の議案の撤回については、株主総会の招集自体を撤回することができるのと同様に[64]、取締役会で決定の上、株主総会の会日の前に各株主に通知をすることにより行える。この場合における各株主への通知の方法としては、いわゆるウェブ修正（下記193頁以下参照）による対応も可能であるとされている[65]。なお、株主総会の前にウェブ修正を行う場合であっても、下記（2）と同様、株主総会において議案撤回等の動議を提出した上で決議を得る必要があるとする見解もあるが、これを否定する見解[66]も有力である。

これに対し、招集通知を発送した後の議案の修正については、株主総会参考書類の内容から客観的に予見しうる範囲内でなければ許されず、かかる範囲内の場合には、取締役会で決定の上、株主総会の会日の前に各株主に通知をすることによって、議案を修正することが可能であるが、かかる範囲を超える修正の場合には、招集通知を再度発送して再招集手続をとるか、株主総会日の2週間以上前であれば、訂正通知を発送しなければならない。

しかし、株主総会参考書類の内容から客観的に予見しうる範囲を超える議案の修正についても、たとえば当初予定していた社外監査役候補者が招集通知発送後に病気を理由に就任を固辞し、そのままでは社外監査役の員数を欠くこととなってしまう場合のように、議案の修正をしなければ法令・定款違反が生じるおそれのあるような状況等修正する必要性・合理性が認められる場合には、ウェブ修正によって修正を行うことが可能と考えられている[67]。これは、法令・定款違反が生じることが見込まれる場合には、修正を認める必要性・合理性が大きいこと、ウェブ修正によれば、事前に候補者に関する株主総会参考書類記載事項も含めた所要の情報を株主に対し周知させることができることを踏まえたものである。

また、たとえば社外監査役選任議案の候補者の差替えの可否については、従前の株主総会参考書類には、新候補者に関する情報が提供されていないことからすれば、株主総会参考書類の内容から客観的に予見しうる範囲内とはいえな

64　上柳＝鴻＝竹内編代・前掲注52）56頁〔前田〕。

65　武井一浩＝郡谷大輔編著『会社法・金商法実務質疑応答』（商事法務、2010）90頁〔郡谷大輔＝松本絢子〕、大阪株式懇談会編『会社法 実務問答集Ⅲ』（商事法務、2019）124頁〔前田雅弘〕。

66　大阪株式懇談会編・前掲注65）125頁〔前田〕。

67　武井＝郡谷編著・前掲注65）91頁〔郡谷＝松本〕。

い。他方、議案の修正をしなければ法令・定款違反が生じるおそれのあるような状況等修正する必要性・合理性が認められる場合に該当するかどうかであるが、社外監査役候補者が死亡した、健康上の理由により就任を固辞した等の事情であればともかく、会社提案が可決される可能性が低いこと等が理由である場合は、議案を修正する必要性・合理性が認められる場合に該当するかは疑問であり、かかる方法による差替えは認められない可能性もあると思われる（なお、株主総会当日の差替えについては後述のとおり）。

(2) 株主総会当日の撤回・修正

株主への通知が間に合わない場合、たとえば株主総会当日における議案の撤回の方法については、①議案の撤回について取締役会決議を経た上で、株主総会において議長が撤回を宣言すれば足りるという見解と、②議長が取締役もしくは出席株主の請求または自己の判断に基づいて、議案の撤回または削除の動議を提出し（この際、招集通知に記載した議題の一部を提案しない理由を説明する）、普通決議を得る必要があるという見解がある[68]。②の見解は、議長は、株主総会において、必ず招集通知に記載された議題の全部を上程し、その審議に付さなければならないから、議案の一部を上程しないことは違法となり、これにより、議長の責任が生ずるのはもとより、当該株主総会において成立した決議についても決議方法の不公正の瑕疵を帯びる可能性があるとの考えに基づくものであると考えられる[69]。

しかしながら、②に反対する見解[70]も有力であることを踏まえ、実務的には、議案を撤回し当該議案の審議・決議をしないのであれば、決議がない以上決議取消の問題は生じない[71]との判断から、①の方法による議案撤回が行われることがある。他方、議場で過半数の同意をとることが容易であれば、後日決議方法の公正性について紛争になることを避けるために②の方法をとることも考えられる。いずれの手法によるべきか諸説あるところであり、当該議案の内容や議案を撤回するに至った経緯、株主構成、なかんずく株主総会当日の大株主の出席状況、意向等を短期間に吟味した上で対処する必要があろう。なお、議案撤回について採決をする場合には、議決権行使結果の臨時報告書における開示対象になると解されることから、その記載方法についても前もって検討しておく必要があろう。

また、株主総会当日の議案の修正については、会社側から修正動議を提出す

---

68 大隅健一郎『株主総会』（商事法務研究会、1969）119頁。
69 大隅・前掲注68）120頁。
70 大阪株式懇談会編・前掲注65）125頁〔前田〕。
71 中村編著・前掲注21）286頁。

る方法によることが考えられるが、かかる修正動議は、株主総会参考書類に候補者に関する情報の記載が求められることからして否定的な見解[72]や、非常時のみ許されるとの見解[73]、株主による修正動議が認められることからして肯定する見解[74]とさまざまな見解がある。したがって、実務的な対応としては、かかる懸念を避けるべく、株主に修正動議を提出させるという対応をとることが多いものと思われる。

たとえば、株主総会当日に、社外監査役選任議案の候補者の差替えを行うことを考える場合、上記のとおり、疑義がない方法としては、株主が修正動議を提出する方法が考えられる。この場合、議決権行使書では原案賛成が多いと思われることから、会社としては、修正動議を可決できるよう、委任状の勧誘や大株主の出席等の入念な準備を行う必要がある。

2　ウェブ修正について

招集通知の発送後に株主総会参考書類、事業報告、計算書類および連結計算書類の記載事項に修正すべき事情が生じた場合に備えて、修正事項を株主に周知させる方法を招集通知に記載しておくことが可能である（施65条3項・133条6項、計133条7項・134条7項）。

これは、株主総会参考書類等に印刷ミスその他の事情で誤りがあった場合に、株主総会参考書類等の再交付によらずに、修正後の事項を株主に周知させることを認めるものである。この点に関して、修正後の事項を掲載するウェブサイトのURLを通知しておき、修正後の事項をインターネット上のウェブサイトに掲載することによって株主に周知させることも可能であるとされており[75]かかる修正方法はウェブ修正と呼ばれている。ウェブ修正は近時多くの会社において利用されており、定時株主総会において株主総会参考書類等にミス等が発見された会社のうちウェブ修正を利用（他の方法との併用を含む）した会社の割合は、2021年度には72.5%となっている[76]。なお、ウェブ修正による修正の範囲は、会社法施行規則および会社計算規則上は株主総会参考書類、事業報告、計算書類および連結計算書類の内容とされており、招集通知自体は対象とはされていないが、実務的には、招集通知にミスがあった場合にも、ウェ

72　稲葉威雄ほか編『〔新訂版〕実務相談株式会社法(2)』（商事法務研究会、1992）590頁〔須藤純正〕。

73　大隅健一郎＝今井宏『会社法論中巻〔第3版〕』（有斐閣、1992）157頁。

74　中村編著・前掲注21）286頁。

75　弥永真生『コンメンタール会社法施行規則・電子公告規則〔第3版〕』（商事法務、2021）354頁。

76　商事法務研究会編・前掲注16）71頁。

ブ修正による修正は可能であると理解されている。

ウェブ修正はミスが判明した場合に迅速な対応が可能であることから、会社にとって非常に便宜な方法である反面、デジタル・デバイドの問題や、ミスが判明した時期が株主総会開催日の直前の場合には、ウェブ修正による周知効果にも限界があるから、ミスが判明したからといって一律にウェブ修正のみで対応するというのは妥当ではないであろう。ミスの内容や修正のタイミングによっては株主総会当日に来場株主に直接周知することを検討すべきであり、その方法としては、議長からの訂正内容の口頭説明や、訂正文の配布という対応が考えられる。

なお、電子提供措置をとる場合にウェブサイト上に掲載する株主総会資料に修正すべき事情が生じたときも、ウェブ修正の方法によりその内容を修正することが可能であると考えられるが[77]、その際も、単に修正後の内容をウェブサイト上にアップロードするだけでなく、修正した旨および修正前の事項についても電子提供措置をとる必要がある（会325条の3第1項7号）。

3　議案撤回の判断

議案を撤回するかどうかの判断については、まず、議案を撤回した場合の法的影響を考える必要がある。たとえば、社外監査役選任議案の撤回を検討する場合、監査役会設置会社では、監査役は3人以上必要であり、また、過半数以上が社外監査役である必要があるため（会335条3項）、撤回により社外監査役が選任されずかかる要件を満たさなくなる場合には、前任の監査役がなお監査役としての権利・義務を有する一方（会346条1項）、会社としては、遅滞なく後任の監査役を選任しなければならない（会976条22号）。したがって、この場合には、議案を撤回すると、別途臨時株主総会を開催して、社外監査役の選任を行う必要がある。

他方で、買収防衛策更新議案を撤回する場合を考えると、導入および更新が法令上求められているわけではないため、法令上の問題は特段生じない。

次に、会社提案議案が否決された場合の会社にとっての影響を考える必要がある。この場合、特に考慮すべきは、レピュテーション上のリスクが挙げられる。会社提案議案の否決という事態は、毎年数社程度あるようであるが、このように数が少ないこと、また、会社提案議案の否決は、経営陣が株主に信頼されていないメッセージと受け取られかねないことからすると、レピュテーション上のリスクが非常に高いものといえる。そこで、これらの点を考慮の上、議

77　塚本英巨＝中川雅博『株主総会資料電子提供の法務と実務』（商事法務、2021）58頁〔塚本英巨〕。

案の撤回を検討する必要があるだろう。

4 延会・継続会

株主総会においては、延期または続行の決議をすることができる（会317条）。延期とは、株主総会の成立後、議事に入らないで、別途の会日に変更することをいい、続行とは、議事に入った後、審議を一時中断して別途の会日に継続することをいう。

延期または続行の決議があったときには、その延会・継続会の開催については、取締役会の決議（会298条）や招集通知の発送（会299条）をする必要がない。また、議決権を有すべき株主も同一であり、延会・継続会の会日が基準日の効力期間である3か月（会124条2項）を超えても、その違反とはならない。

新型コロナウイルス感染症等の拡大や地震・洪水等の災害等が発生したり、不正会計が発覚する等して会計監査人による監査（会436条2項1号、444条4項）が定時株主総会に間に合わない場合には、会社は、当初予定していた定時株主総会において、役員選任等の議案の採決を行うとともに、継続会についての採決を行った上、継続会において計算書類および連結計算書類の報告（会438条1項2号、444条7項）を行うことも考えられ、実務上もこのような方法が採用されている[78]。

COLUMN

緊急事態への対応—— 取締役候補者が盗撮で逮捕された！

取締役候補者が、株主総会直前に盗撮で逮捕されたという場合、会社としては、当該取締役候補者の選任議案の修正・撤回を検討する必要があろう。

この場合、逮捕直後は会社にとって事実関係が不明確な点も多く、判断が難しい場合も多いであろうが、当該事実が報道に出ていたとすると、仮に当該取締役候補者をそのままにして株主総会に臨んだ場合には、株主からは、なぜそのような取締役候補者を候補者として選任したのかについて、質問が殺到することが考えられ、会社としては、対応に苦慮する場合も考えられる。そこで、事実関係が十分把握できないこともあるが、逮捕されたという事実を重視して、当該選任議案を撤回するという判断をせざるをえない場合もあるものと考えられる。

78 澤口実「決算手続遅延と株主総会実務」商事2230号（2020）60頁。

そして、かかる場合には、本文に記載のとおり、議案の撤回について取締役会決議を経た上で、ホームページ上にかかる事実を公表するとともに、株主総会において議長が撤回を宣言するということが考えられる。

なお、この場合において、取締役候補者が選任されないと、法令や定款上の取締役の定員を欠く事態となる場合には、撤回ではなく、従前の議案を維持するか、新たな取締役候補者を立てて株主総会の再招集手続をとるか、法的には疑義があるものの、株主総会当日に新たな取締役候補者の修正動議を提出するかのいずれかの方法が考えられる。実際に同様の場面に対処し無事に乗り切った会社もあると聞くが、いずれの方法によるかは個別の事情によるところであり悩ましい判断であろう。

COLUMN

議決権行使助言会社への反論—— 投票を得るべく行動する会社

近年、不祥事を起こした会社の株主総会等では、議決権行使助言会社が、会社提案に対して反対を推奨するというケースがままみられる。これに対し、会社側は、自身のホームページ等において、反対意見を述べるケースが散見される。たとえば、最近の事例では、NISSHA 株式会社や長瀬産業株式会社の定時株主総会について、会社側が議決権行使助言会社の会社提案への反対推奨に対して反対意見を述べたケース[79]等がある。

会社側としては、議決権行使助言会社の見解が、議決権行使結果にも如実に影響することが多いことから、株主に会社の姿勢や方針等への理解を求める趣旨で反対意見を述べているものと思われる。

近年の株主総会は、臨時報告書による議決権行使結果開示の制度の新設に加え、会社提案を確実に通すという投票行動の側面がより明確になっており、いわば「儀式から投票へ」のパラダイムシフトが生じているといわれており、各社は株主、なかんずく機関投資家からの信任（投票）を受けるべく努力している。安定株主比率の低下とともに存在感を増す機関投資家の存在は大きく、その一方で、上記の例からもわかるように、機関投資家と会社の緊張関係は過渡期にあるといえる。

---

79 NISSHA 株式会社の 2022 年 3 月 23 日開催の定時株主総会に係る反対意見（https://www.nissha.com/news/2022/03/ersrhs00000140or-att/disclosure20220304.pdf）、長瀬産業株式会社の同年 6 月 20 日開催の定時株主総会に係る反対意見（https://www.nagase.co.jp/assetfiles/tekijikaiji/20220527-1.pdf）。

第5章

株主総会は
リハーサルが命!!

第１節　想定問答の作成

202Y年４月10日

まずは想定問答の作成だ！
どうやって当日の株主からの質問を想定するのですか？
Q
A

当社はマスコミにたびたび取り上げられているし
自らリリースもしている…まずはそこから潰す！

最近はESGやSDGsについて
総会で質問されることも多いですね

●解説

1　想定問答作成の目的

取締役や監査役は、株主総会において、株主から特定の事項について説明を求められた場合、法令に定められた事由があるときを除き、当該事項について必要な説明をしなければならない（説明義務[1]。会314条）。そして、説明義務に違反すると、場合によっては、その説明義務違反を理由として株主総会決議の取消（会831条1項1号）という致命的な事態を生じさせることとなりかねない。すべての質問に対し迅速かつ適切に回答することは、株主総会への臨席経験が豊富な役員でも困難である場合が多いことから、あらかじめ株主からの質問を想定し、これに対する回答を入念に検討して、想定問答を作成しておく必要がある。また、想定問答の作成は、会社内の問題点を整理・認識・共有するよい機会となる。

なお、取締役等は株主総会の目的事項に関連しない質問については説明義務を負わないとされているが（会314条ただし書）、株主総会の目的事項の範囲内か否かについて現実には峻別が難しい質問もあり、実際の質疑でも目的事項の範囲外のものと範囲内のものとが混在した質問がされていることも多い。また、株主総会が株主との建設的な対話の場であることを認識すべきとするCGコードの趣旨（CGコード原則1-2）等を踏まえれば、株主への情報提供・IRをより充実させるという観点も重要である。したがって、想定問答を作成する際には、説明義務の範囲内のものに限らず、広く株主の質問に適切に対応することができるよう準備を進めることが望ましい。また、想定される質問は、事業年度によって変化することから、毎年想定問答を改訂することが必要である。

2　想定問答作成のプロセス

（1）一般論

想定問答の作成・とりまとめは、通常「事務局」と呼ばれる、株主総会の準備・進行を担当する総務部・法務部等の管理部門が担当することが一般的である。そして、想定問答の作成に当たっては、各部署から想定問答を収集し、事務局でこれを検討し、必要に応じ各部署に対して確認を行う等して、内容を精査する作業を積み上げていくことが重要である。

さらに、想定問答作成の大きな目的である説明義務違反の回避という点に鑑

1　説明義務の内容、範囲・程度については本章「第2節　説明義務」を参照されたい。

みると、弁護士に対し、説明義務違反その他回答内容の当否の観点からの検証を依頼することも有用である。

（2）具体例

以下では、株主総会本番までのスケジュールを踏まえた、想定問答作成に関するスケジュール例（6月に定時株主総会を開催する会社を想定）、ならびに各部署に対する想定問答作成依頼の具体的な内容および留意点等について述べる。

ア　スケジュール例

3月	定時株主総会における議案の概要決定。
3月中旬	基準日公告（定時・種類株主総会の基準日の2週間前までに）。 ※①定款に定時株主総会の議決権の基準日の定めがない場合や、②定時株主総会と種類株主総会を同時開催する場合で、かつ、定款に種類株主総会の基準日についての定めがない場合には公告が必要[2]。
4月初旬	事務局から各部署に対して想定問答の作成依頼。（必要に応じ）依頼に当たって、各部署に対する想定問答作成上の留意点等につき説明会を実施。
5月初旬	各部署における想定問答作成締切。各部署から事務局へ想定問答提出。
5月初旬～6月初旬	想定問答の内容につき事務局における検討、各部署との調整。弁護士による内容精査。
6月初旬	役員説明会、株主総会リハーサルの実施。
6月中旬～下旬	上記説明会やリハーサルの内容、直近の出来事等を踏まえた想定問答の修正・追加。
6月下旬	定時株主総会開催。

イ　想定問答作成依頼の具体的な内容および留意点

（ア）担当者の選定

想定問答の作成に当たっては、事務局において、各部署からの相談に対して随時迅速に対応できる体制を構築し、他方、各部署においても担当者を選任し、事務局との擦り合わせが円滑に進むよう準備しておくことが重要である。

（イ）各部署に依頼する作業内容

各部署に依頼する作業内容としては、以下のような事項が考えられる。

・昨年度までの想定問答について、必要に応じ追記・修正。
・本年度に生じた新規案件について、新たに想定問答を作成。

2　定款に、定時株主総会の議決権の基準日について定めがあり、かつ、定時株主総会のみを開催する場合には、公告は不要（会124条3項ただし書）。

なお、数多くの新規案件の中から、どのような案件を抽出してもらうべきかについては、たとえば、①会社の業務内容や業績に関わるもので開示されているもの(株主が知りうるもの)、②マスコミに取り上げられたもの、③株主総会までに公表されることが予想されるもの、④開示されていなくても、クレームや訴訟等の相手が会社の株主であるもの、⑤株主提案がなされているもの、⑥労務案件（従業員が株主である場合は当然、そうでなくても従業員から株主に情報が漏れる可能性があるため）、⑦ M&A 案件等が挙げられる。

・本年度には終了済みであるが、再燃懸念のある案件については、当該案件に係る昨年度の想定問答を削除せずに、その旨を記載（想定問答の重要性から、削除の当否は各部署ではなく事務局において判断することとし、漏れがないようにすべきである）。
・想定問答作成の締切後も、その後生じた新規案件や世間を賑わす事象として質問が予想されるものについては、追加で想定問答を作成（これを各部署に徹底しておく）。
・各部署から担当役員に対して想定問答の説明（想定問答の作成過程でこれができない場合、役員説明会の場、あるいはその直前に説明を行うこととなる）。

（ウ）各部署に作成を依頼する想定問答のフォーム

各部署に想定問答の作成を依頼する場合には、作業の効率性等から、全部署共通のフォーマットを用いることが考えられる。また、記載内容としては、各部署において作業しやすいように、昨年度の当該部署の案件に関する想定問答をサンプルとして添付するとともに、一問一答として、①想定質問概要、②想定回答概要、③その他参考・補足事項の作成を依頼することが考えられる。③その他参考・補足事項については、想定質問および想定回答の裏づけ等を確認するための手控えとしての位置付けであり、背景・根拠資料、数値等を記載する。具体的な案件の場合には、案件名、案件の概要、問題点、今後の対応策・見通しについても参考・補足事項として記載しておくとわかりやすい。

なお、企業秘密である、インサイダー情報に該当しうる等の理由により回答を控えるべき事項については、②想定回答概要の中には含めないよう注意喚起するとともに、事務局においてもそのような事項が含まれていないかをチェックする必要がある。一方、③その他補足・参考事項については、回答を控えるべき事項を含めることも許容されるが、その場合には、追加質問がなされた際にも回答してはならないものである旨を注記する等して、回答担当役員の目に必ず留まるようにしておくべきである。

（エ）自社の公開情報

質問しようとする株主の情報源としては、株主総会招集通知、自社ホームページ記載事項、新聞等の有力媒体における自社に関する報道等が考えられる。そのため、そうした自社に関する公開情報であって、株主の関心を得やすいものについては、想定問答の準備を検討する価値がある。また、たとえば、ガバナンスに関する想定問答については、自社の公開資料（コーポレート・ガバナンス報告書）の記載内容と齟齬がないように確認することも重要である。特に、総会直前に新たに公開された情報ほど、株主の目につきやすいため、想定問答のとりまとめ後も、継続的に意を払う必要がある。

（オ）他社の株主総会・トレンドの意識

株主は、一般的に、他社、特に同業他社の動向に敏感であるため、想定問答の作成に当たっては、他社の株主総会において実際に株主から質問があった事項およびこれに対する他社の回答を参考にすることが有用である。また、当該年度における多くの株主総会において質問が予想される、いわば「トレンド」となっている事項をつかんでおくことも役に立つことが多い。

そのためには、他社との交流会に参加する、公刊されている株主総会のアンケート結果[3]を確認する、証券代行機関や弁護士等の他社の株主総会の動向を実際に把握している者から情報収集を行う等、積極的に他社事例や近年の株主総会の傾向を把握し、必要に応じこれらの内容を踏まえて想定問答に反映させていくことが重要である。株主総会開催直前に世間で話題になった事項（経済環境変化、企業不祥事等）も株主が関心を有する可能性があるため、報道・ニュース等に注意を払い、想定問答の準備に活かすべきである。

なお、会社法やCGコード等の改正・改訂にはガバナンスに関するものが多く含まれているため、直近のこれらの改正・改訂は株主の関心が高い事項であり、また、事業報告記載事項等として説明義務の範囲内に含まれることも多い。そのため、想定問答の準備の際には、そうした制度改正・改訂も踏まえることが望ましい。

（カ）有価証券報告書の株主総会前提出の場合の想定問答への取込み

上場会社においては、事業年度経過後3か月以内に、金融庁に対して有価証券報告書を提出しなければならない（金商法24条1項）が、定時株主総会の開催日前に提出することは差し支えないため、株主に対する情報提供の充実等の観点から、少数ではあるが開催日前に有価証券報告書を提出している会社がある。この点に関して、有価証券報告書の記載事項に説明義務は及ばない

3　たとえば、旬刊商事法務では、毎年末に「株主総会白書」を公表しており、株主総会での質問の内容、傾向等の記載が参考になる。

と判断した裁判例[4]はあるものの、株主に対する情報提供の充実の観点等からあえて株主総会開催前に有価証券報告書を提出している以上、これに関連する事項についても、説明を行っている会社が多く、また、それが望ましいといえる。したがって、株主総会開催前に有価証券報告書を提出する場合は、有価証券報告書の記載に関連する事項についても、想定問答を作成しておくことが望ましい。

ウ　担当役員への割振り

株主からの質問に対して説明義務者のうちの誰が適切に回答できるかを判断することは、株主総会の議事整理権を有する議長（会 315 条 1 項）の権限事項であり、議長自らが回答することも、担当役員へ割り振ることも、いずれの方法も採用できる。議長自ら説明を行うことにより取締役の説明義務を果たすことは、議長を務める社長あるいは会長がリーダーシップをもって職務の執行にあたっていることや、会社のトップが会社全般の状況につき精通していることを株主に印象づける点でプラスの効果が考えられる。その反面、議長以外の担当役員を株主に知ってもらう機会や、議長のみならず担当役員とも協働して会社を経営していることをアピールする場面が失われるというマイナス面もあるように思われる。そこで、担当分野ごとに担当役員へ割振りつつ、会社の基本方針に関わる事項等については議長が回答を行うといった対応方法も効果的である。また、担当役員が回答した場合には、議長が補足説明を行うことにより、質問株主の納得感を高め、議事進行に締まりをもたらすことも可能となろう。

なお、担当役員への割振りを行う場合、担当役員それぞれが十分に説明を行うことができるよう万全の準備をしておくべきことはいうまでもない。

エ　役員説明会・社内勉強会

株主総会本番までのスケジュール、株主総会本番の進行手順、株主総会における基本的な対応方針の策定、想定問答の内容に対する質疑、担当役員ごとの回答の割振り、特殊株主の動向および対策、近時の株主総会の傾向等について、事務局と役員との間で情報共有を図る場として、役員説明会を実施するのが一般的である。役員説明会の実施に当たっては、事務局側においてこれらの事項について基本方針やその骨子を固めておく必要があり、そのために社内勉強会を開くことが多い。

株主総会本番の進行手順、株主総会における基本的な対応方針については、株主総会決議に瑕疵を生じさせないという観点から、法的な視点での検証も必

4　日本交通事件控訴審判決・広島高松江支判平成 8・9・27 資料版商事 155 号 48 頁。

要となる。たとえば、役員説明会の場では、役員から、このような質問があった場合はどこまで回答してよいか、どのような内容を回答するのがよいかといった質問が散見されるところ、このような問題は、まさに役員の説明義務に関わる内容であり、慎重に検討する必要がある。また、単に事務的な事項であっても、社内で意見調整が必要な場合には第三者的な視点からのアドバイスが有益な場合が多くある。

そのため、株主総会当日に臨席する弁護士に、想定問答の内容についてあらかじめ検討してもらうことが望ましい。さらに、実際に株主総会に臨席する弁護士と一体となって事務局を構成するという観点から、役員説明会や社内勉強会においても積極的に弁護士の参加を要請し、適時にアドバイスをもらうことも有益である。

COLUMN

監査役からの説明について

監査役も、取締役同様、株主総会における説明義務を負っている（会314条）。その説明義務の範囲については後述するとおりであるが、その範囲外の事項について監査役は説明をする必要はないのであろうか。

会社法上、監査役は、取締役の職務の執行を監査するという重要な役割を担っているのであり、そのような監査役が株主からの質問に対して積極的に説明を行わないのであれば、会社のガバナンス体制について疑念を抱かせることにもなりかねない。特に、昨今においては多数の企業不祥事が明るみに出ており、会社が設置した第三者委員会における原因究明の結果として、監査役が十分にその機能を果たしてこなかったことが不祥事を阻止できなかった一要因であると分析される事例も散見されるところである。このような背景から、近時、監査役に対する質問への対応準備が重視されるようになってきている。

確かに、監査役の説明義務の範囲外の事項について、株主より、監査役から回答を聞きたい旨の要望があった場合、議長は、議事整理権に基づき、質問内容を検討の上適切な回答者を指名することができることから、必ずしも監査役に回答させる必要はない。しかし、監査役の業務への期待が強まっている昨今の状況下においては、監査役の積極的な回答により、会社のガバナンスが適正に機能しているとの印象を株主に与えられるというメリットもある。CG コード原則 4-4 でも、監査役は自らの守備範囲を過度に狭くとらえることは適切でなく、能動的・積極的に権限を行使し、経営陣に対して適切に意見を述べるべきとされているところである。そのため、説明義務の範囲外の事項についても、監査役が積極的に説明を行うことは、検討に値するものと考えられる。

第２節　説明義務

202Y年5月10日

●解説

1　説明義務の一般論

取締役等の説明義務は、株主の質問権と表裏一体の関係にあり、株主から特定の事項について説明を求められた場合には、法令に定められた事由があるときを除き、当該事項について説明する義務を負う（会314条）。そして、株主総会において、決議事項に関して十分な説明が行われずに説明義務違反となった場合には、決議取消事由（会831条1項1号）にもなりうるし、取締役等が正当な理由なくして説明義務を怠った場合には、100万円以下の過料に処されうる（会976条9号）。それゆえ、取締役等は、遺漏なく答弁を行う必要がある。

2　説明義務者

（1）補助者の利用

会社法上、説明義務を負うとされているのは、取締役、会計参与、監査役および執行役である（会314条）。

しかし、説明義務者の責任において、その補助者に答弁させることもできると解されており、取締役等が執行役員等の補助者に説明させることは可能である[5]。ただ、説明義務を負うのはあくまで取締役等であり、回答が不十分であることによる責任は取締役等が負うことになるため、取締役等から何らかの回答をした上で、補助者に補足説明させるという対応が望ましいであろう[6]。

（2）答弁役員の指名

株主が社外役員など特定の取締役等から説明を聞きたい旨を述べて回答者を指名してきたとしても、議長は、当該指名には拘束されず、その議事整理権（会315条1項）に基づき、自らが適切と判断した回答者を指名して回答させれば足りる。株主は、質問事項に対して説明を尽くすべきことを要求することはできるが、回答者を指名する権利までは有しない。説明を尽くすのに適当な取締役等が説明すべきであり、漫然と株主の指名に従い不適当な取締役等に説明させ、その結果として不十分な説明がなされれば、かえって説明義務違反が問われる可能性があり、また株主に与える印象も悪くなることに注意すべきである[7]。

5　東京弁護士会会社法部編『新・株主総会ガイドライン〔第2版〕』（商事法務、2015）113頁。

6　三井住友信託銀行証券代行コンサルティング部編『[2022年版]株主総会のポイント』（財経詳報社、2022）325頁。

7　東京弁護士会会社法部編・前掲注5）116頁。

(3) 監査役・監査役会に関する質問

監査役は、自らが受任した監査業務についての説明義務を負う。監査業務の結果については、すでに監査報告書に記載されているのであるから、基本的には監査報告書を敷衍する事項について説明すれば足りる。会社法では、監査報告書の記載事項として、「監査の結果」や「監査の方法及びその内容」等とともに、内部統制システム・買収防衛策・関連当事者取引等に対する意見や、会計監査人の内部統制に関する事項等が定められており（施 129 条、計 127 条等）、これらに関連する事項については説明義務がある。また、違法行為があった場合や相当な根拠をもって違法と指摘された場合は、その違法行為の概要、または違法でないと判断するならばその理由等について、説明義務を負う[8]。

また、監査役会は、会計監査人の選解任および不再任に関する議案の内容を決定することから（会 344 条 1 項・3 項）、監査役は、会計監査人の再任の適否等についての判断のプロセスおよび理由についても説明義務を負う[9]。同様に、監査役会は、会計監査人の報酬の決定につき同意権を有し（会 399 条 1 項・2 項）、また、同意の理由は事業報告にも記載されるから（施 126 条 2 号）、監査役は、会計監査人の報酬の適否等についての判断のプロセスおよび理由についても説明を行うことが望ましい。

なお、監査役会としての説明を聞きたい旨の質問があったときでも、説明義務を負うのは監査役会ではなく、個々の監査役である（会 314 条）から、監査役会として説明する必要はない。議長において適宜監査役を指名して（実務的には、あらかじめ監査役会において説明担当者（一般的には常勤監査役であろう）を決めておき、当該担当者を指名するよう議長に伝えておくことになるであろう）、当該監査役から説明すれば足りる。

3 説明義務の範囲・程度

(1) 総　論

ア　説明義務の原則論

取締役等の説明義務の範囲・程度については、「合理的な平均的株主が、総会の目的事項を理解し決議事項について賛否を決して議決権を行使するにあたり、合理的判断をするのに客観的に必要な範囲および程度」をいうとされてい

8　中村直人編著『株主総会ハンドブック〔第 4 版〕』（商事法務、2016）405 頁。

9　2015 年 3 月 5 日付公益社団法人日本監査役協会会計委員会『会計監査人の選解任等に関する議案の内容の決定権行使に関する監査役の対応指針』2 頁。

る[10]。したがって、決議事項であれば、基本的には株主総会参考書類に記載された内容に若干補足する程度の説明をすれば足り、報告事項であれば基本的には連結および単体の計算書類、事業報告、附属明細書に記載された内容に若干補足する程度の説明をすれば足りると考えられている[11]。

イ　説明義務の例外

会社法314条ただし書および会社法施行規則71条は、説明を拒否できる場合として、

① 株主総会の目的である事項に関しないものである場合（会314条ただし書）

② 株主の共同の利益を著しく害する場合（会314条ただし書）

③ 説明をするために調査することが必要である場合

ただし、

イ）当該株主が株主総会の日より相当の期間前に当該事項を株式会社に対して通知した場合

または、

ロ）当該事項について説明をするために必要な調査が著しく容易である場合

を除く（施71条1号）

④ 株主が説明を求めた事項について説明をすることにより株式会社その他の者（当該株主を除く）の権利を侵害することとなる場合（施71条2号）

⑤ 株主が当該株主総会において実質的に同一の事項について繰り返して説明を求める場合（施71条3号）

⑥ その他説明をしないことにつき正当な理由がある場合（施71条4号）

を定めている。

これらの例外に該当する質問としては、株主総会と関連性のない個別案件について説明を求めるもの（上記①）、技術情報・ノウハウや開発中の新製品に関わる情報等会社の企業秘密に関わる事項や係属中の訴訟事件に関する事項についての説明を求めるもの（上記②）、事業報告や計算書類の細部についての説明を求めるもの（上記③）、名誉毀損やプライバシー侵害に該当するような事実、取引先・顧客等に対して契約等により守秘義務を負っている事実等の説

10　九州電力事件・福岡地判平成3・5・14判時1392号126頁、日本交通事件控訴審判決・広島高松江支判平成8・9・27資料版商事155号48頁、東京地判平成16・5・13資料版商事243号111頁等。

11　全国株懇連合会『全株懇モデルⅡ――株主総会に関する実務』（商事法務、2017）139頁。

明を求めるもの（上記④）、問題株主が同じような質問を繰り返し行っている場合（上記⑤）、インサイダー情報、調査に多大な費用がかかる場合や故意に議事を混乱させ、引き延ばし、または故意に取締役等を困惑させるなど株主権の濫用と認められる場合（上記⑥）などが考えられる。なお、上記③については、株主総会の日より相当の期間前に、質問事項を特定した上で会社に対して通知があった場合や、説明をするために必要な調査が著しく容易である場合には、調査を要することを理由として説明を拒むことができない（施71条1号イ、ロ）。

もっとも、株主総会の現場において、説明義務の例外に該当することを的確に判断することは、時間的な制約もあるなか困難な場合もある。そのため、上記①から⑥までのいずれかに該当するか判断に迷った場合には、後日説明責任違反の誹りを免れる観点から、「説明義務の例外に該当しない」という整理の下、回答を行うのが無難である。

ウ　インサイダー情報について

なお、ここでインサイダー情報について説明しておきたい。インサイダー情報とは、上場会社等に係る業務等に関する重要事実をいい、その範囲は広範である（金商法166条2項）。上場会社等の役員がその職務に関して重要事実を知ったときなどは、当該重要事実が公表されるまで上場会社等の株式等の売買が禁止される（同条1項1号・同項柱書）。また、当該役員自身が売買しなくとも、利益を得させる目的や損失の発生を回避させる目的で、他人に当該重要事実を伝達することまたは株式等の売買等を勧めることも禁止されている（金商法167条の2第1項）。さらに、当該役員から重要事実の伝達を受けた者（インサイダー情報の第一次受領者）についても、重要事実が公表されるまで上場会社等の株式等の売買等が禁止される（金商法166条3項前段）。この点に関して、株主総会でのインサイダー情報の開示は、金融商品取引法上の「公表」措置（同条4項）に該当しない。そのため、役員が公表されていない重要事実について株主総会で説明してしまうと、株主はインサイダー情報の第一次受領者（同条3項前段）としてインサイダー取引規制の対象となり、仮に当該株主が重要事実の公表前に株式を売買したとすると、会社役員がインサイダー取引に加担したことになりうる。インサイダー情報に該当する事実の開示を求める質問については、上記⑥の理由によるほか、インサイダー情報に該当する事実が存在すること自体の説明を回避するために、個別の案件に関わるものとして、端的に上記①の理由に基づき回答を拒絶することも考えられよう。なお、TOBなどに関しても類似のインサイダー取引規制がある（金商法167条）。

エ　フェア・ディスクロージャーについて

また、未公表の確定的な情報であって、公表されれば有価証券の価額に重要な影響を及ぼす蓋然性のある情報を特定の投資家に伝達する場合には、投資者に対する公平な情報開示を確保する観点から、伝達と同時に、当該情報を公表しなければならないとされている（金商法 27 条の 36、いわゆる「フェア・ディスクロージャー・ルール」）。

この点、株主総会において、広報に係る業務として情報が提供される際に、提供される情報が上記情報に該当する場合には、フェア・ディスクロージャー・ルールの対象になるため[12]、回答に際しては留意が必要である。

（2）事業報告に関する事項

ア　総　論

会社の状況に関し、株主に説明すべき程度は、事業報告およびその附属明細書の内容とされた範囲に限定されるのが原則であり、質問の内容が会社経営に重大な影響を与える事項等の場合に限って、さらにこれを付加補足して説明する必要があるものと考えられている[13]。事業報告およびその附属明細書に記載のない事由を説明する際には、インサイダー情報の開示や守秘義務を負う情報・企業秘密の漏えいとならないよう注意する必要がある。

イ　業績不振に関する質問

業績不振に関連する質問については、事業報告にも関連する事項であるから、説明義務の範囲内にあると解される。そして、このような質問に対してどのように回答するかについては、業績不振の原因および業績回復への施策を説明すべきであると考えられる。株主としても強い興味・関心を抱く点であるから、（前述したように、インサイダー情報の開示等とならないよう注意すべきことは当然としても）十分な説明を行うことが望ましい。

ウ　不祥事による株価下落に関する質問

事業年度中に発生し、世間的な耳目を集めている不祥事に関してはどうか。

この点に関して、株価の下落については、「株価の下落およびそれに対する取締役会の対応」は「決議事項と関連性がないことは明らか」と判示する裁判例も存在するところではあるが[14]、会社の経営・業績に直結する不祥事に関連する場合には、説明義務の範囲にあるものとしてとらえ、真摯に回答する必要があろう。

まずは、不祥事への対応の状況（事実関係の調査・原因究明等）、およびそ

12　平成 30 年 2 月 6 日付金融庁パブリックコメント№ 26 参照。

13　東京弁護士会会社法部編・前掲注 5）129 頁。

14　東京電力事件・東京地判平成 4・12・24 判時 1452 号 127 頁。

の再発防止策の概要等を説明すべきであろう。そして、株価下落は、株主や投資家の評価の結果であるから、その内容に対するコメントは差し控える旨を述べた上で、下落の事実を真摯に受け止め、引き続き企業価値の維持・向上のために法令遵守の体制を徹底していくなどの回答をすることになろう。

エ　期中の偶発事象等に関する質問

会社の生産能力等に重要な影響を及ぼすような事故については、事業報告上「当該事業年度における事業の経過及びその成果」に記載しなければならないと考えられており（施 120 条 1 項 4 号）、さらに当該事故による損害が特別損失に該当するときは、当該項目に係る損失を示す適当な名称を付して損益計算書に記載することになるため（計 88 条 7 項）、期中の重要な偶発事象の概要についてはすでに事業報告等で明らかにされていることになるが、当該各記載を付加補足する程度の説明は必要である。具体的には、偶発事象の概要、これによる会社の生産能力の減少割合等、事業に対する影響および財産的損失の額の概数等を、事業報告等の内容に付加補足する程度説明することが考えられる[15]。

一方、事業報告等への記載が不要なほどの些細な事故については、報告義務の対象となるものではないことから、株主総会の目的事項でないとして説明を拒むこともできる。

オ　会社が当事者となっている訴訟に関する質問

会社の経営に重大な影響を及ぼすと考えられる事件、たとえば会社役員の法令違反、主力製品の重要部分に関する知的財産権に関する事件、主力工場建設に対する住民からの差止請求等は、事業報告上「株式会社の会社役員に関する重要な事項」（施 121 条 11 号）、「事業の経過」（施 120 条 1 項 4 号）、「対処すべき課題」（同項 8 号）、「株式会社の現況に関する重要な事項」（同項 9 号）にそれぞれ該当すると考えられ、さらに重要な係争事件に係る損害賠償義務は、貸借対照表の負債の部に計上されたものを除いて、注記表にその内容と額が記載されるため（計 103 条 5 号）、重要な訴訟の概要についてはすでに事業報告等で明らかにされているとはいえ、当該各記載を付加補足する程度の説明は必要である。具体的には、訴訟の相手方または自社の請求内容の概要および請求金額、現在の進行状況、また上訴中であるのならば下級審判決の概要等を、事業報告等の内容に付加補足する程度説明することが考えられる[16]。

一方、通常の業務に関する事件で、会社の財産状況または業務の遂行に重大な影響を与えないものについては、事業報告上の報告義務の対象とはならない

15　東京弁護士会会社法部編・前掲注 5）132 頁。
16　東京弁護士会会社法部編・前掲注 5）137 頁。

ことから、株主総会の目的事項でないとして説明を拒むこともできる。

なお、進行中の事件について、訴訟における今後の詳細な主張・立証予定等を明らかにすることは、訴訟の相手方に対し、手の内を明らかにすることになり、訴訟戦術上好ましくないから、株主の共同の利益を害するものとして拒否できる。また、勝訴の見込み等の説明も、将来の不確実な事項に関する質問であるとして拒否できる[17]。

また、株主代表訴訟に関しては、被告は会社ではなく取締役等であるから、事業報告に記載する必要はなく、その内容について一般には説明義務を負うものではないと解されるものの、会社の利害に関わる案件でもあることから、訴訟の進行状況については今後も注視していく所存であるという趣旨の回答を行うことが妥当であろう。ただし、会社が取締役等に対して補助参加する場合は、補助参加を決定したことやその理由について説明を行うべきであろう。

カ　配当政策に関する質問

監査役会設置会社、監査等委員会設置会社または指名委員会等設置会社で、会計監査人設置会社であり、かつ取締役の任期が1年以内の会社については、定款の定めにより剰余金の配当を取締役会の決定事項とすることができる（会459条1項4号）。この場合においては事業報告に配当政策を記載する必要がある（施126条10号）。

配当政策は株主の利益に直接影響する事項であり、説明義務があると考えるべきである。裁判例においても、配当性向に関する事項は、（旧）利益処分案の承認決議の賛否の判断をするのに必要な情報であるから、会社は配当政策に関して株主の質問に対し説明する義務があるとされている[18]。

次に、配当政策に関する質問として、「配当性向を○○%とすべきだ。」という意見ともとれる質問がされることがあるが、この種の質問については原則として説明義務はないと考えてよい[19]。しかし、配当政策は株主にとって重要な関心事であることに鑑みると、このような意見にすぎない質問の場合であっても、会社の配当政策に関する考えについて簡潔に説明しておくことが望ましいといえる（なお、配当に関する発言については、剰余金配当議案に対する修正動議にあたらないかを慎重に判断すべきである）。

また、配当に関連して「株主優待制度を導入すべきではないか。」とか、「株主優待制度を新たに開始するのであれば、配当（ないし増配）をすべきではないか。」といった質問もありうる。このような質問に対しても、意見ととれる

17　東京弁護士会会社法部編・前掲注5）137頁。

18　松江地判平成6・3・30資料版商事134号101頁。

19　日立製作所事件・東京地判昭和62・1・13判時1234号143頁。

場合には説明義務はないと考えてよいが、配当政策と同様株主の重要な関心事であることも踏まえれば、同制度に関する会社の考え方について簡潔に説明しておくことが望ましい。

キ　業界再編に関する質問

自社が関与しない業界再編に関する質問については、各社独自の戦略、判断に基づいて行われるものであり、コメントすべき立場にないから、株主総会の目的外事項として本来的には説明義務の範囲に属さないものと解される。もっとも、株主にとって重要な関心事であることからすれば、説明義務の範囲にないことを念頭に置きつつも、ある程度の回答を行うことが望ましい。具体的には、「他社の戦略に対する質問であり、当社の意見は差し控えさせていただく。」と述べた上、自社の再編等に対する考え方について、一般論として回答しておくなどの対応が考えられる。

一方、業界再編に係る自社の方針・予定について質問があった場合については、会議の目的事項（報告事項）に関連あるものとして、説明を拒むことができない場合がありうるが、事業報告の「対処すべき課題」（施120条1項8号）に関する限度で意見表明を行うに留め、インサイダー情報の開示を避ける観点から、具体的な決定事実等に及ばないよう留意して回答する必要がある。

(3) 計算書類に関する事項

ア　総　論

報告事項である計算書類に関する質問については、質問の内容にもよるが、計算書類に記載された内容との関係で、会社の概況を合理的に理解できるような説明、あるいは取締役の経営に係る状況が合理的に理解できるような説明は必要であるが、法定の計算書類記載事項の範囲において一般的、概括的な説明がなされれば足りる[20]。

イ　投資有価証券に関する質問

役員選任議案との関係で、議決権行使助言会社が政策保有株式を考慮する基準を公表しており[21]、その関係で、計算書類に記載された有価証券の保有目的や内訳等に関心を持つ株主もいるものと思われる。

まず、流動資産に計上されている有価証券は売買目的の有価証券であるが、特段の事情のない限り、個々の有価証券の詳しい時価まで開示する必要はなく、有価証券の種類ごと（株式、国債等）の合計額を示せば足りるものと考えられる。

他方、投資有価証券については、その概要またはその主なものにつき金額、

20　岩原紳作編『会社法コンメンタール7――機関(1)』（商事法務、2013）264頁〔松井秀征〕。

21　たとえば、ISSの「2022年版 日本向け議決権行使助言基準」5頁参照。

保有目的等を説明すべきである。CGコード原則1-4では、株式の相互保有（持合い）など政策保有株式に関しては保有方針、目的の適切性、合理性の説明等が求められているため、その意義等を説明できるように準備しておく必要がある[22]。

関係会社の株式については、その概要を答えれば足りよう。

ウ　借入に関する質問

借入金については、短期借入金、長期借入金の別に貸借対照表に記載され、主要な借入先および借入額については事業報告にも記載すべきことになっている（施120条1項3号）。株主が会社の財務状況を把握するには、当該記載に付加補足する程度の説明がされれば足りると考えられるから、借入ごとの詳細な条件を説明する必要はないと解される。詳細な条件を明らかにすることは、借入先に対する守秘義務等の観点からしても、適切でないといえる[23]。

なお、借入金の前期比の増減に係る質問がされた場合は、その増減理由の主なものを説明すれば足りよう[24]。

（4）監査報告に関する事項

ア　監査報告書に関する質問

監査報告書には、監査役の監査の方法およびその内容を記載しなければならない（施129条1項1号）。ただし、監査役の監査の方法およびその内容の記載については、各種ひな形を用いた定型的な記載がなされることが通例であるため、記載内容が抽象的でよく理解できないとして、監査役の監査の方法およびその内容について株主から質問されることがある。

当該説明は、前述のとおり監査役から行うべきであろう。特に近時の上場会社の株主総会においては、株主の納得感を重視する傾向が強いため、株主が監査役を名指しで質問した場合には、監査役としても何らかの回答を求められることも少なくない。監査役としては、少なくとも監査報告の対象となっている事項については、株主総会において、自らの言葉で株主に対して説明をすることができるように準備しておくことが望ましい[25]。

22　河村貢ほか『株主総会想定問答集2022年版〔別冊商事467号〕』（商事法務、2022）83頁。

23　預金先および預金利率について、取引銀行との信頼関係を損なうおそれがあることから説明義務を負わないとした裁判例として、札幌地判平成9・2・4資料版商事156号147頁。

24　河村ほか・前掲注22）84頁。

25　中村直人＝仁科秀隆編著『監査役･監査等委員･監査委員ハンドブック』（商事法務、2021）530頁。

イ　取締役の職務執行に係る重大な事実に関する質問

監査報告書には、取締役の職務の遂行に関し、不正の行為または法令もしくは定款に違反する重大な事実があったときは、その事実を記載しなければならないとされているが（施 129 条 1 項 3 号)、当該事実がない場合においては、「取締役の職務の執行に関する不正の行為または法令もしくは定款に違反する重大な事実は認められません。」といった旨を記載することが通例である。この場合において、重大な事実とは何か、法令・定款に違反するが重大でない事実は認められたのか、といった質問がされることがある。

「重大な事実」とは、会社法施行規則 129 条 1 項 3 号の文言であり、一般論として何が「重大な事実」であるかは、法解釈の問題となるから、株主総会の目的外事項として回答を拒否することができる。また、重大でない事実については、監査報告書への記載が求められていないから、やはり株主総会の目的外事項として回答を拒否できる[26]。ただし、後者について回答義務がないと答弁するだけでは、法令・定款に違反する事実の存在を隠ぺいしているようにも受け取られかねないことから、「監査役監査報告にいう『重大な事実』とは、従前から法令の文言に併せる形で慣用的に用いられてきた表現を使用したにすぎず、さらに積極的に取締役の職務の執行に関して重大でない法令・定款違反行為があったことを意味するものではございません。」といった回答をすることが考えられる[27]。

(5) 役員の報酬・賞与・退職慰労金に関する事項

ア　報酬・賞与に関する質問がなされたときの留意点

(ア) 説明義務の範囲

役員の報酬については、原則として株主総会の決議事項であり（会 361 条 1 項、387 条 1 項等)、株主総会の決議で取締役または監査役全員の報酬の総額を定めれば、その具体的な配分は取締役会の決定ないし監査役の協議等に委ねることができる[28]。もっとも、令和元年改正会社法により、公開会社であり、かつ、大会社である監査役会設置会社であって有価証券報告書提出義務のある会社（金商法 24 条 1 項）と、監査等委員会設置会社（ただし監査等委員分は除く）については、取締役の個人別の報酬等の内容についての決定に関する方針を決定しなければならないこととされている（会 361 条 7 項、施 98 条の 5)。

役員報酬の決定議案に関する質問について、説明義務の範囲は、会社法が一般

26　東京弁護士会会社法部編・前掲注 5）189 頁。

27　河村ほか・前掲注 22）594 頁。

28　最判昭和 60・3・26 判時 1159 号 150 頁。

的に開示を要求している事項を一応の基準と考えることができ、株主総会参考書類に記載された内容に若干補足する程度の説明をすれば足りると考えられる[29]。取締役の報酬改定議案についてみると、会社法施行規則82条1項以下の記載事項が基準となり、①変更理由（同項2号）、②議案が2人以上の取締役の報酬の総額を定めるものであれば取締役の員数（同項3号）、③公開会社かつ社外取締役が存在する場合には、①、②について取締役と社外取締役とを区別した記載が必要となるが（同条3項）、当該議案に関する質問があった場合には原則としてこの範囲において改定の理由（経済的事情の変動や役員の増員があったことなど）を含め説明することとなろう。

（イ）「相当とする理由」の説明

金銭報酬・非金銭報酬いずれであっても、取締役の報酬改定議案を株主総会に上程する際には、提出取締役は「相当とする理由」を説明しなければならない（会361条4項）。「相当とする理由」としては、そのような報酬等を定めることが必要かつ合理的であることについて、株主が理解することができる説明をすることが求められる[30]。なお、コーポレートガバナンスの観点から、「相当とする理由」の説明としては、取締役会の実効性評価による課題抽出や報酬委員会等における議論といった改定検討プロセス、サステナビリティやグローバルといった自社の経営戦略と報酬制度との連関についても言及することで、株主への説得力がさらに増すとの考え[31]も傾聴に値すると思われる。

また、公開会社であり、かつ、大会社である監査役会設置会社であって有価証券報告書の提出義務がある会社（金商法24条1項）と、監査等委員会設置会社（ただし監査等委員分は除く）については、取締役の個人別の報酬等の内容についての決定に関する方針を決定しなければならず（会361条7項、施98条の5）、この点も説明義務の範囲を考える上で留意を要する。まず、株主総会の前に上記方針が決定されていないときでも、取締役が報酬等に関する議案を株主総会に提出し、当該議案の可決後に、取締役会が、当該議案による定めに基づいて、上記方針を決定し、または変更することを想定しているような場合には、上記「相当とする理由」の説明として、株主総会後に決定し、または変更することを想定している新しい報酬等の決定方針の内容についても必要な説明をすることが求められると解されている[32]。これに対し、株主総会

29　上柳克郎＝鴻常夫＝竹内昭夫編集代表『新版注釈会社法(5)』（有斐閣、1986）151頁〔森本滋〕。

30　竹林俊憲ほか「令和元年改正会社法の解説〔Ⅲ〕」商事2224号（2020）8頁。

31　梶嘉春＝能美祐一＝鵜飼晃司「役員報酬議案に係る実務上の留意点と工夫――株主・投資家から支持される開示に向けて」商事2287号（2022）26頁。

32　竹林ほか・前掲注30）6頁

の前にすでに上記方針を決定しているときには、当該方針は事業報告の記載事項とされており（施 121 条 6 号、6 号の 2、6 号の 3）、報酬等の決定方針に関する事項が記載された事業報告が提出された定時株主総会においては、取締役は、その事業報告の内容を報告しなければならず（会 438 条 3 項）、株主から当該事項についての説明を求められた場合には、必要な説明をしなければならない（会 314 条）[33]。

イ　役員の個別報酬の開示を求められたときの対応

近年、株主から役員報酬等の個別開示を求める要請が強くなっている。企業内容等の開示に関する内閣府令により、一事業年度に 1 億円以上の報酬を受けた者に関しては有価証券報告書上での個別開示が義務付けられおり（三号様式・記載上の注意（38）、二号様式・記載上の注意（57）b）、役員別の報酬額に関する株主の関心は高まっているものと考えられる。

役員の個別報酬の開示を求められた場合の説明義務の範囲については、事業報告の記載事項を定める会社法施行規則 121 条 4 号および 124 条 5 号が基準となる。すなわち、当該事業年度に係る役員報酬に関しては、事業報告の内容に「株式会社の役員に関する事項」として、①役員の報酬総額と員数（同号イ）、②一部の役員の個別表示と他の役員の報酬総額と員数（同号ハ）、③役員ごとの個別表示（同号ロ）のいずれかを選択して、取締役・監査役等を区別して記載しなければならない（会 438 条 3 項、施 119 条 2 号、121 条 4 号）とされており、また、社外役員については、社内役員とは別に上記①ないし③のいずれかを選択して記載しなければならないとされていることから、説明義務はそれぞれこの範囲にあると考えてよいと考えられる。通常は、役員または社外役員の報酬総額と員数を説明することになろう。

なお、公開会社であり、かつ、大会社である監査役会設置会社であって有価証券報告書の提出義務がある会社（金商法 24 条 1 項）と、監査等委員会設置会社（ただし監査等委員分は除く）についても、個別報酬の開示は必要ない[34]。これらの会社については、取締役の個人別の報酬等の内容についての決定に関する方針を決定しなければならない（会 361 条 7 項、施 98 条の 5）が、これらの規定も各人ごとの報酬額の開示を義務付けるものではない。

ウ　退職慰労金支給議案に関する質問がなされたときの留意点

近年、退職慰労金支給議案に対しては、株主の側からは、総額が明示されないことや、業績との関連が薄いこと等から不透明感が強い制度として批判の対象となっている。役員退職慰労金制度を継続している会社も一定数存在するも

33　竹林ほか・前掲注 30）6 頁。
34　河村ほか・前掲注 22）118 頁。

のの、これを廃止する会社が増加傾向にある（株主総会白書 2021 年版 173 頁によれば、役員退職慰労金制度を有する会社は 8.1%にとどまっている）。

退職慰労金支給議案については、会社における一定の基準に従って金額を決定することを、取締役会ないしは監査役の協議に委任するのが通例であり、このような決定方法の適法性については最高裁も是認しているところ[35]、法令上もかかる決定方法が許容されることが前提とされている（施 82 条 2 項、84 条 2 項）。

退職慰労金支給議案に関連する質問に対する説明義務の範囲は、株主総会参考書類の記載およびこれを付加補足する程度で足りると解される。そして、株主総会参考書類には、算定の基準、役員の員数、退職する各役員の略歴等を記載することになるが（施 82 条 1 項、84 条 1 項）、各株主が当該基準を知ることができるための適切な措置を講じている場合は、算定の基準の記載を要しない（施 82 条 2 項、84 条 2 項）ため、株主から「算定の基準の内容そのものを述べよ。」との質問があっても、これに対する説明義務を負うものではないと解される。

もっとも、まったく説明が不要になるものではなく、一定の事項についてはその概要を説明する必要がある。この点が問題となった事案として、ブリヂストン事件（第一審判決）[36]、南都銀行事件[37]が参考になる。これらの裁判例によれば、退職慰労金の算定基準に関する質問については、①会社に現実に一定の確定された基準が存在すること、②その基準は株主に公開されており周知のものであるか、または株主が容易に知りうること、③その内容が支給額を一義的に算出できるものであること等について説明すべきであるとされている。

なお、基準を適用した場合の具体的な金額について質問があった場合には、そもそも株主総会終了後に取締役会等により決定されるものであり、功労加算金や減額の規定の適用についての協議や、退職慰労金算出の基礎となる報酬額の確定（複雑な方法による場合もある）等不確定要素があるので、説明を断ることもできる。ただし、算出の方法、基礎となる報酬月額等を説明するか、またはおおよその金額を示すことが無難との指摘もある[38]。

（6）取締役・監査役・会計監査人等に関する事項

ア　役員選任議案に関する質問がされたときの留意点

役員選任議案に関する説明義務は、原則として株主総会参考書類の記載事項

35　最判昭和 44・10・28 判時 577 号 92 頁。
36　東京地判昭和 63・1・28 判時 1263 号 3 頁。
37　奈良地判平成 12・3・29 判タ 1029 号 299 頁。
38　河村ほか・前掲注 22）120 頁。

を基準として、株主が議決権を行使するに当たり、合理的判断をするのに客観的に必要な範囲において、これを補足・敷衍する程度に説明すれば足りる。したがって、なぜ当該候補者を選定したか等の質問については議案に関する質問そのものであるから、取締役はこの点について説明義務を負うことになる。

そして、その説明義務の範囲および程度としては、会社法施行規則74条以下の記載事項が基準となると解される。たとえば、取締役の選任に関する議案については、候補者の氏名、生年月日、略歴（施74条1項1号）、就任承諾を得ていない場合にはその旨（同項2号）、候補者の持株数（同条2項1号）、候補者が当該株式会社の取締役に就任した場合に重要な兼職状況となるときはその旨（同項2号）、特別利害関係があるときはその事実（同項3号）、現在取締役であるときは地位および担当（同項4号）等が記載事項になるが、これらの事項に関し、付加補足する程度の説明義務があることになろう。

ときに「取締役候補者の持株数が少ないので、責任をもった経営ができないのではないか。」という趣旨の質問がされることがある。このような質問については、「株式の保有数の多寡にかかわらず責任をもって経営に臨んでいく。」等の回答を行えば足りるであろう。

また、株主から（特に新任候補者に対し）取締役候補者を指名して質問される場合もあるが、そもそも取締役候補者は候補者にすぎないから、候補者自身が説明義務を負うものではなく、議長ないし適切な役員が答弁すれば足りる。

なお、選任後の挨拶を株主総会中に行うと、株主から突発的に質問される場合もあるため、新任役員の挨拶は閉会後に行う例が多い。

イ　社外役員選任議案に関する質問

社外取締役・社外監査役については、株主総会参考書類にこれらの候補者に関する多くの情報を記載することが求められている（施74条4項各号、76条4項各号等）。たとえば、当該候補者を社外役員候補者とした理由（施74条4項2号、76条4項2号）、当該候補者が果たすことが期待される役割（施74条4項3号号）、当該候補者が行った違法行為等の予防措置または事後対応の概要（施74条4項4号・5号、76条4項3号・4号）、当該候補者が会社の経営に関与したことのない者である場合は、それでも社外役員としての職務を適切に遂行できるものと会社が判断した理由（施74条4項6号、76条4項5号）等である。

株主総会において、社外役員選任議案に関する質問がされた場合には、株主総会参考書類等の記載内容について付加補足的な説明をすることが最低限求められる[39]。社外役員の選任に関する質問に対して説明を尽くしたとしても、通

39　東京弁護士会会社法部編・前掲注5）215頁。

常はインサイダー情報の開示や企業秘密の漏えいといった弊害が生じることは考えがたく、また、CGコード原則4-7においては、独立社外取締役の有効活用を図るべきと規定されており、社外役員については株主・社会の関心が高まっているものと考えられることを踏まえると、できる限り説明を尽くすことが望ましい。

ウ　役員の個人的醜聞や非行に関する質問

役員の個人的醜聞や非行に関する質問は、報告事項にも決議事項にも関連せず、通常株主総会の目的外事項であると考えられる。

ただし、当該役員の選任議案との関係で個人的醜聞や非行に関する質問がされた場合においては、役員の選任理由について説明義務があると考えられるため、役員の選任理由に関連する限度で、当該個人的醜聞や非行に関する会社の認識・判断について説明する必要が生ずるであろう[40]。

(7) 事前質問への対応

ア　法的意味

いわゆる事前質問状とは、株主総会の日より相当の期間前に質問事項を通知する場合の質問書面等をいう。事前質問状が認められている趣旨は、株主に質問事項を事前に通知させることによって、取締役等に対して説明のための準備の余裕を与えることにより、株主総会においてより実質的な討議がなされることを期すことにある。

そもそも、取締役等は、説明をするために調査が必要である場合には説明義務を負わない（会314条ただし書、施71条1号柱書）。しかし、事前質問状が株主総会の日より相当の期間前に提出され、当該質問状に質問事項が特定されて記載されている場合には、説明に調査を要することを理由として説明を拒否できない（会314条ただし書、施71条1号イ）。

事前質問状を提出する株主総会の日の「相当の期間前」とは、調査に要すると合理的に判断される期間を意味するものと解され、これにあたるかどうかについては、日数のみならず、質問の数、種類、内容や会社の規模等を考慮して判断されるものと考えられる。実務的には、幅広にとらえ、株主総会前日までに提出されたものについては回答することが望ましい[41]。

また、事前質問状は、質問の予告にすぎず、株主総会における質問に代替するものではないので、事前質問状の提出を受けた時点で説明義務が生じるものではない。そのため、あくまで株主総会当日に議場で質問されない限り、説明義務が生じることはなく、事前質問状を提出した株主が株主総会当日に欠席し

40　東京弁護士会会社法部編・前掲注5）228頁。

41　中村編著・前掲注8）288頁。

た場合は、事前質問状に対して回答する必要はない[42]。

イ　事前質問の募集

なお、最近では、インターネットを利用するなどして事前質問を募集する会社が増加しており、今後も対応を検討する会社が増加すると思われるとの報告がみられる[43]。

事前質問の募集は、株主満足度の向上につながり、また、株主の関心事や意見等を会社が主体的に把握することができるという効果が期待できるため、このような効果を踏まえ、導入を検討することも考えられる。

ウ　事前質問への対応

（ア）受領後の対応

事前質問状を受領した場合は、まず、①提出者が議決権のある株主として株主名簿に登録されているかを確認しなければならない。次に、②質問について、説明義務のあるものとないものとに分別し、③説明義務のあるものについては質問に対する回答を作成し、説明義務のないものについては（任意的な）説明の要否（実務上は、株主の関心が高いと思われる質問に限定することなどが多いと思われる）を検討する必要がある。併せて回答役員も決めておく。そして、④事前質問状への株主総会当日の対応について、以下に説明する一括回答方式を採用するか否かなどを決定する必要がある。

なお、事前質問に対しては、株主総会当日に回答するほかに、株主総会前後にホームページ等で回答する会社も一定数みられる[44]。

（イ）当日の対応

上記アで述べたとおり、事前質問状が提出されたとしても、株主総会当日に議場で質問されない限り、説明義務が生じることはないが、株主総会の運営方法として、株主の質問を待つことなく、質疑応答に入る前に報告事項の報告ないし監査報告の追加としてあらかじめ回答することも適法と解される[45]。このような回答方法を「一括回答方式」という。

説明義務は、株主からの質問があってはじめて発生するから（会314条本文）、事前質問状に対して株主の質問に先立って一括説明することは、取締役の一般的説明にすぎず、法的意味における説明義務の履行ではないと解されている。そのため、一括回答を行った場合であっても、改めて株主から質問があった場合には当該質問への回答自体を拒むことはできない。もっとも、株主から

42　東京電力事件・前掲注14。

43　商事法務研究会編『株主総会白書2021年版〔商事2280号〕』145頁。

44　商事法務研究会編・前掲注43）144頁。

45　トヨタ自動車事件・名古屋地岡崎支判平成9・6・12資料版商事161号183頁。

同様の質問があった場合には、回答済みであることを理由に再度の重複説明を省略することができるため、株主総会運営の観点からは有効な方法であるといえる。

なお、一括回答を準備していたにもかかわらず株主総会当日に事前質問状提出者が欠席した場合、一括回答を行わないという対応も考えられる。もっとも、直前でのシナリオ変更による混乱を避ける意味では、事前質問状提出者の出席·欠席にかかわらず一括回答を行う対応が無難であり、実務上は、そのような方法を採用する会社が多数派のようである[46]。

46　中村編著・前掲注 8）291 頁。

第３節　議事進行

202Y年5月10日

総会の目的事項との
関係でどうでしょう？
当社にも不祥事が
ありましたが
目的事項と関係ない
質問にも答えるのですか？
株主との対話の場である
ということを考えると
一応どんな質問にも
答弁しなきゃならない
だろうね…

答えてはならない
事項というものも
押さえておく
必要がある
ただし
答えなくても良い事項
STOP!
×

今回の
アクティビスト株主は
過去に他社の総会で
配当議案や役員選任議案
に動議を出した実績が
あります

議長不信任案や
休憩動議は
簡単に否決できる
けど…
✕
ボツ
動議のさばき方は
非常に難しいんだ

手続的動議と
実質的動議
というものですね
議案に関する
修正動議となると
弁護士に相談
しながら慎重に
対応しなければ
ならない

●解説

1　議事進行対応

（1）一括審議と個別審議

一括審議方式とは、目的事項が複数ある場合に、全部をまとめて上程し、併せて審議する方法をいい、一括上程方式ともいう。これに対し、目的事項を１つずつ上程して審議する方法を個別審議方式という。なお、いずれの審議方式であっても、採決は１つずつ個別に行う。一括審議方式をとることも議長の裁量の範囲内として、適法と解されている[47]。

一括審議方式は、株主がどの議案に対する質問であるのかを考えなくて済むこと、議長の采配が容易になること、審議不足で決議取消となるリスクが低くなること等のメリットがあることから、これを採用する会社は多い[48]。

ただし、かつては、一括審議方式は会議体に通常みられる審議方法ではないこと等を理由にこれに反対し、少なくとも総会決議を求める説もあったため[49]、一括審議方式を採用する場合は、この方式によることについて株主の了解を得ることが多い。たとえば、「報告事項を含めてすべての目的事項を一括してご審議いただき、そのあと決議事項について採決のみをさせていただく方法で議事を進めたいが、ご賛成いただけるか」という旨を述べて議場の承認を得る方法がある。

（2）株主が指名を受けないで質問した場合その他不規則発言への対応

議長は、株主総会の秩序を維持し、議事を整理する権限を有する（会 315 条 1 項）。そこで、議場内での発言はすべて議長の議事整理権に服することになり、発言をするためには議長の許可を得なければならない[50]。したがって、株主が議長の指名を受けないで質問しても、それを質問として取り扱う必要はなく、議長は不規則発言であるとしてただちに当該発言を禁止または中止することができ、また、後記のとおり命令に従わずに不規則発言を続ける株主については、最終的に退場させることができる（同条 2 項）。

（3）株主が出席票番号を申告しないで質問した場合の対応

株主の出席票番号を明確にすることは、株主総会議事録を作成する上でも必要になる（なお、株主の特定という観点から、氏名の申告は必ずしも必要では

47　中部電力事件・名古屋地判平成 5・9・30 資料版商事 116 号 187 頁等。

48　商事法務研究会編・前掲注 43）123 頁によると、一括審議方式を採用する会社は全体の 77.6％に及んでいるとのことである。

49　岡山地決昭和 34・8・22 下民集 10 巻 8 号 1740 頁参照。

50　東京弁護士会会社法部編・前掲注 5）87 頁参照。

ないと考えられる)。そこで、株主が出席票番号を申告しないで質問し始めた場合は、いったん質問を止めて、まず出席票番号を聴取すべきである。

(4) 質問者を指名する場合の留意点

株主の発言は、挙手によって議長が指名する。発言希望者が複数いる場合には、「会場前方にお座りの、グレーのスーツに赤のネクタイの株主様。」等と述べて指名する株主を特定する必要があるが、「若い」、「きれいな」等の主観的な表現は避けるべきである。

また、株主総会に多数の株主が出席している場合には、議長が挙手している株主を見逃す可能性があるため、株主席を担当する会場係との間で綿密な連携をとる(たとえば、挙手している株主の下に会場係が駆け寄り、議長に向かって大きく手を振る等)ことが肝要である。

(5) 質疑打切りの際の留意点

取締役等は、株主総会において、株主に対する説明義務を尽くさなければならない(会314条)。他方、株主の質問が多数あるからといって延々と株主総会を続けることは現実的でない。そこで、相当の時間をかけて審議がなされ、議題の合理的判断ができるような状況に至ったと判断したときは、議長は、その議事整理権に基づき、議題の審議が尽くされたとして質疑を打ち切り、採決すべきであると考えられる。裁判例も、「議長は株主がなお質問を希望する場合であっても、議題の合理的な判断のために必要な質問が出尽くすなどして、それ以上議題の合理的な判断のために必要な質問が提出される可能性がないと客観的に判断されるときは、質疑応答を打ち切ることができ、このような議長の措置については説明義務違反の問題は生じないというべき」旨を述べている[51]。

なお、審議が尽くされたか否かの判断は、単に時間の経過を問題にするのではなく、株主が議題を合理的に判断するために必要な質問が十分に行われたか否かという観点から行う必要があることに留意しなければならない。

(6) 退場命令を行う際の留意点

議長は、その命令に従わない者その他株主総会の秩序を乱す者を退場させることができる(会315条2項)。退場命令は相当に重い処分であるから、事前に注意(たとえば、「議長の許可を得て発言してください。」、「発言時間を経過していますので、発言を中止してください。」等)・警告(たとえば、「発言を中止しない場合は、退場を命じます。」、「議長の注意・警告を無視する場合は、退場を命じます。」等)を経た上で、それでも議長の命令に従わない場合に退

51 東京電力事件・前掲注14。同旨、北海道電力事件・札幌地判平成5・2・22資料版商事109号56頁。

場命令を下すべきである[52]。もっとも、株主が暴力を振るった場合等、他人の生命・身体に危害を及ぼす危険があるようなときには、ただちに退場を命ずることもできると考えられる。

退場命令が下されたにもかかわらず株主が退場しない場合、株主には、不退去罪（刑法130条後段）が成立する。また、株主が退去せずに議長等の自由意思を制圧するに足りる勢力をもって議事を妨害すれば、威力業務妨害罪（刑法234条）が成立する[53]。退場命令が下されたにもかかわらず株主が退場しない場合、議長は、相当な範囲で実力をもって当該株主を退場させることができると解されている[54]。もっとも、議長は、実力行使に先立って、事前の警告を与えるべきであり、また、実力行使の程度は当該株主の態度その他の状況からみて必要かつ相当な程度に留める必要がある。

退場命令および実力行使については、慎重に決する必要があることから、議長は事務局からの指示を待って行うべきである。議長と事務局との緊密な連携が必要になる場面であるため、事前準備・リハーサルの段階で手順を確認しておく必要がある。また、実際に実力行使が必要になる場面や、それに伴い刑事責任の成否が問題になる場面も想定されることから、実務上は、所轄の警察署と連携を図り、株主総会当日に警察官が別室で待機している例も多い。

2　動議への対応

（1）動議とは

株主総会における「動議」とは、株主から提出され、株主総会で討論・採決に付される提案をいい[55]、株主総会の運営や議事進行に関する動議と、招集通知に記載された議題に関する議案の動議（議案の修正動議）とに分かれる[56]。前者を「手続的動議」といい、後者を「実質的動議」という。

（2）動議か意見か不明確な場合の対応

一般株主からは、「動議」という概念を認識せずに、意見の趣旨で動議とも

52　東京地判平成8・10・17判タ939号227頁は、退場の警告後も不規則発言を中止しなかった株主に対する退場命令につき、議長の権限濫用等の違法はなかったとした。

53　東京地判昭和50・12・26判タ333号357頁。

54　大隅健一郎＝今井宏『会社法論中巻〔第3版〕』（有斐閣、1992）83頁。

55　東京弁護士会会社法部編・前掲注5）233頁。

56　実質的動議については、取締役会設置会社では、総会招集通知に記載された議題以外の議題については、通常、決議することはできないため（会309条5項）、当該議題自体を株主が動議として提案することはできず、それゆえ、招集通知に記載の議題に係る議案のみ、動議として提案できることになる（会304条参照）。手続的動議については、会議体の構成員として、株主は当然に提出できると解されている。

解しうる発言がされる場合がある。そのような場合、議長としては、発言株主に対して、それが意見の趣旨なのか議場に動議を提出する趣旨なのかを確認するか、あるいはそもそも意見の趣旨であると受け取っていることを示唆しつつ、株主が異なる反応を示すようであれば、動議を提出する趣旨かを確認することが考えられる。意見の趣旨であることが確認できた場合には、議長は、発言株主に対して、「貴重なご意見として承ります。」等と回答することが多い。他方、動議の趣旨であることが確認できた場合には、動議として取り上げるが、動議の内容が不明確な場合（たとえば、剰余金の配当議案に対して「もっと配当を多くしてほしい。」等）には、議長から発言株主に対して、動議の内容を明確にするよう促す（たとえば、「具体的にいくらの配当とするのか。」等）べきである。

（3）動議の議場への諮り方

手続的動議には、必ず株主総会に付議しなければならない必要的動議（議長の不信任[57]、株主総会の延期・続行（会 317 条）、会計監査人の出席要求（会 398 条 2 項）、株主総会提出資料等調査者の選任（会 316 条））と、株主総会に付議するか否かを議長の裁量で決められる裁量的動議（休憩、議案審議順序の変更等の必要的動議以外の手続的動議）とがある。

必要的動議については、議長は、その場で動議を議場に諮り賛否を採決する。これに対し、裁量的動議については、議長は、議事整理権の行使（会 315 条）の一環として、必ずしも動議を議場に諮る必要はなく、自己の判断で採否を決定することができる。

他方、実質的動議については、議長は、原則として、原案とともに上程する必要があるが、後述するように、原案を先議する方法で議場に諮って採決することが一般的である。

3　手続的動議

（1）議長の不信任動議が出された場合の対応

動議の当事者である議長自身が議場に諮るか否かを裁量的に決めることは相当でないため、解釈および慣習法上、ただちに必ず議場に諮る必要があると解されている。ただし、動議の審議・採決に際し、議長の交代は不要であり、また、議事に際して、議長が「私としてはこの動議に反対です。」等と意見を述べることもできる。

万一動議が可決された場合は、定款で「議長に事故がある場合」に関する議

57　東京高判平成 22・11・24 資料版商事法務 322 号 180 頁。

長代行者の順位が定められていれば、以後の審議については、上記の定款の定めに従って、該当する者が議長に就任する（ただし、当該定款の定めによらず、株主総会の決議で次順位者以外の者を選任することもできる）。他方、定款に上記のような定めがない場合は、会議の一般原則に従い、改めて株主総会の決議をもって従前の議長以外の者の中から議長を選任する。

（2）その他必要的手続的動議が提出された場合の対応

議長による株主総会の開会宣言後に、延期または続行の動議等の必要的手続的動議が提出された場合、会社法がそれらについて総会決議により決することを予定していると解されることから、議長は議場に諮り採決するのが原則である。

ただし、当該動議が、権利の濫用に当たる等の合理性を欠いたものであることが、一見して明白なものであるといった事情等がある場合には、議場に諮らなくても適法であると考えられる[58]。

（3）裁量的動議が出された場合の対応

裁量的動議（たとえば採決方法についての動議）については、議長は、議事整理権の行使の一環として、議場に諮ることもできるし、議場に諮ることなく自己の判断で採否を決定することもできる。

（4）手続的動議の採否

手続的動議について、議場に諮られた場合、その採否は、定款に別段の定めがある場合を除き、当該株主総会に出席している株主（代理人を含む）の議決権の過半数で決する（会 309 条 1 項）。議決権行使書または電磁的方法により議決権行使をした者の議決権は含まれない（会 311 条 2 項、312 条 2 項参照）。

4　実質的動議（修正動議）

（1）実質的動議が許される場合

出席株主は、総会の現場で、株主総会の目的事項であって自らが議決権を行使できるものについて、保有する議決権の数とかかわりなく、実質的動議を提出することができる（会 304 条）。ただし、①法令・定款違反の場合、②実質的に同一の議案が、原則、総株主の議決権の 10 分の 1 以上の賛成を得られず、3 年を経過していない場合は、実質的動議を提出することができない（会 304 条ただし書）。

さらに、招集通知等を見て出席の要否を判断する株主の予想と期待の保護の

58　議長不信任動議について東京高判平成 22・11・24 資料版商事 322 号 180 頁参照。他の必要的手続的動議についても同様と理解される（中村編著・前掲注 8）392 頁）。

観点から、実質的動議は、招集通知および株主総会参考書類の記載内容から株主が一般的に予見しうる範囲を超えることはできないと解されている[59]。

（2）実質的動議の採否

適法な実質的動議が提出された場合、議長は、これを修正議案として取り上げてただちに総会に上程するか、修正議案として取り上げるか否かの決定を総会に付議するか、どちらの判断も許されると考えられる[60]。

一方、明らかに不適法な修正動議については、議長の権限において拒否することが考えられる。

もっとも、実務上は、その場で適法な動議か否かを判断することが困難な場合もあるため、適法な動議を取り上げなかったとして決議取消事由とならないよう配慮し、原則として議場に諮るというスタンスをとる会社が多いように思われる。

（3）実質的動議の採決の際の留意点

原案と論理的に両立しない修正案については、原案が可決されると修正案が否決されることが明らかである。そのため、実務上は、議長がその議事整理権に基づき、原案と修正案を一括して審議し、かつ、原案を先に採決している。原案が可決され、議長が原案の可決宣言をするとともに修正案について否決宣言をすることで、修正案の採決を省略することができる。

なお、実質的動議の採決に際して、修正案を先に採決する方法によると、臨時報告書（金商法 24 条の 5）に当該修正案の採決の結果（賛成、反対、棄権の個数、および、賛成または反対率と決議結果）を記載しなければならない点に留意が必要である。

また、議決権行使書で議決権行使をした株主の取り扱いについては、議論があるところだが、原案に賛成の場合は動議について反対、原案に反対の場合は動議について棄権、と取り扱うことが考えられる[61]。他方、株主が代理人を選任した場合に、当該代理人が動議について議決権を行使できるかは、委任状の記載により判断すべきとされる。たとえば、動議についても委任する旨明記されている場合や、白紙委任状の場合には、代理人は動議についても議決権を行使できる。また、委任状で議案への賛否が記載されている場合も、代理人は、動議について、当該賛否の趣旨に従って、善管注意義務に基づいて議決権を行使しなければならず、かつ、その範囲で議決権を行使することができると理解されている[62]。

59　大隅＝今井・前掲注 54）111 頁、東京弁護士会会社法部編・前掲注 5）245 頁。
60　東京弁護士会会社法部編・前掲注 5）241 頁。
61　東京弁護士会会社法部編・前掲注 5）255 頁。

（4）実質的動議の適法性の判断

以下においては、個別の議案に対して実質的動議が出された場合に、当該動議が適法であるかの判断について具体例を示す。

ア　剰余金の配当案についての修正動議が出された場合

争いのあるところであるが、配当の増額や減額は一般的に予見できることから、増額を求める動議も減額を求める動議も適法な修正動議となると解するのが一般的と考えられる。なお、配当の減額を求める動議が出されることは、通常考えにくいが、減額分を内部留保として繰り越すのであれば、会社の業績に寄与するといえるため、実質的に考えても株主の不利益とまではいえず、予見可能性はあると解されている。

イ　定款変更についての修正動議が出された場合

定款変更について提出された議案と関係しない部分の定款変更については、株主の予見可能性がないため、修正動議を提出することはできない。そのため、事実上は、定款の旧規定と新規定（提出された議案）を比較して、提出された議案の内容をその枠内で一部修正する場合や字句の修正の範囲に留まる場合に限られる（たとえば、取締役の員数規定について、「3名」から「5名」に増員する旨の会社提案に対し、「6名」に増員する旨の修正はできないが、「4名」に増員する旨の修正は可能と解されている）。また、定款の旧規定と新規定が択一的関係にあるような場合（たとえば、商号をAからBに変更する会社提案に対してCへと変更する修正案を提出する場合、本店所在地を大阪府から東京都へ移転する会社提案に対して神奈川県に移転する修正案を提出する場合等）にも、株主の予見可能性がないため、修正動議は認められないと解されている。

ウ　取締役・監査役の選任についての修正動議が出された場合

取締役・監査役の選任議案につき招集通知で提案された候補者以外の者を提案する修正動議は、株主の期待を害さず許されると解されている（議題に員数を表示しているときは、員数の枠内でのみ可能である）。ただし、議題を「Aを取締役として選任する件」とした場合にAをBに変更することは、株主の予見可能性がないため、認められないと解されている。

エ　取締役・監査役の報酬等の決定についての修正動議が出された場合

招集通知または株主総会参考書類に記載した報酬額の変更は、記載された最高限度額（枠）の範囲内での減額の動議であれば、株主にとって不利益とならず、予見可能性があるため認められるが、増額の動議は、株主にとって不利益

62　大隅＝今井・前掲注54）67頁、東京弁護士会会社法部編・前掲注5）244頁。

となり、予見可能性がないため認められないと解されている。

5　株主総会議事進行要領の作成

(1) 株主総会議事進行要領とは

株主総会を運営する際に最も重要なことは、決議取消の瑕疵を生じさせないようにすることといっても過言ではない。そのためには、役員が説明義務(会314条)を尽くすことと、議事運営が公正に行われることが必要である。そして、後者については、「株主総会議事進行要領」を作成する方法が有効である。

株主総会議事進行要領とは、株主総会当日の議事運営に関するシナリオのことで、株主総会冒頭の議長の挨拶から最後の閉会宣言までにおける、議長等の必要な発言や一括回答、株主の発言時期の指定等、必要な事項が網羅的に、かつ、時系列で記載されているものである。株主総会議事進行要領は、議長が株主総会において読み上げる、いわば台本であるため、さまざまな事態を想定し、細部に至るまでしっかり作成されていることが肝心である。

(2) 株主総会議事進行要領の作成上の留意点

ア　株主総会議事進行要領を作成するに当たっては、最初に、個別審議方式(議案を個別に上程して個別に審議する方法)、一括審議方式(すべての議案を一括で上程し報告事項を含めて一括審議する方法)またはその他の方式のいずれを採用するかについて、事前に社内で決めておく。

イ　株主より事前質問状が提出されることを想定して、一括回答を行う場合とそうでない場合とで、2パターンの議事進行要領を作成する。一括回答の内容については事前に用意し、シナリオに盛り込んでおく。

ウ　議案の審議に入る前に議案の修正動議が提出されることを想定して、議案の審議の段階で、当該動議の処理(動議を取り上げるか否か等)や、当該動議を取り上げる場合の議事進行要領を用意しておく。

エ　手続的動議が提出された場合の議事進行要領、議長が急病等で欠席または途中交代した場合の議事進行要領、地震や火災、停電等の緊急事態が発生した場合の議事進行要領等もあらかじめ用意しておくことが望ましい。なお、株主総会開催中に緊急に避難を要するような大地震等が発生した場合には、議案の採決を最優先させるシナリオが考えられ、東日本大震災以降、このようなシナリオを作成した会社が増えている。

オ　近年では、すべてのシナリオを議長が読み上げるのではなく、プロジェクターやDVDを用いて事業報告・計算書類部分をビジュアル化し、その一部をナレーターが事前に録音された音声で説明する会社も増えている。具体的には、事業報告の「対処すべき課題」については議長が読み上げるものの、それ以外の部分についてはナレーターの説明に委ねる例が多くみられる。そのような場合は、議長による口頭説明への切替えが円滑に行われるような工夫も必要である。

カ　その他、議長が立ったままでも読みやすいように、縦書き横書き、行の間隔、頁換え、金額・年月日等の数字の書き方（漢数字とアラビア数字等）、位取り、字の大きさや言葉遣い、句読点、読み仮名（特に、読みにくい固有名詞については振り仮名をつける）、議長の発言とその他（応援株主の発声等）の区別など検討を要するが、議長の好みの問題もあるため、事前に議長とよく打ち合わせた上で作成する。

第４節　会場・運営準備とリハーサルの実施

202Y 年 6 月 15 日

●解説

1　会場設営に当たっての留意点

（1）　会場の選択

株主総会の開催場所は、定時株主総会についていえば、前年の定時株主総会が終了してから間もなく日程を決め、会場を押さえておくのが通例であろう。その後、会場設営の詳細について検討することになる。

会場設営に当たって最も注意しなければならないのは、予想外に出席株主数が多くなり、会場に収容しきれない場合への備えであろう。会場に入りきれない株主を議事に参加させないまま、株主総会の期日の変更、延期等の措置を講ずることなく決議をすれば決議取消のリスクがあると考えられる[63]。そこで、会社としては、保守的に考えて、出席株主数を多めに見積もり、余裕を持った会場を選択することや、出席株主数の予測が難しい場合には、念のため第二会場を準備しておくことも検討に値する。特に、不祥事が発生したり、委任状争奪戦が行われている場合等は、例年以上に多数の株主の来場が予想され、出席株主数の予測が難しい。第二会場を設ける場合は、本会場と通じるマイクやモニター等を配置して第二会場にいる株主にも質疑や発言の機会が与えられるよう、情報伝達の双方向性や即時性を確保できる設備が必要となる[64]。

（2）　参加型バーチャル株主総会の留意点

参加型バーチャル株主総会では、インターネット等による中継動画等の傍聴者は会社法上の「質問」（会 314 条）や「動議」（会 304 条等）を行うことはできない。しかし、本人確認手続を経てバーチャル参加者を議決権のある株主に限定している場合には、バーチャル参加者からの質問、コメント等を任意で受け付けることも考えられる。受け付けた質問等については、リアル株主総会の開催中または終了後に紹介・回答したり、後日 HP で紹介・回答したりすることが考えられる[65]。

会場の設営に当たっては、円滑なインターネット等の手段による参加に向けた環境整備が必要となる。具体的には、株主が議事の状況を即時に知ることができる状況とするために、会社側の通信障害が発生しないようあらかじめ対策を講じておく必要がある。そのため、会社が経済合理的に可能な範囲でサイバーセキュリティ対策を導入したり、バーチャル参加を希望する株主に事前登録を促したり、株主がバーチャル株主総会にアクセスするために必要となる環境（通

63　大阪地判昭和 49・3・28 判時 736 号 20 頁。

64　住友商事株主総会決議取消請求事件・大阪地判平成 10・3・18 判時 1658 号 180 頁。

65　経済産業省「ハイブリッド型バーチャル株主総会の実施ガイド」（2020 年 2 月）10 頁。

信速度、ＯＳやアプリケーション）やアクセスの手順について通知すること等が考えられる[66]。また、映像等で配信される株主の肖像権等に関して、下記（3）の点にも留意する必要がある。

（3） 株主総会の動画を公開する際の留意点

近時、株主総会もIR活動の一環として株主情報発信の対象と考えられるようになり、株主総会の中継動画を配信したり、株主総会終了後に株主総会の動画を自社のホームページ上で公開している会社が珍しくない。

このように株主総会を公開する場合には、出席株主の肖像権やプライバシーの保護、また、公開が株主の発言抑制にならないよう、撮影対象は役員席に限定する、質問株主に対しては名前を名乗らせず出席票番号のみを求める、議事運営に当たって議長から撮影・公表をすることについて説明を実施する、公開された動画の撮影・録音・転載等を禁止するといった配慮が必要になる。

2 事務局の準備における留意点

事務局は、株主総会運営の基本方針を検討し、事前に議長をはじめとする役員と当該基本方針について擦り合わせを行っておく必要がある。

一般的には、①当該年度中の特殊要因の有無（不祥事等がある場合は、当該不祥事等についてどのように説明・対応するのか）、②所要時間の目途（不祥事等の発生により、例年より質問が集中することが想定される場合には、株主総会所要時間の目途を例年よりも長時間に想定し、場合によっては、休憩を入れることも考えた議事運営を準備する）、③質問対応について特別な準備が必要かどうか、④特殊株主がいる場合には、その動向の把握、⑤否決される可能性が高い議案がある場合には、票読みをしながら、議案を取り下げるのか、それとも維持するのかの判断、⑥その他、議事運営における変更点（たとえば、ビジュアル化・ナレーション化について変更するのであれば、当該変更についての役員説明）といった、株主総会運営の基本方針について、議長をはじめとする役員と十分に認識の共通化を図っておくことが重要である。

リハーサルに先立って、議長および役員のみが参加する基本方針説明会を実施するか、または、議長と協議して策定した株主総会運営の基本方針を各役員に個別に説明することが多い。

3 会場のレイアウト・諸設備の準備

（1） 会場の席次配置

会場内のレイアウトのうち、席次配置については、議長席、取締役・監査役

66　経済産業省・前掲注65）12～13頁。

の席（執行役員制度を採用している会社の場合は、執行役員の席を設けて、必要に応じて答弁させる会社も多い）、株主席のほか、事務局席、新任取締役・監査役の候補者席を準備する。

事務局は、議長および答弁を行う役員を補佐するのが役割であるから、できる限り議長や答弁を行う役員から近接した場所に事務局席を配置するのが望ましい。事務局席から議長や答弁役員の席に設置されたスクリーンモニターに指示内容等を表示できる機器を設置する場合でも、議長や答弁役員において議事進行や回答について疑問点が生じた場合に、振り向いてすぐに対応を検討できる距離に事務局席を配置するのが望ましい。

なお、弁護士には、個別の質問について説明義務を尽くす等適切な議事進行がなされるように議長または事務局を補佐するため、事務局席に臨席することを依頼しておくことが適切である。

辞任した監査役が辞任後最初に開催される株主総会で意見表明をする場合（会 345 条 4 項・2 項）の席は、議長からも当該辞任監査役が識別できるように、役員席・株主席とは区別して設けておく対応が考えられる。

(2)　マイク・ビデオカメラ等の準備

株主席に議長の声を届け、また議事進行を記録するために、議長席と答弁役員席にはマイクを用意するほか、議場の音声の録音用機器を用意するのが一般的である。

株主総会の状況を撮影するためのビデオカメラを用意する場合、一般株主の肖像権や、発言への心理的影響にも配慮して、株主総会会場後方から発言者の顔が映らないよう、議長および役員席に向けてカメラをセットする等の配慮が必要である。

質問株主用マイクは、多くの会社が準備していると思われるが、会場案内係が質問株主の席までマイクを運ぶスタイルと、株主が質問する際に所定のマイクスタンドまで移動するスタイルがあり、いずれの場合も不規則発言を禁止し、発言者を限定できるため、議長の議事整理には便宜な方法である。しかし、（特に株主席までマイクを運ぶスタイルの場合）いったん株主にマイクを渡すことになり、株主の属性によっては、マイクを使って不規則発言を繰り返す可能性も否定できない。そのため、株主用マイクを用意する場合には、すみやかにマイクのスイッチを切ることができる設備（または人員配置）や、株主にマイクの返却を促す人員配置が必要になる。

また、最近は、報告事項についてナレーションを利用したり、プロジェクター、モニター、スクリーン等を駆使した、出席株主に情報が伝わりやすくなる工夫も多くなされている。

4　警察への臨場要請

会社とトラブルになっている株主が暴力的言動を展開することが予想される場合、事前に警察への臨場要請をしておくことも検討する必要がある。近時では総会屋による暴力的言動は見られなくなった一方で、会社が IR を重視した傾向があることに便乗し、会社とトラブルになっている株主が、株主総会会場で株主総会とは関係のない事項について街宣活動をしたり、議場で不規則発言を行うといった、いわゆる特殊株主の活動は依然として散見される。そのため、警察官の臨場により、このような暴力的言動の抑止効果を期待することができる。

ただし、警察官が臨場するとしても、その効果は、あくまで株主総会会場で暴力行為等が行われないようにする抑止的なものか、実際に暴力・傷害行為が行われた場合にすみやかに現行犯逮捕がされるといった間接的なものでしかなく、議事整理や議場の治安維持について直接的に手助けしてくれるわけではない。特殊株主が議長に罵声を浴びせたり、指示に従わずに威迫的行動をとり続けたとしても、まずこれを制するのは議長であり、会場整理係である。議長が退場命令を出した場合の命令執行も同様である。警察官の臨場によっても、議長や会場整理係の役割が軽減されるものではない点は、よく認識しておく必要がある。

5　リハーサルの実施

（1）　リハーサルの重要性

株主総会の円滑な運営のためには、本番を見据えた事前のリハーサルが欠かせない。リハーサルの意義としては、①シナリオの読み合わせによる内容確認、②進行手順や所要時間の確認、③議長および答弁役員の所作の確認、④議長および答弁役員の質疑・動議への対応手順の確認、⑤質疑応答の内容確認、⑥事務局との連携の練習が挙げられる。

株主総会担当部署は、事前にリハーサルの目的を議長および役員に明確に伝えておくことが重要である。今年の株主総会は昨年とどこが違うのか、その違いによって議事運営にどのような影響があるのか等について、事務局が事前に整理して議長その他役員に事前レクチャーをすることにより、リハーサルでの留意事項が明確になる。その上で、リハーサルを実施すると、議事運営や答弁役員の回答に違和感がないか、改善点はないかといった気付きも出てくる。

また、リハーサルは、議長・役員以外の株主総会担当者（事務局・会場整理係はもちろん、社員株主や株主総会設備設営担当者も含む）全員にとっても有益な予行演習の機会である。細かいことと思われがちだが、社員株主は議事進行の際に「了解」や「異議なし」と発声するのか拍手に留めるのか、特殊株主対策で退場命令を出す際に、実際に会場整理係はいかに振る舞うのか、また、事務局からの議長への指示出しはスムーズかといった確認を行うよい機会となるからである。

以下では、株主総会担当者の役割ごとに、リハーサルで留意すべきポイントを説明する。

(2) 議長・役員のポイント

ア 株主の指名方法

質問に立つ株主を議長がどのように指名するか、あらかじめ決めておく必要がある。通常は、議長が発言を許可した株主には、株主番号を名乗ってもらうのが一般的であるが、挙手している株主が多くいる場合には、そもそも議長がどの株主を指名したのかが明確でないケースがある。そこで、議長は、指名する株主について、指名された株主本人とマイクを運ぶ会場案内係に明確に伝わるよう、株主を特定する情報（席の位置、衣服の色柄、性別等）を示して指名することが望ましい。

イ 質問要約・質問数制限

質問する株主は、必ずしも質問の内容を明確に議長に伝えてくれるわけではない。中には質問の趣旨が不明な発言をしたり、1回の発言で多岐にわたり質問する株主もいる。このような場合は、議長が、答弁する役員に振りやすいように、または答弁する役員が回答しやすいように、議長および事務局において質問を適切に整理・要約する必要がある。この作業は、決して簡単ではないためリハーサルの際に練習を重ねておくことが重要である。場合によっては、1人の株主が1度に発言できる質問数を数問に限定する議事運営も考えられる（出席株主数が多い会社において有益と思われる）が、この場合、1人の株主が所定質問数を超えて質問した場合の対応もリハーサルで予行演習しておくことが望ましい。

ウ 答弁担当役員への振り方

株主総会の運営方針として、議長が自ら株主からの質問に回答する方針のほか、議長は質問内容を整理要約する立場に徹し、答弁自体は事前に担当を割り振った役員に委ねる方針が考えられる。後者の場合、議長は事前の分担に従って株主からの質問を各役員に振り分ける必要があるが、中には、いずれの役員に振るべきか明確ではない質問もあり（たとえば、1つの質問が複数の担当にまたがっているケース）、議長だけでは質問を振り分けるのに困難が生じることもあるため、適宜、事務局から指示を出したり、場合によっては、担当役員から議長に向けて目配せをしたり、挙手やシステムを用いて立候補する手段を設ける等して、議長が質問を振りやすい状況を作ることも円滑な議事運営に資するであろう。

エ　動議と意見との区別

株主から議案の修正動議が出される場合、実際の株主総会では、議案の修正動議なのか、それとも会社提案議案に反対の単なる意見表明なのか、判然としない発言も散見される。適法な動議を無視して審議を進めると決議取消事由になりかねないこともあり、実務的には、議決権の事前行使結果を踏まえて原案先議により修正動議を否決できるのであれば、端的に修正動議として取り上げて採決の対象とするのが無難である。議長において動議があった場合の手順をリハーサルで確認しておくことはもちろんのこと、議長が動議なのか意見なのかの判断で迷うことがないよう、事務局においても議長への指示出しの対応を確認しておくことも有益である。

オ　質疑の打ち切り方

近年のIR型株主総会という観点からは、発言希望者がいる限り質疑応答に応じるというスタンスをとっている会社も少なくないと思われるが、一方で、明らかに議題と関連しない質問が延々と繰り返される場合、一般的平均的な株主からみて、合理的に報告事項の内容が理解でき、決議事項について賛否が決定できるだけの質疑応答が行われたと判断できるのであれば、採決に入っても違法とはならない[67] [68]（質疑打切りが認められる場面については第6章307頁以下を参照）。もっとも、質疑打切りのタイミングの判断を間違えると説明義務違反の問題が生じるため、質疑打切りの判断は事務局や弁護士と相談した上で行うのが適切である。そのため、リハーサルにおいては、議長と事務局との間で、適当なタイミングで適切に質問数と質問時間を制限する等質疑打切りを行う手順を確認しておくことが望ましい。

カ　拍手または挙手による採決

採決は、拍手、挙手、投票その他いずれの方法であっても判定さえできれば問題はないが、実務上は拍手による場合が多い[69]。採決方法については、議長の進行しやすい方法をとればよく、多くの場合、リハーサルでいずれをとるかを確認しておけば足りるであろう。

キ　投票による採決を行う場合と準備

委任状争奪戦が展開され、事前に議決権行使の賛否が拮抗した場合等、当日、議場において投票を実施しなければならない場合もある。当日の投票によって

67　中部電力事件・前掲注47。

68　質疑打切りが適法と判断された裁判例として、東京電力事件・前掲注14、高島屋株主総会決議取消訴訟（大阪地判平成9・3・26 資料版商事158号40頁）、三菱商事株主総会決議取消訴訟（東京地判平成10・4・28 資料版商事173号185頁）がある。

69　東京地判平成14・2・21 判時1789号157頁。

採決を行う場合には、あらかじめ投票方法を定めておかなければならない。

投票を行う場合、議長は、議決権数を確定させるため会場閉鎖を行う必要がある。また、投票方法について説明するとともに、採決の公正性が後に争われる可能性が高いことから、公正性を担保するための状況（回収箱が空であることの確認や、投票に当たって株主総会検査役[70]や委任状勧誘を行った株主の立会いを認める等）の説明等も行うことが望ましい。さらに、投票による採決を行う場合には、株主が株主総会に出席していたとしても、実際に株主総会の会場において投票を行わない限り、議決権行使があったものとして議決権数を計算することは許されないと解されることから[71]、壇上の役員等についても、株主として議決権を行使できるような手段を講じておくべきである。

事前の議決権行使を行った株主が、当日株主総会に来場した場合の取扱いについては、近時複数の裁判例がある。事前の議決権行使を行った株主が、自らまたは代理人を通じて株主総会に「出席」した場合、事前の議決権行使は撤回され無効となると解されている[72]。法人株主が事前の議決権行使を行っていたにもかかわらず、その使用人が株主総会の会場に入場した事案において、当該使用人は「傍聴者」にすぎず、株主総会に「出席」したものではないとして事前の議決権行使を認めたもの[73]、法人株主が事前の議決権行使を行っていたにもかかわらず、その使用人が株主総会当日に「職務代行者」として「出席」した事案において、当該使用人の投票内容につき、議長が投票用紙以外の事情を考慮して、投票用紙の記載と異なる取扱いを行うことも許容されるとしたもの[74]がある。

投票による採決が想定される場合には、以上の点にも配慮したリハーサルを行う必要がある。

(3) 事務局のポイント

事務局は、議長の議事進行と役員の答弁のバックアップを行うのであるから、リハーサルにおいても議長・役員が注意すべきポイントを踏まえながら、さら

---

70 会社または総株主の議決権の100分の1以上の議決権を有する株主の請求により、会社の本店所在地を管轄する地方裁判所が選任する（会306条、868条1項）。決議取消の訴えが提起される可能性が非常に高い場合等には、投票方法、投票状況を調査させ、証拠保全をしておくことが考えられる。

71 井上金属工業事件・大阪地判平成16・2・4金判1191号38頁。

72 中村編著・前掲注8）313頁。東京地判令和2・3・11 LEX/DB25584436。

73 アドバネクス株主総会決議不存在確認等請求事件・東京高判令和元・10・17金判1582号30頁。

74 関西スーパーマーケット株式交換差止等仮処分命令申立事件・最決令和3・12・14資料版商事454号101頁。

に、答弁役員の指示、回答すべき回答案の差入れ、動議か意見か曖昧な発言があった場合の対応、質疑打切りのタイミングや手順について、いかに円滑に議長や役員と意思疎通できるかにも配慮する必要がある。また、並行して、事務局席と議長席・役員席との位置関係等のレイアウトをチェックするとともに、事務局内の役割分担を決めておくことも重要である[75]。

(4) 会場係がリハーサルにおいて留意すべきこと

会場係は、株主案内のほかは主に警備の役割を担うことになるから、リハーサルにおいても、特殊株主や総会屋が議長に対して暴力的・脅迫的言動をとることを想定した準備をしておくのが望ましい。たとえば、株主がマイクを離さずに、大声で暴言を繰り返す場合には、議長からの指示を受けてマイクをオフにした上で、マイクを返却するように説得する(または自席に戻るように誘導する)対応や、議長に近づいて暴力的言動を行う可能性がある場面では、当該株主の進行方向をふさいで未然に事故が起きることを防ぐといった対応について、万一に備えリハーサルで準備しておくべきであろう。

なお、会場係の制止行為が暴行等に該当する(との事後的なクレーム、法的措置を受ける)リスクが生じないように、制止行為の具体的な方法についても、リハーサルで練習しておくべきである。

(5) 質問株主役がリハーサルにおいて留意すべきこと

リハーサルは、本番さながらのリアリティをもって実施しなければ、その効果は激減してしまう。質問株主役は、敢えて想定問答で準備していない質問について質問したり、特殊株主になりきって延々と発言を続けたり、議長や役員に対して大声で暴言を浴びせたり、回答に窮する質問をぶつけたりすると、リハーサルの実効性がより高まる。社員が質問株主役あるいは特殊株主役をやるのではどうしても遠慮が出てしまうということであれば、そのような株主への対応経験が豊富にある弁護士や証券代行機関の担当者に質問してもらうことも有効である。

(6) 社員株主の役割

社員株主に期待される役割は、議事進行や答弁を行っている議長・役員に、拍手や賛成・了解といった発声を送ったり、議長・役員の発言に頷いたりすることにより、賛意を示すことである。近時の株主総会においては、一昔前のように「異議なし、了解」を連呼したり、固まって前方に座るといったことはほとんど行われていないと思われる。社員株主は、議長が議事進行しやすい、ま

---

75 事務局内役割分担の決定について、みずほ信託銀行株式戦略コンサルティング部編『株主総会リハーサルの運営実務〔別冊商事396号〕』(商事法務、2015)36頁。

た、役員が答弁しやすいような「合いの手」を入れる意味合いで、適切なタイミングで頷いたり、拍手や了解の発声をすることが好ましい。

第6章

株主総会は本番が命!!

第１節　株主総会本番前夜

202Y 年 6 月 28 日

●解説

1　交通機関のマヒ

株主総会当日のトラブルとして、現実に問題となるのは、鉄道等の主要な交通機関がマヒした場合の対応である。株主への対応と会社関係者への対応の双方を考慮する必要がある。

株主への対応については、当日そのようなことがあった場合、まずは情報を収集し、復旧の見込み、他の交通機関の状況等を確認しつつ、来場株主数が例年に比べて極端に少ない場合は、開会時刻を繰り下げることが考えられる。開会時刻を繰り上げることは許されないが、遅らせることは、その理由と程度によっては許容される場合もある[1]。

開会時刻の繰下げについては、10分程度であれば格別問題とはならず、鉄道等の事故があり、予想される出席株主に比してきわめて少ない数の株主しか来場していない場合や、役員の出席が遅れる場合には、常識的な程度（30分～1時間程度）遅らせることは問題なく、むしろそうすることが妥当であろう。もっとも、2時間以上遅れるような場合には、延期の決議（会317条）が必要とされている[2]。

次に、会社関係者への対応については、当日に交通機関のマヒ等のアクシデントがあった場合にも確実に会場に来ることができるよう、議長、役員、事務局のメンバーは、前日から会場の近く（徒歩で移動できる範囲）に宿泊しておくことが望ましい。開催日間際になって慌てることのないよう、会場を予約した段階で役員等の宿泊先も確保しておくべきであろう[3]。

2　株主総会の議長

旧商法下では、議長の選任に関する規定が存在しており（旧商法237条ノ4第1項）、また、議長は株主総会議事録に署名することが要求されていたため（同法244条3項）、株主総会では議長の選任は必須であるとされてきた。しかし、会社法ではこれらに相当する条文はなく、議長の選任は必須ではないとされている[4]。

議長は、原則としてその会議体である株主総会の決議により定められるべき

1　中村直人編著『株主総会ハンドブック〔第4版〕』（商事法務、2016）128頁。

2　東京弁護士会会社法部編『新・株主総会ガイドライン〔第2版〕』（商事法務、2015）4頁。

3　中村編著・前掲注1）349頁。

4　相澤哲＝葉玉匡美＝郡谷大輔編著『論点解説新・会社法』（商事法務、2006）488頁。

ものであるが、多くの会社では、定款に「株主総会の議長は社長が当たる。社長に事故があるときは、あらかじめ取締役会の定める順序により、他の取締役がこれに代わる」旨を定めている。議長として定められた取締役に事故がある場合は定款の定めがあればそれに従い、そのような定款の定めがないときは株主総会において選任することとなる。当該取締役が自らの意思で議長を辞したときも事故のある場合に該当するとされている[5 6]。

また、「事故のある場合」にまで至らずとも、たとえば、議長は立って議事を進行する場合が多いが、議長の足や腰等の症状により立位をとることに困難がある場合や株主総会が長時間に及ぶことが予想される場合等には、冒頭で断りを入れて着席したままで議事を進める会社も見受けられる。

近年では、議長を含む取締役や監査役等について、株主に対する説明義務を果たすための環境（双方向かつ即時の情報伝達）を確保しながらインターネット等の手段により出席する事例も認められており、議長等の来場が困難な場合にはこのようなバーチャル出席の形をとることも考えられる（反対に、株主が来場せずとも株主総会を視聴できるよう、同時または異時の動画配信を行う事例も多く見受けられる）。なお、参加型バーチャル株主総会において、株主である取締役等がバーチャル出席する場合に、インターネット等を通じての音声や行動、書面・メール等での確認等、他の株主と異なる方法による議決権行使を当該取締役等に認めたとしても、株主平等原則に反するとまではいえないと考えられる[7]。

その他の論点としては、当該株主総会の議案に特別な利害関係を有する者が議長に就任できるかとの問題がある。この点に関して、会社法は特別利害関係を有する取締役は取締役会の議決に参加できない旨を明記しているが（会369条2項）、株主総会の議長についてはこれに相当する規定がない。そこで、ただちには議長の資格を喪失しないと解されている[8]。

たとえば、その株主総会限りで取締役を退任する者が議長を務めている場合に、同人に対する退職慰労金の贈呈議案があると、議長は特別な利害関係を有する者に当たるが、その場合も議長が交代する必要はないと解されている[9]。もっとも、そのような場合に議長が自主的に交代する例も実務上存在する。

---

5 高松地判昭和38・12・24下民集14巻12号2615頁。

6 中村編著・前掲注1）387頁。

7 経済産業省「ハイブリッド型バーチャル株主総会の実施ガイド（別冊）実施事例集」（2021年2月3日）11頁。

8 中村編著・前掲注1）387頁。

9 中村編著・前掲注1）387頁。

第２節　入場受付

202Y 年 6 月 29 日

●解説

1　受付での留意点

株主総会に出席し議決権を行使することができるのは、基準日において議決権を有する株主として株主名簿に記載された株主であるところ、当該株主の入場を拒絶したり、反対に、その他の者の入場を認めたりすると、株主総会の決議取消事由（会 831 条 1 項 1 号）になる可能性がある。

そのため、受付においては、来場者の出席権の有無を確認するとともに、その議決権数の確認や集計等も行う必要がある。そこで集計された結果と前日までの議決権行使結果の総合計によって、議案や動議の採決の結果が決まってくるため、まさに株主総会における議案の採決の大前提となる大切な作業である。

また、通常来場者の多くは、株主総会開始直前に来場するため、短時間で多数の来場者に対応できるように人員を配置し、来場者の動線にも配慮する必要がある。

さらには、株主総会は、普段は会社の経営に関与しない株主が、会社の経営陣と直接コミュニケーションをとることのできる数少ない場であるから、受付での不適切な対応が株主の会社に対する印象や会社のレピュテーションの低下につながることも考えられ、場合によっては、株主総会の場におけるクレーム的な発言につながる可能性もある。

受付では、以上のように、さまざまな観点に配慮した対応が求められる[10]。

2　株主資格の確認方法

受付で最も悩むのが、来場者の株主資格の確認方法である。これについては、会社法上、明文の規定はなく、議長の議事整理権に含まれ、議長（またはその委任を受けた受付）が確認方法を決定できるとされている。

実務上は、株主に送付された議決権行使書を持参した者を株主として認め入場させる扱いが慣行として確立している。この方法は、短時間に効率よく来場者の資格を確認する方法として一定の合理性が認められるものである[11]。

議決権行使書を持参しているものの、その他の事情から明らかに別人と判断されるような場合にいかに対処すべきかについては、さらに検討を要する。

厳密に考えれば、別人であることが明らかであれば入場を拒否する余地はあると思われるが、実務的には株主の本人確認をどこまで厳格に行うかの問題であり、実際には、議決権行使書を持参している以上、入場を認める扱いとする

10　中村編著・前掲注 1）352 頁。
11　中村編著・前掲注 1）355 頁。

ことが多い。たとえば、性別の確認を行っている会社は 7.5%にすぎないとのデータもある[12]。

別の側面から考えると、実務上は、当該来場者が別人であると確信をもって判断できる場合はほとんどないと考えられるが、入場資格のない来場者を入場させた瑕疵と、入場させるべき来場者を入場させなかった瑕疵とでは、後者の方がその悪影響が圧倒的に大きいのであって、これを防ぐためには、原則として、議決権行使書を持参した以上は入場を認める扱いとするのが無難であろう（すなわち、議長は、株主総会の傍聴者として、その議事整理権に基づいて株主以外の者の入場を認めることもできる（もっとも、質問・発言等をさせることはできないと解されている）が[13]、入場資格のある株主を入場させなかった場合には、決議取消事由となる可能性があるため、入場を認めた方が無難である）。

なお、参加型バーチャル総会におけるバーチャル参加株主は、法的な意味で株主総会に「出席」するわけではなく、質問や議決権行使が認められないことから、本人確認を行わなくとも株主総会の決議の方法に瑕疵が生じることはないと考えられるが、実務上は、動画配信を行うウェブサイト等にアクセスするためのＩＤやパスワード等を招集通知等と同時に通知する方法や、既存の株主専用サイト等を活用する方法等により、株主の本人確認を行うことが多い。

3　議決権行使書の不持参

株主が議決権行使書を持参しなかった場合の処理であるが、前述のように、株主総会に出席し議決権を行使することができるのは、基準日において議決権を有する株主として株主名簿に記載された株主であり、議決権行使書の提示はあくまでそのような株主であることの証明手段にすぎない。

したがって、他の方法によって当該来場者がそのような株主であることが確認できれば、入場を認めるべきである。

具体的には、本人確認資料として、運転免許証、健康保険証等の提示を求めることも考えられるが、現実にそこまで要求する例は多くなく、来場者に氏名、住所等を申告させ、基準日時点の株主名簿記載の株主情報と合致していれば、入場を認める扱いが多い。

12　商事法務研究会編『株主総会白書 2021 年版〔商事 2280 号〕』90 頁。

13　東京弁護士会会社法部編・前掲注 2）50 頁。

4　法人の場合の確認

前述のように、個人株主については、株主に送付された議決権行使書を持参した者を株主として認め入場させる扱いが慣行として確立している。そこで、株主が法人である場合も同様の扱いでよいかが問題となる。

この点については、来場者が代表者か否かを確認し、代表者でない従業員等であれば職務代行通知書の提出を受けて入場を認めるという対応が、法的な確実性を最も優先する対応といえる。

しかし、現実には職務代行通知書の提出を求める会社は全体の24%程度と多くなく[14]、単に議決権行使書のみの提出を求めるという対応をとる会社が多数であり、次いで、議決権行使書に加えて、本人確認資料として、名刺、身分証明書等の提出を求める対応をとる会社の例が多い。

結局のところ、株主の本人確認をどの程度まで厳格に実施するかの問題であり、いずれの対応でも重大な問題にはならないと考えられる。

5　代理人による出席の場合の確認

株主は、代理人によってその議決権を行使することができるが、この場合は当該株主または代理人は、代理権を証明する書面を株式会社に提出しなければならない（会310条1項）。そして、取締役は、代理権（代理人の資格を含む）を証明する方法等を定めるときは、定款に定めのある場合を除いて、その事項を株主総会の招集の際にあらかじめ定めておく必要がある（会298条1項5号、施63条5号）。

実務上は、代理権を証明する書面（委任状）のほか、当該委任状が本当に株主によって作成されたものであることを確認する書類として、会社が株主に送付した議決権行使書等の提出を求めることが一般的である[15]。

代理人による出席については、多くの会社では、定款において代理人を株主に限る旨が定められているが、このような制限は株主総会が株主以外の第三者によって攪乱されることを防止するという合理的な理由による制限であるとして、判例[16]上も適法であるとされている。もっとも、弁護士を代理人とすることにもこの定款による制限が適用されるかどうかについては裁判例の判断が分かれており、弁護士は原則として株主総会を攪乱するおそれがないとして定

14　商事法務研究会編・前掲注12）91頁。
15　商事法務研究会編・前掲注12）108頁。
16　最判昭和43・11・1民集22巻12号2402頁。

款規定の適用を否定する裁判例[17]と、適用を肯定する裁判例[18]が存在するが、実務上は適用を肯定して代理人の資格制限を厳しく運用する方向に収斂しており[19]、代理人である弁護士が株主でない場合には、原則どおり本人のみの入場を認め、付添者とする場合も含めて代理人弁護士の入場について拒絶することが定着している[20]。

6 退出・再入場

いったん入場した株主の退出・再入場について、どの程度まで正確に把握をすべきであろうか。

議決権数等を厳密に集計するのであれば、途中入場者、途中退出者、再入場者等を1人ずつすべて把握して議決権等の数字に反映させることになるが、常にそのような取扱いが必要とされるものではない。

重要なのは、各議案についての定足数および可決の要件が満たされていることを確認できることであり、事前の議決権行使書によってそれが確認できる場合には、途中入場者等について1名ずつ厳密に把握する必要はない。

実際の例でも、途中退出者のチェックを実施した会社は21.7%、併せて議決権数も確認した会社は11.8%と多くない[21]。また、途中退出者について再入場票を交付する例もあるが、これも21%程度にとどまっている[22]。

他方、ある議案の賛否が事前の議決権行使書によっても判然とせず、当日実際に出席した株主の議決権行使動向に左右されうる場合であれば、株主の退出・再入場については1名ずつ正確に把握せざるをえないであろう。また、委任状争奪戦のような場合も同様であろう。

7 手荷物・所持品の検査

株主総会の受付において、来場者の手荷物・所持品の検査をどこまで行うか、どのような所持品について持込みを禁止するかも確認しておかなければならない。

まず、議長の議事整理権・議場の秩序維持権（会315条2項）として、来

---

17 神戸地尼崎支判平成12・3・28判タ1028号288頁。
18 東京高判平成22・11・24資料版商事322号180頁。
19 商事法務研究会編・前掲注12）106頁。
20 磯野真宇「賛否拮抗総会において生じる諸論点に関する近時の実務上の取り扱い」商事2294号（2022）49頁。
21 商事法務研究会編『株主総会白書2014年版〔商事2051号〕』94頁。
22 商事法務研究会編・前掲注12）110頁。

場者に対して所持品検査を行い、さらには議事の円滑な進行を乱すおそれのある物の持込みを制限することは許されると解されている。

裁判例においても、入場する株主の所持品を預かったり、所持品をチェックすることは、平穏な株主総会を運営する上で必要な範囲内の処置であると判示したものがある[23]。もっとも、実際には所持品検査を実施しない会社も多く、約77%の会社が実施していない[24]。

また、実際に持込みを制限できるのは円滑な議事運営の妨げとなるおそれのあるものであるが、具体的には、傘、危険物、ビデオカメラ、カメラ、ICレコーダー、ハンドマイク、スピーカー等が考えられる[25]。撮影機能付きの携帯電話の持込みを制限することは現実的には難しいであろう。

8　傍聴者と出席者との区別

事前に書面投票または電子投票を行った法人株主の担当者が株主総会の会場に来て、傍聴者として株主総会の様子を確認することを希望する場合があるが、会社側の裁量（議長の議事整理権）により、審議に支障のない範囲で株主以外の者の傍聴を認めることができる。一方、事前に書面投票または電子投票を行った法人株主について、総会当日に担当者等が来場し、事前の議決権行使を撤回した上で、議場において改めて議決権行使を行うこともある。

このように、事前に書面投票または電子投票を行った法人株主の担当者は傍聴者と出席者のいずれにもなりうるところ、その担当者を傍聴者とするか出席者とするかにより、議案の可決・否決の結果が左右されることもあるため[26]、事前に書面投票または電子投票を行った法人株主の担当者が来場をした場合には、いずれの立場で株主総会への入場を認めるのかを明確にする必要がある。

9　信託銀行等の名義で株式を保有する株主（実質株主）による株主総会への出席

CGコード補充原則1-2⑤は、「信託銀行等の名義で株式を保有する機関投資家等が、株主総会において、信託銀行等に代わって自ら議決権の行使等を行うことをあらかじめ希望する場合に対応するため、上場会社は信託銀行等と協

23　九州電力事件・福岡地判平成3・5・14判時1392号126頁。

24　商事法務研究会編・前掲注12）109頁。

25　ビデオカメラ、カメラ、マイクおよびスピーカーの株主総会への持込禁止の仮処分決定事件・東京地決平成20・6・5判時2024号46頁、同事件の保全異議事件に関する決定・東京地決平成20・6・25判時2024号45頁。

26　東京高判令和元・10・17金判1582号30頁。

議しつつ検討を行うべきである。」と規定する。たとえば、信託銀行等の名義で株式を保有するグローバルな機関投資家等（いわゆる実質株主）が自ら株主総会における議決権行使を求める希望を有する場合にどのように対応するか、については実務的な取扱いが確立しているとはいいがたい。このような状況の中、全国株懇連合会により公表されたガイドライン[27]は、このようなグローバル機関投資家等による株主総会への出席の方法として、以下の４つの方法を提示している。

A　グローバル機関投資家（以下「X」）が基準日に１単元以上の名義株主となり、信託銀行等の名義株主（以下「N」）の代理人として出席する方法

B　発行会社の合理的裁量の下、Xが株主総会を傍聴する方法（ただし、Xによる議決権行使や質問等の株主権行使はできない）

C　Xが、判例上の（株主総会がかく乱されるおそれがなく、これを認めないと株主の議決権行使の機会を事実上奪うような不当な結果をもたらす）「特段の事情」[28]を発行会社に証明した上で、Nの代理人として出席する方法

D　発行会社において、グローバル機関投資家等による信託銀行等の代理人としての議決権行使を認める定款変更を行う方法

国内外を問わず、信託銀行等の名義で株式を保有する機関投資家等が株主総会における議決権行使や傍聴等を希望することが増える可能性もあり、各社とも事前に十分に対応方針を検討しておく必要があるだろう。

なお、冒頭のCGコードは「協議しつつ検討を行うべきである。」としており、必ずしも実質株主による議決権行使等を認めることそれ自体までを求めているものではない。したがって、「協議しつつ検討」をすることにより、CGコードを遵守したことにはなると考えられる。

10　日本語を理解しない株主への対応

近年は国内の会社であっても、外国人投資家の増加等によって外国人の株主が株主総会に参加する例も見受けられる。

そのような場合に、日本語を十分に理解しない株主が通訳を同伴しての入場を求めることも考えられる。

会社で通訳を用意していれば株主が同伴する通訳の入場を断ることもできるが、通常、そこまで事前に準備していないことが多いであろうから、当該株主が同伴する通訳を入場させる対応も考えられる。通訳の同伴を認める権限も議

27　全国株懇連合会「グローバルな機関投資家等の株主総会への出席に関するガイドライン」（平成27年11月13日）。

28　最判昭和51・12・24民集30巻11号1076頁。

長の権限に属するとされている[29]。

他方、通訳を同伴せずに来場した外国人株主が、受付等において通訳を用意するよう要求することもありうるが、会社にはこのような要求にまで応じる義務はないと考えてよいであろう。

株主総会で用いる言語については、議長の裁量により、日本語をもって正当な言語とすることで差し支えない。より安定した株主総会運営のために、日本語を理解しない株主が入場している場合には、たとえば、議長から冒頭に「本日の株主総会は日本法人の株主総会ですので、一切の進行を日本語で運営したいと存じます。したがいまして、本総会におきましては、日本語以外によってなされたいかなるご発言も正当なものとして認められませんので、その旨ご了承ください。」と述べた上で、日本語を話さない株主が質問等の発言をする場合にはさらに議長より、「ご発言内容については通訳による日本語による発言をもって、質疑として取り上げます。」と述べる例がみられる。

事前に株主が通訳を帯同して入場する希望を有することがわかっている場合には、株主および通訳の双方から、①通訳は株主総会場において通訳として必要な発言のみを行い、それ以外の不必要な発言や行動は一切しないこと、②会社が日本語に通訳された発言のみを株主の発言として取り扱い、誤訳による不都合は一切株主の責任であること、③議場における発言は議長の許可を受けてから行うものとし、議事の進行についてはすべて議長の指示に従うことについての同意を事前に得ておくことが望ましい。理想的には、同意書を取得することが望ましいが、外国人株主の場合であれば常任代理人を通じて事前に電子メール等で同意を確認する、あるいは少なくとも受付で口頭にて説明し同意を得ておくべきである。

さらには、通訳に類似する問題として介助者の同伴がある。この場合も議長の権限として介助者の入場を認めることになろうが、当該介助者は株主ではないため、会場内で発言することはできず、賛否について意思を表示することもできないため、この点についてはあらかじめ了承してもらう必要がある。

29　中村編著・前掲注 1）381 頁。

第３節　株主総会本番

以下においては、実際の株主総会の進行に従い、典型的なシーンを取り上げて、失敗例も含めて株主総会当日における議長と株主とのやりとりや進行状況を確認し（左列）、加えて、事務局の動きをもって、株主総会本番における関係者の心象風景をものぞきつつ（中列）、議長のさばき方の是非や事務局の対応の是非について詳細な解説をする（右列）。

（1）開会宣言から報告事項まで

202Y 年６月29日

進行	事務局の動き	解説
【開会宣言】 定刻の２分前、会長の松本を先頭に各役員が入場し、役員全員が着席した。	事務局を担当する後藤次長ら事務局のメンバーは、定刻の10分前から事務局席に座っていた①。 「いよいよ、株主総会が始まるのだな。頼むから、何も起きないでくれ。」と後藤次長は、祈るような思いで株主席を見渡した。後藤次長は、役員全員が着席したのを見計らい、机上のデジタル時計が10時ちょうどを示すと、松本会長の背後から「定刻ですので、会長、お願いします。」と告げた。	①　着席の位置はあらかじめ決めておく。事務局の人数や配置は、会社の業容や規模、会場のスペース等にもよるが、議長に近いところに議長に助言等を行う会社担当者が着席し、当該会社担当者に向かい合わせの形で事務局弁護士が着席する例もある。
松本会長は、緊張した面持ちで議長席に進み、 「皆さま、おはようござ	後藤は、松本会長の様子を見て、「会長は突然の議長就任でかなり緊張されて	

進行	事務局の動き	解説
います。会長の松本でございます。本日は、ご多忙のところ多数ご出席をたまわり、誠にありがとうございます。本総会の議長は社長の錦織が務める予定でございましたが、錦織は急病によりやむをえず欠席いたしております。社長に事故がある場合の議長就任者につきましては、定款第23条に基づき、あらかじめ取締役会でその順序を定めておりますので、これに従い、私が本総会の議長を務めさせていただきます。どうぞよろしく願い申し上げます。 それでは、ただいまよりX電機株式会社第150回定時株主総会を開会いたします③。」 と開会宣言を行った。 その後、議長は、ライブ配信④を行っている旨や議事運営のルールについて簡単に説明した。	いるようだな。もう少し株主席の方を見て発言してくれればいいのだが……。」と思いながら、ふと役員席の方を見ると、さっそく、取締役の1人が他の取締役に耳打ちしている②のが目に入った。「開始早々、なんてことだ……。」と後藤次長は頭を抱えた。	② 役員は、株主総会中、株主の視線を常に意識し、頬杖をつく、役員同士で私語をする、株主の質問に不用意に頷く等の行動は避ける。 ③ 当日議長に事故があり交代するのは、珍しいケースではあるが、実際にありうるので、一応その場合の代行者の備えは確認しておくべきである。なお、議長就任宣言と開会宣言の順を逆にする会社もある。 ④ 審議等の状況が外部に向けて配信される場合、映像等で配信される株主の肖像権・プライバシーに関して留意する必要がある（この点、株主に限定して配信した場合には肖像権等の問題が生じにくいとされている[30]）。具体的には、株主総会会場の後方からの映像とする他に、配信映像の撮影・録音・転載等を禁止する等の対応をとることが考えられる。

30　経済産業省「ハイブリッド型バーチャル株主総会の実施ガイド」（2020年2月）7頁

進行	事務局の動き	解説
【出席株主数等の報告】 さらに、議長は、出席株主数等について報告した⑤。	後藤次長は、あらかじめ受付から報告を受けていた出席株主数等をメモし、これを議長に渡した。	⑤ 開会宣言後に出席株主数やその議決権数等の報告を行うのが一般的であるが、開会時刻時点の数字を正確に報告するため、報告事項の報告が終了した後に行う例もある。 なお、議長ではなく、担当役員や事務局担当者が出席株主数等の報告を行う例も多い。
【監査役の監査報告】 報告事項の報告等に先立ち、小堀監査役から監査結果等の報告がなされた⑥。		⑥ 法的には、監査役の報告義務は、取締役が株主総会に提出しようとする議案や書類等に法令もしくは定款に違反し、または著しく不当な事項があるとき以外は生じない(会384条)。 なお、監査等委員会設置会社の場合には監査報告は監査等委員である取締役が実施する(会399条の5)。
【報告事項の報告】 その後、報告事項の報告がなされた。報告の大部分については、映像・ナレーションが使用された⑦。株主は、皆、熱心にスクリーンを見つめていた。	報告事項の報告で映像が始まると、後藤次長は気を緩め、事務局に臨席する顧問弁護士である内村弁護士に「今のところ順調に来ていますね。滑り出し上々じゃないですか。」と話しかけた。内村弁護士は、「気を緩めるのは早いですよ。ここからが本番です。」と穏やかに答えた。 後藤次長は、「そうか、いよいよ質疑応答が始まるんだったな。」と気を引き締めた。	⑦ 最近では、報告事項の報告に映像やナレーションを用いる会社も多い。報告事項の報告に映像やナレーションを用いることの効果としては、a)事業報告の内容をパワーポイント等の資料により、視覚に訴えつつ株主にわかりやすく説明することができる、b)プロのナレーターに任せることで、財務内容等の説明についても聞き取りやすくすることができる、c)議

進行	事務局の動き	解説
		長がシナリオを読み上げる場合と比較すると、あらかじめ収録することで、議長によるシナリオの読み間違いを防ぐことができる、d）議長や事務局等の負担軽減や株主総会のスムーズな進行が期待できるといった点が挙げられる。ただし、その場合でも「対処すべき課題」については議長自身が直接説明することが多い。
【事前質問への回答】 決議事項の上程の前に、事前に株主から提出されていた質問状⑧への回答を行った。	後藤次長は、準備していた株主から提出された事前質問状への回答を、議長が間違いなく読み上げているかどうかを確認した。関係部署と回答内容を調整するために夜遅くまで汗を流した日々が後藤次長の脳裏に蘇った。	⑧　会社に対して株主総会の日より相当の期間前に質問事項を通知しておくことで、会社に事前調査の機会を与える代わりに株主総会の場において調査を要することを理由に説明を拒絶させないという方法があり、これは事前質問通知制度と呼ばれる（会314条ただし書、施71条1号イ）。株主総会の日から相当の期間前に到着した質問状に対しては、調査が必要であることを理由に説明を拒むことはできないが、事前質問状を提出した株主が欠席した場合には当該質問状に対して回答する必要はない[31]。また、事前質問自体は株主総会における質問そのものではないため、株主が事前質問状を提出しても、株主総会の場において実際に質問

31　東京弁護士会会社法部編・前掲注2）104頁。

進行	事務局の動き	解説
		をしない限り、取締役等に説明義務は生じない[32]。

32　東京地判平成10・4・28資料版商事173号185頁。

(2) 議案の上程

進行	事務局の動き	解説
【決議事項の上程】 続いて、議長は、決議事項を上程した。 なお、本株主総会では、株主提案による議案が提出されていたため、議長は、会社提案に係る決議事項に続き、次のとおり株主提案に係る決議事項を上程した①。 「次に、株主提案である第○号議案『定款一部変更の件』につき、ご説明いたします。お手元の参考書類○頁をご覧ください。『子会社のX電機サービスが運営する一般消費者向けのサービス料金に、男子割を導入する』との条文を、定款に加えるとの提案でございます。提案された株主様の提案理由は、株主総会参考書類に記載のとおりでございます。当社取締役会は、本提案に反対いたします。その理由は、迅速かつ適切な決定が要求されるグループ会社の営業戦略に関する事項を当社定款に定めるこ	後藤次長は、「株主提案の議案の上程、会社からの説明の範囲、採決をどのように処理するか、準備の段階で散々考えた末、結局内村弁護士に他社事例を踏まえた進め方についてアドバイスをもらったな……。」と思い出した。	① 会社として、株主提案をした株主に議案説明の機会を与える義務を負うかという点について、会社法上明文の規定はないが、実務上は提案株主に補足説明の機会を与えることが多い。もっとも、提案株主の説明が長時間にわたる場合や、趣旨不明の場合、議長は、議事整理権の行使として発言を制限することができる。なお、適法にされた株主提案については、提案株主が株主総会に当日出席しない場合でも、付議する必要がある点に注意されたい。

進行	事務局の動き	解説
とは適切ではないと考えるからでございます。 　第○号議案をご提案された株主様がご発言を希望される場合には、提案事項についての補足説明の機会を設けたいと存じます。提案された株主様がご発言を希望される場合には、挙手をお願いいたします。 （挙手なし） 　提案された株主様からのご発言の希望はないようでございますので、次に進めさせていただきます。」		
【議事進行方法の確認】 　最後に、議長は議事進行方法について一括審議方式をとることを株主に諮り②、株主はこれに賛成した。		②　一括審議方式を採用する場合は、この方式によることについて株主の了解を得ることが多い（第5章228頁）。
【質疑応答】 　議長が、 「それでは、ご出席の株主の皆様からのご発言を承ります。ご質問のある方は、挙手をしていただき、私の指名を受けられた方は、お近くのマイクのところで、株主番号をおっしゃっていただいた後、ご発言をお願いいたします③。」 と述べ、質疑応答が開始された。		③　発言や質問数が多くなると想定される場合、「お一人様2問程度でお願いします。」、「お一人様5分以内でお願いします。」などと議長から質問数や時間等の制限を要請することがある。

(3) 質疑応答・動議

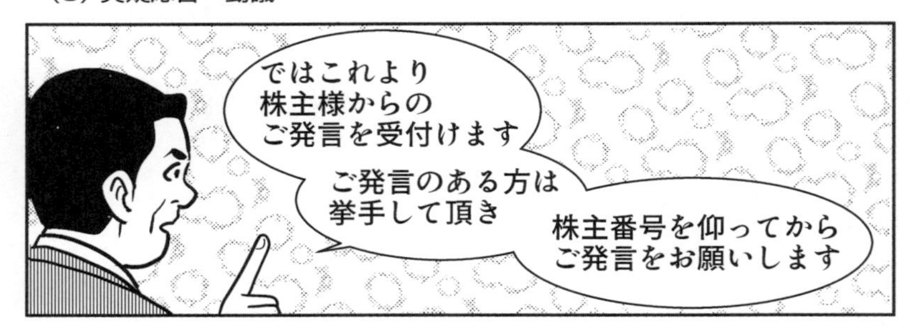

ア　重大な不祥事に関する質問

質疑応答	事務局の動き	解説
議長は、 「それでは、ご質問のある方はどうぞ。」 と述べ、質問を受け付けた。 株主は皆、様子をうかがっているのか、しばらく誰も手を挙げようとしなかったが、議長が 「せっかく1年に1度の機会ですので、ご質問のある方は遠慮なさらずにどうぞ①。」と述べると、50代ぐらいの恰幅のいい男性が手を挙げた。		【アドバイス】 不祥事は一般に株主総会運営上の問題点となりうる事象であることから、リハーサルや想定問答集作成上も重点項目となる。 ①　質問が出ないからといって、ただちに質疑応答を打ち切るのではなく、質問を促しているのはよい対応である。
議長はその株主を指名した。 「はい、それではそちらの株主様、マイクのところへ移動していただき、株主番号をおっしゃってからご質問ください。会場係はご案内願います。」 指名を受けた株主は、緊張した面持ちでマイクのところへ来た。 「株主番号2番です。私は、数年前まで当社で働いていました。この間久しぶりに昔の同僚と会った時に	後藤次長は、指名された株主を見て、「うちのOBの羽根田さんじゃないか②。OBだし、変な質問はしないだろう。」と安心していた。 しかし、報道等されておらず、株主総会で質問があるとは予想していなかった名古屋支社の横領事件について聞かれ、後藤次長は慌てふためいた。後藤次長は、内村弁護士に、「まさか、名古屋支社の横領事件について聞かれるとは思ってい	②　OB株主は、一般の株主が知らない会社の情報を知っている場合があり、質問の内容も細かな事項にわたる場合がある。

質疑応答	事務局の動き	解説
聞いたんですが、当社の名古屋支社で、社員による多額の横領があったそうですね。もともと私が働いていたときから、小さな横領事件は耳に入っていたんですが、今回はそれと比較にならない被害額だったと聞いています。本当でしょうか？　具体的な被害額ですとか、それから、どうしてそんな不祥事が起きたのか明らかにしてほしいですし、今後再発防止のためにどのように対応していくのかということも教えてください。」	ませんでした。想定問答は準備していませんし、どう回答すればいいんでしょう……。幸い、この横領事件については事業報告で記載がありませんので、目的事項の範囲外として回答を拒否してしまうというのはどうでしょうか？」 と尋ねた。 　内村弁護士は、「事業報告や監査報告に記載がない場合であっても、重大な不祥事については、その概要、原因、再発防止策について説明義務が生じる、とされています③。本件も、事実であれば、被害額によっては、重大な不祥事と解されるおそれがありますから、その概要、原因、再発防止策について説明しておいた方がよいでしょう。」と述べた。	③　不祥事に関しては、a）当該不祥事について事業報告や監査報告に記載があれば、その意味や内容、背景等について説明義務が生じ、また、b）事業報告や監査報告に記載がない場合であっても、重大な不祥事については、その概要、原因、再発防止策について説明義務が生じる、とされている[33]。
議長は予想外の質問に、落ち着きをなくした様子で「株主様、お席にお戻りください。ただいまの株主様のご質問は、当社の社員による横領があったかというご質問と承りました④。本件につきましては、担当の中村取締役よりご回答いたします。」と述べ、中村取締役を回答者として指名した。	そこで、後藤次長は内村弁護士の指示に従い、その場で横領事件の概要、原因、再発防止策についてまとめた回答メモを作成し、これを中村取締役に渡した。	④　横領事件に関し複数の質問がなされているが、左記の議長の質問の要約からは、いくつか質問を聞き逃している可能性がある。議長は、株主の質問を漏らさないように、事務局と連携すべきであるし、もちろん事務局も、予想外の質問であったとしても慌てることなく、まずは質問内容を正確に

33　中村直人＝倉橋雄作編著『2013年版 株主総会想定質問と回答――株主質問にどう答えるか』（商事法務、2013）196頁。

質疑応答	事務局の動き	解説
中村取締役は、突然の指名に慌てたのか、事務局からの回答メモをよく読まずに、 「と、取締役の中村より、ご、ご回答、も、申し上げます。 ま、誠に遺憾ですが、昨年、当社社員による横領事件が発生しました。以上です。」 と早口で述べた。	後藤次長は、中村取締役の回答に驚き、「回答が不十分ですので、回答メモをご確認の上、再度ご回答ください。」と中村取締役にメモを渡して指示し、中村取締役は回答をやり直した⑤。	聞き取り、議長に伝えることが重要である。 本件の場合、事務局としては、議長に対し、質問を簡単にまとめたメモを渡す、万一事務局においても質問を聞き取れなかった場合には再度確認するよう促す等の対応をとるべきである。また、回答漏れがないよう回答役員の回答を慎重に聞く必要がある。 ⑤　事務局が、取締役の回答が不十分として再度の回答を促しているのはよい対応である。

イ　社外役員に関する質問

質疑応答	事務局の動き	解説
議長は、次の質問を受け付けた。 「それでは、引き続きまして、ご質問がある方はどうぞ。」 最初の株主の質問を皮切りに、多数の株主の手が挙がるようになった中、議長は、派手なピンク色のTシャツに赤白のチェックの半ズボンという服装の20代と見られる男性を指名した。 「それでは、そちらの株主様、マイクのところへ移動していただき、株主番号をおっしゃってからご質問ください。会場係はご案内		【アドバイス】 CGコードを含む証券取引所規則対応の関係もあり、社外役員や独立役員として指定されている者に対して、具体的にどのような監督機能や助言機能を発揮したのかを質問するケースが、最近増えていることには要注意である。特に、社外役員が構成員となっている任意の報酬委員会や指名委員会における当該役員の職務や役員報酬・指名に対する考え方を問う質問については、当該社外役員から回答することで説得力が増す場合もある。

質疑応答	事務局の動き	解説
願います。」 株主はマイクのところまで来ると、事業報告を片手に、はっきりとした声で発言を始めた。 「株主番号73番です！えー、2点、質問します！ まず、御社の社外取締役の登坂氏は、その経歴的に御社の業務とは関係があるとはまったく思われないので、登坂氏の取締役会での発言について教えてもらいたいということ、登坂氏には自分がどのような発言をしたのかを回答してもらうよう求めます①。 また、監査役候補者の海老沼氏が役員を務めているＪ商事株式会社は、独占禁止法違反で摘発されたというニュースがありましたが、そのことについてなぜ事業報告に記載されていないのか、これについても説明をしてもらいたいです。以上です！」	後藤次長は、マイクのところへ案内される株主の服装を見て、「厄介な質問をする株主でなければよいが。」と少し心配したが、発言内容を聞いていると、想定問答とほぼ同じ内容であったので、少し安堵しつつ、株主の発言内容をメモしていた。しかし、株主が回答者を指名したことから、これに応じなければならないのかわからず、内村弁護士に、「登坂取締役に回答させなければならないのでしょうか？」と尋ねたところ、内村弁護士は、「その必要はないです。議長が回答できるのであれば、そうしてください。」との回答であった。	①　株主から特定の取締役から説明を聞きたい旨の指名があったとしても、議長は、当該指名には拘束されない（第5章208頁）。
議長は、 「ただいまの株主様からのご質問は、社外取締役である登坂氏の取締役会での発言内容についてと監査役候補者の海老沼氏が役員を務めているＪ商事株式会社の独占禁止法違反の問題が事業報告に記載されていない理由についてのご質問と承りました。」 といいながら、後藤次長から回されたメモを一瞥し、	そこで、後藤次長は、「議長から回答してください。」とのメモを議長に渡した。	

質疑応答	事務局の動き	解説
「これらについては、私から回答させていただきます。 まず、1つ目のご質問ですが、登坂取締役につきましては、昨年の当社大阪工場の新規建設案件の審議の際には、大阪ご出身であることから当地の事情等をご説明いただくなど有益なご発言をいただきました②。」	後藤次長は、議長が回答を始めたのを見て安堵するや否や、想定問答とはまったく違う回答にびっくりし、「想定していた回答内容と違います。どうしましょう？」と内村弁護士に尋ねたが、内村弁護士は、「あそこまでいうことはないのですが、まあ大事には至っていないので、このまま行きましょう。」との答えであった。後藤次長は、胸をなで下ろしつつも、想定問答を見るように議長に促すことが必要であると反省したのであった。	② 左記では、取締役会での具体的な発言内容を述べているが、取締役会議事録については、株主は裁判所の許可を得なければ閲覧できないのであるから（会371条2項・3項)、具体的な発言内容までを説明する必要はない。 たとえば、「社外取締役の○○氏は、株主総会参考書類に記載いたしましたとおり、一般株主の皆様の利益にも配慮しつつ当社の業務執行に対する貴重な助言・監督を行いました。」等と株主総会参考書類に記載した内容に従った回答をすれば足りる。しかし、株主の質問に対して、差し支えのない範囲で具体的回答をすることが許されるのはもちろんである。
「2点目につきましては、J商事株式会社においてそのような事象が生じたことは認識しておりますが、当社としては当社の社外監査役候補者とするか否かの判断に当たっては、重要な事実に該当しないと判断しました③。 以上、ご回答申し上げました。」 と回答を行った。	また、2つ目の議長の回答内容を聞いて、後藤は、これでは説明として不十分ではないかと思い、回答を補充するようにメモを準備していたところ、さっそく、質問した株主から「関連！」との声が上がった。	③ 社外監査役の候補者が過去5年間に他の株式会社の取締役等に就任していた場合において、その在任中に法令または定款に違反する事実その他不正な業務執行が行われた事実があることを会社が知っていた場合、その事実が重要でない場合を除き、これを株主総会参考書類に記載しなければならない（施76条4項4号)。左記では議長は重要な事実に該当しないとの結論のみ回答しているが（株主がさらに質問をしてこなければ、これで

質疑応答	事務局の動き	解説
		よいとする対応もありうる)、重要な事実に該当しないと判断したことについて合理的な説明を要するものと解される。 そこで、事実の重要性について一定の基準を設けているのであれば、それに沿った説明を行い、特に基準を設けていない場合には、「問題となった事実の性質、会社の規模、当該候補者の立場等の諸事情を総合的に考慮して、重要な事実に該当しないと判断しました。」と回答すること等が考えられる。
しかし、席に戻っていた同じ株主から、 「関連!」 との大きな声が響きわたり、議長は、思わず、 「では、どうぞ。」 といって質問を受けた④。 質問した株主は、 「先ほど言い忘れましたので、役員の関係でもう1点質問します。 当社では、監査役の小堀氏を独立役員として届け出ているとありますが、小堀氏は以前、御社が委託している監査法人にいた会計士だそうですね。それで独立性があるんですか? 独立性に欠けるのではないですか? この点を回答してください!」と大きな声でいって、自席に戻っていった。	後藤次長は、議長の回答が不十分であったことから、株主から突っ込んだ質問があるものと覚悟していたのだが、質問した株主の質問の内容は、まったく別のものであったので、少し気が抜けた。	④ 質問株主が「関連!」と発言した場合、議長としては必ず再度指名しなければならないというわけではない。ただし、挙手をしている株主数等から、当該株主を再度指名した方が、審議が円滑に進むようなケースもあると思われる。その場合であっても、同一株主ばかりに質問の機会を与えることは公平の観点から望ましくないと思われるため、あと1問のみ等と限定するような工夫をすることが望ましいであろう。 なお、株主番号は再度確認すべきであろう。
議長は、 「小堀監査役の独立性に関するご質問がありました	しかし、次の議長の回答も、想定問答とは異なり、簡単な内容なものであった	⑤ 独立性の判断に関する質問については、株主総会参考書類に記載された

質疑応答	事務局の動き	解説
が、これについても私からご回答いたします。 小堀氏は、当社の会計監査人であるN監査法人に以前勤務していましたが、当社の独立性判断基準に反しないと考え、独立役員としての届出をしていますので、何ら問題はありません⑤。 以上、ご回答申し上げました。」 と回答した。	ため、後藤次長は、説明が不十分ではないかと思い、内村弁護士にも確認したところ、「そうですね。もう少し補充してもらった方がいいですね。」という回答であった。そこで、「回答内容が不十分ですので、回答メモをご確認の上、再度ご回答ください。」と議長に助言した。	内容について付加補足的な説明をすることは最低限必要である。CGコード原則4-9においては、上場会社は、東証規則が定める独立性基準を踏まえ、独立社外取締役となる者の独立性を実質面において担保することに主眼を置いた独立性判断基準を策定すべきとされており、かかる独立性判断基準を策定している会社においては、同基準の具体的内容を踏まえた回答の準備が必要である。なお、東証規則では、「当該会社から役員報酬以外に多額の金銭その他の財産を得ているコンサルタント、会計専門家または法律専門家（法人、組合等の団体であるものに限る）に過去に所属していた者」は、それだけでただちに独立性基準に抵触することにはならず、独立役員届出書およびコーポレート・ガバナンス報告書において該当状況およびその概要の開示が求められるにすぎない。

ウ　株価に関する質問

質疑応答	事務局の動き	解説
議長が次の質問を受け付けた。 「それでは、ご質問がある方はどうぞ。」 多数の株主が挙手する中、20代と思われる若い女性の株主が、		

質疑応答	事務局の動き	解説
「議長！」 と声を上げながら挙手をし、議長はその株主を指名した。 「それでは、そちらの若い女性の株主様①、マイクのところへ移動していただき、株主番号とお名前をおっしゃってからご質問ください。会場係はご案内願います。」	後藤次長は、議長の「若い女性の株主」という発言にドキリとし、内村弁護士に「『若い女性』という表現は、ジェンダーレスの観点などから適切ですか？」と確認した。内村弁護士は、「そういった表現は避けた方がよかったですね。」と回答し、後藤次長は株主の特定にも留意する必要があると痛感した。	①　株主を特定するに当たっては、「きれいな」「若い」等の主観的な意見が入る表現やジェンダーレスの観点からは「女性」といった表現は避け、「グレーのスーツに赤のネクタイの……」等の客観的な表現を用いるべきである（第5章229頁）。
株主は、マイクのところへ来ると、少しきつい口調で発言を始めた。 「株主番号64番です。正直いって、今後も当社の株を持ち続けるかどうか、迷っています。今期こそ株価が上がるかと思ったのですが、100円ちょっとのままで、まったく伸び悩んでいますよね②。中国のM自動車との業務提携の効果はなかったのですか？」	後藤次長は、「やっぱり株価低迷について質問が出たか。でも、これについては、準備しているぞ。」と心の中でつぶやいた。しかし、いきなり話題がM自動車との業務提携に飛んだため、「業務提携の株価への影響について、想定問答を準備していただろうか……？」と一気に不安になった。 後藤次長は、業務提携の株価への影響に関する想定問答を探したが、見つからず、慌てて株価低迷についての一般的な想定問答を議長に渡した。議長は、その想定問答をパッと見て、首を振り、それを無視して回答を進めていった。	②　株価が低迷している場合、その原因等について質問されることが想定される。 一般的には、株価低迷の原因について説明義務はないが（第5章212頁）、株価低迷は株主にとって重大な関心事であるから、原因分析を簡単に述べた上、前向きな対処策を述べることが望ましい。もっとも、対処策について回答する際には、必然的に将来の事項について述べることになるので、インサイダー情報に該当しないか等、注意が必要である。 また、想定問答外の質問がなされた場合であ

質疑応答	事務局の動き	解説
		り、議長や回答役員が回答に困るような場合には、事務局は落ち着いて回答メモを作成することが必要である。
議長は、 「株主様、席にお戻りください。ただいまの株主様のご質問は、令和○年度、当社の株価が伸び悩んだが、M自動車との業務提携の効果はなかったのか、というものと承りました。これにつきましては、議長である私からご回答いたします。」 といい、続けて、 「令和○年度は、M自動車との業務提携によるシナジー効果が、当初の想定に比べて限定的であったことから、株主様が期待するほどの株価上昇を実現できませんでした。<u>現在、M自動車との業務提携を早期に解消し、単独での事業強化を検討中でございます</u>③ので何卒ご理解いただきたいと思います。」	議長の回答を聞いていた内村弁護士から、後藤次長に、「業務提携の解消をするという話は、公表していないのではありませんか？インサイダー情報に該当する可能性がありますよ。議長に、『業務提携の解消はインサイダー情報なのでこれ以上言及しないでください。』と伝えてください。」との指示があったが、時すでに遅く、議長の回答は終了しており、どうすることもできなかった。	③「M自動車との業務提携を早期に解消し」と回答しているが、業務上の提携の解消に関わる事項は、インサイダー取引規制上の重要事実に該当しうる（金商法166条2項1号ヨ、金商法施行令28条1号）ので、株主の納得を得ようと丁寧な説明を心がけるあまり、勇み足となってしまわないよう注意しなければならない。
以上、ご回答申し上げました。<u>株主様、よろしいでしょうか</u>④？」 と回答した。		④　株主にもよるが、もし目的外の質問が繰り返される懸念がある場合には、さらなる質問を誘発しないよう、「株主様、

質疑応答	事務局の動き	解説
		よろしいでしょうか？」と述べて回答を終えるのではなく、「以上、ご回答申し上げました。」と述べて回答を終えるのがよいであろう。
株主番号64番の株主は、その場で立ち上がり、事業報告を丸めてマイク代わりにして再び発言を始めた⑤。 「議長、業務提携の解消という消極的な方策だけではなくて、積極的な方策についても説明をしてください！　当社では、業績向上のために何か具体的な方策は考えていないのでしょうか！？　それに、そもそも、議長は、現在の株価についてどうお考えですか！？」	後藤次長は、議長の回答内容がインサイダー情報に該当するかもしれないという内村弁護士の指摘に呆然としていたが、ふと我に返ると、株主番号64番の株主が、議長から指名を受けずに再び発言をしており、議長はこれを制することなく回答を始めてしまっていた。	⑤　議長は、指名なく発言する株主に対しては、指名を受けて発言するよう注意すべきである。
議長は、 「ただいまの株主様のご質問は、当社が、業績向上のために考えている具体的な方策はないのか、というものと承りました⑥。これにつきましても、議長である私からご回答いたします。」 と述べ、以下のとおり回答した。		⑥　業績向上のための方策と株価に対する考えという2つの質問がなされているが、議長は後者の質問を聞き逃している可能性がある。 事務局としては、議長に対し、質問を簡単にまとめたメモを渡す、回答漏れがないよう注意する等の対応をとるべきである。
「詳細は申し上げられませんが、実は、近々エネルギー分野において新事業を展開したいと考えておりまして、現在その準備をしている最中でございます⑦。そのほか、業績向上のため、役員一同業務に邁進したい所存です。	後藤次長は、他社から太陽光パネル製造装置事業を譲り受けることになっているという未公表の事実があったことを思い出し、議長の回答内容が問題ないか内村弁護士に確認したところ、「この程度の回答であれば、問題ないでしょう。」	⑦　事業の譲受けの決定は、インサイダー取引規制上の重要事実に該当しうる（金商法166条2項1号ヲ）が、新事業の展開の方法等が特定されておらず、この程度の回答であれば、許容されると考えられる。

質疑応答	事務局の動き	解説
以上、ご回答申し上げました。」	という答えであったので、ほっと胸をなで下ろした。	
株主番号64番の株主は、納得しない様子で再度立ち上がり、発言をした⑧。 「議長、明るい話題もあって何よりなんですが、そうすると、今年こそ株価150円を実現できるということでしょうか？」	後藤次長は、「こんなふうに指名を受けずに株主が発言を続けていてはだめだ。」と思い、内村弁護士からも「指名してから発言させるよう、早く、議長にメモを入れてください。」といわれたため、急ぎ議長に「指名を受けてから発言するよう注意してください。」と書いたメモを回した。 しかし、議長は、ひたすら株主番号64番の株主の方を見て、そのメモに見向きもしなかった。	⑧ （⑤と同様に）議長は、指名なく発言する株主に対しては、議事整理権限を行使し、指名を受けて発言するよう注意すべきである。
議長は、 「株主様、席にお座りください。ただいまの株主様のご質問は、今年、すなわち令和○年度、株価150円を実現できるか、というものと承りました。 これにつきましては、議長である私からご回答いたします。」 と述べ、 「先ほどお答えしました積極的な活動によりまして、令和○年度は、株価150円の実現に向けて役員一同、業務に邁進してまいる所存でございます。市場の動向等、経済環境の影響もございますが、最低でも、株価130円は実現できるものと考えております⑨。 以上、ご回答申し上げました。」 と回答した。	議長が「最低でも130円」といった瞬間、内村弁護士が「具体的金額を約束しては……。」と沈痛な面持ちで後藤次長の方を見た。	⑨ 株価の回復可能性や将来の株価については、説明義務はない。むしろ、将来の株価について、具体的・断定的な発言は慎むべきである。今後の成

質疑応答	事務局の動き	解説
		長戦略等を述べるのがよい。 たとえば、「株価につきましては、当社の業績だけでなく、経済情勢、為替や金融の状況、市場動向等さまざまな要因によって日々変動するものですので、具体的な株価の金額についてコメントすることは差し控えたいと思います。当社としては、企業価値を高め、それを市場に評価してもらえるよう、努力してまいります。」等と回答する。
株主番号64番の株主は、議長がそのように回答してもなお、立ち上がって、質問を重ねた。 「株価130円とおっしゃいましたが、それでも他の同規模の同業他社と比べて株価が低いのではありませんか？　同業他社の中には、自社株買いを行ったことで株価が途端に上昇している会社もあって、うらやましいなと思って見ていました。		
当社でも株価向上のために自社株買い⑩を実施してもよいと思うのですが、当社では……。」 株主番号64番の株主の発言は続き、時間も相当に経過してきた。 議長は、株主番号64番の株主の発言を遮り、 「株主様、他の株主様もご発言を希望されていますので、これ以上のご質問はご遠慮ください⑪。」	後藤次長は、「これ以上、この株主に質問を続けさせるわけにはいかない。」と思い、株主の話に耳を傾けている議長の背後から、小さな声で「議長、議長。」と声をかけて、質問を打ち切るよう記載したメモを手渡した。	⑩　本件では回答していないが、自己株式の取得は、インサイダー取引規制上の重要事実に該当するので（金商法166条2項1号ニ）、具体的な取得予定を明らかにすることや、自己株式の取得の実施を約束するかのような発言をすることがないよう注意が必要である。 ⑪　指名を受けずに長々と質問を重ねる株主に対

質疑応答	事務局の動き	解説
と述べた。 株主番号 64 番の株主は、質問をしながら 興奮していたのが我に返ったのか、すぐに 「そうですか……わかりました。」 といって着席した。		し、質問を打ち切ったこと自体はよい。しかしながら、質問を打ち切る場合には、株主の反発を招かないように配慮すべきである。 たとえば、「あと1分程度でまとめていただけないでしょうか。」、「なるべくたくさんの株主様からのご発言をお受けしたいと思いますので、ご理解いただきますようお願いいたします。」等と述べて株主の納得に努める。

エ　子会社に関する質問

質疑応答	事務局の動き	解説
議長が次の質問を受け付けた。 「それでは、ご質問のある方はどうぞ。」 多数の株主から手が挙がる中、議長は黒髪のロングヘアにメガネをかけたいかにも知的な雰囲気の漂う女性を指名した。 「それではそちらの株主様、マイクのところへ移動していただき、株主番号をおっしゃってからご質問ください。会場係はご案内願います。」		
株主は、書類の束を小脇に抱え、コツコツとヒールの音を響かせてマイクのところまでゆっくり歩いて来ると、議長に向かって落ち着いた口調で話し始めた。 「株主番号5番です。連結計算書類を見ると、連結	後藤次長は、質問を聞き、「俺なんて自慢じゃないが自分の会社の計算書類も全部読んだことがないのに、自分の勤務先ではない会社のしかも子会社の計算書類に興味があるなんてずいぶんマニアックな株主だな。」	

質疑応答	事務局の動き	解説
ベースでの当社グループの業績が芳しくないように思えます。特に、最近当社の子会社①であるKエンジニアリング株式会社の業績が悪化していると聞いたのですが、Kエンジニアリング株式会社の来期の業績予想についてご説明ください。」	等と考えつつ、内村弁護士に小声で「これはうちの会社の株主総会ですし、別会社である子会社のことまで答えなくても別にいいですよね？」 と確認したところ、内村弁護士から「Kエンジニアリング株式会社は規模から考えると御社にとって『重要な子会社』に当たると思われます。答えなくてはダメです。」との回答であった。しかし、このようなやりとりをしているうちに株主番号5番の株主の質問は終わってしまった。	① 子会社が事業報告に記載すべき「重要な子会社」（施120条1項7号）である場合には、子会社の概要（各子会社の名称、事業内容、資本金、持株比率、事業の概況、業績の概要、当期売上高、当期利益等[34]）については説明義務の範囲内にあると考えられる。もっとも、「重要な子会社」でない場合、説明義務はない。 なお、「重要な子会社」に該当するか否かの基準については、株主から質問された場合には通常は説明することが望ましいと考えられるため、質問された場合に備えて、回答を用意しておくとよいであろう。また、純粋持株会社における子会社に関する説明義務の範囲は、傘下にある各事業子会社の株主総会における説明義務の範囲がそのまま持ち上がったものとされている[35]。
議長は、 「え～、株主様、お席にお戻りください。 ただいまの株主様の……え～、株主様のご質問は、……当社の……子会社であるK エンジニアリング株式会社の経営課題と……収	議長が、質問内容をことさらゆっくり繰り返したり、わざとらしく言い間違えたりしながら、チラチラと事務局を見てジェスチャーで想定問答を催促したが、後藤次長は想定問答をすぐに見つけられず、ま	② 事務局に各部門の担当者を配置する、あるいは

34 中村＝倉橋編著・前掲注33）95頁、河村貢ほか『株主総会想定問答集2020年版〔別冊商事448号〕』（商事法務、2020）336頁。
35 河村ほか・前掲注34）59頁。

質疑応答	事務局の動き	解説
益の配膳計画……いや改善計画……についてのご質問と承りました。本件につきましては……。」 議長は事務局からの助けをあきらめ、役員席を見渡したところ、自他ともに認める議長の懐刀である山県取締役から、目線で「議長、ここは私に任せてください。」という熱いメッセージを受け取った。そこで、議長は、 「山県取締役よりご回答いたします。」と述べた。 指名を受けた山県取締役は、よくぞ指名してくれたとばかりに大きな声で、 「取締役の山県よりご回答申し上げます。 当社の子会社であるKエンジニアリング株式会社は、新型ウイルスの影響や○○地域における紛争の影響で、売上が計画を大きく下回ったことから、減収・減益となってしまいました。	た、Kエンジニアリング株式会社に関する情報も把握していなかったので回答メモを作成することもできなかった②。	各部門の想定問答の責任者と連絡がとれるようにしておく等して、想定問答の探索や回答メモの作成を迅速かつ正確に行えるような工夫が必要である。
もっとも、新製品の非接触型のタッチディスプレイの開発が間もなく完了し、量産フェーズに入ることから、売上高増大による業績改善を見込んでおります③。 以上ご回答申し上げました。」 と回答し、「議長、やりましたよ。」といいたげな満面の笑みを議長に向けつつ着席した。	後藤次長は、「新製品の開発もインサイダー情報になるんじゃないか……？」と半ば不安げに内村弁護士の方を見た。案の定、内村弁護士の表情は、いっそう険しくなっていた。	③　上場会社の子会社の新製品の販売の決定は、インサイダー取引規制上の重要事実に該当しうるので（金商法166条2項5号チ）、子会社の業績予想について説明する場合、インサイダー情報に触れることがないようにする。 なお、重要な子会社の経営課題や業績予想については、説明義務はなく、事業報告に記載すべき重要な子会社の事業の概況や業績の概要等を説明すれば足りる。

質疑応答	事務局の動き	解説
		たとえば、「当社の子会社であるＫエンジニアリング株式会社は、新型ウイルスの影響や○○地域における紛争の影響で、売上が計画を大きく下回ったことから、減収・減益となってしまいました。今後もコスト削減と生産性の向上等による収益拡大や売上高増大を図り、目標達成に向けていっそうの経営努力を続けてまいります。」等と回答する。

オ　クレーマー的な取引先からの質問

質疑応答	事務局の動き	解説
議長が次の質問を受け付けた。 「それでは、ご質問のある方はどうぞ。」 相変わらず多数の株主から「議長、議長。」と手が挙がる中、議長は、当初から目に入っていたものの、スキンヘッドに金のネックレスをつけ、長袖のアロハシャツという風体から指名を避けてきた中年男性を、腹をくくって指名した。 「はい、それではそちらの株主様、マイクのところへ移動していただき、株主番号をおっしゃってからご質問ください。会場係はご案内願います。」 指名を受けた株主は、ゆっくりとマイクのところへ来た。		【アドバイス】 ａ　クレーマー株主からの質問は、株主総会の目的事項に関連しないことが多いため、その場合には、会社に説明義務が生じないといえる。もっとも、クレーマー的な質問態度であるからといって当然に説明義務が生じなくなるわけではないので、質問内容については、他の株主に対するのと同様に、議長も事務局も慎重に聞き取る必要がある。 ｂ　また、クレーマー株主への対応に関しては、毅然として対応しなければならないという要請と、他の株主に会社の対応が正当なものであることを理解してもらわなければならないという要請の２つの要請があると指摘されている[36]。

36　中村直人『役員のための株主総会運営法〔第３版〕』（商事法務、2018）151頁。

質疑応答	事務局の動き	解説
「おう、株主番号36番だ。最初から手を挙げてるのに、ずっと無視してくれてありがとうな。やっと指名してくれてうれしいぜ。 議長さん、俺はよ、この会社に不動産を売ったんだ。だが会社の担当者はよ、なんだかんだと言いがかりをつけてきて、一向に代金を支払ってくれないんだよ。 俺はこう見えても法学部出てるからさ、売買契約上支払義務のある代金債務を踏み倒そうとするこの会社の姿勢は、コンプライアンスの観点からも大いに問題があると思ってるんだよ。俺のとこだけじゃなくてさ、あんた方のところに泣かされている取引先はいっぱいいるみたいだぜ。 議長さんはこの件を知っているのか？　今後どう対応してくれるんだ？　議長さん自身の考えをぜひ聞かせてもらいたいね。 この件は俺が訴えたから裁判にもなっているし、知らないとはいわせないぜ。ちゃんと答えろよ。納得いく答えがもらえるまでゆっくりとやらせてもらうぜ。」	後藤次長は、株主番号36番の株主の顔を見て、緊張を新たにした。当該株主は、以前会社が不動産取引をしようとした際、契約書締結の段階になって、当初の話とは異なる法外な代金額を要求してきたので、当初予定されていた代金額でなければ契約は締結しないと申し出たところ、「話が違う。」等と会社で騒いだ上、代金請求の訴訟まで起こしてきた人物であった。 後藤次長は、「まさか株主総会にまで押しかけてくるなんて。」と驚いたが、質問に困惑する様子の議長を見て、とにかく何とかしなければと思い、内村弁護士に「議長が困っています。どうしましょうか？」と尋ねた。	
議長は、これは面倒な株主を指名してしまったと後悔しながら、部下からクレーマー的な取引先が会社に来て騒いだ上に裁判を起こしていると報告を受けていたことを思い出した。	内村弁護士は、「取引先との個別のトラブルについては、株主総会の目的事項ではないので、説明義務はありません。株主総会の目的事項から外れるので、回答を差し控えればよい旨を議長に伝えましょう。」と答えたので、後藤次長は急	

質疑応答	事務局の動き	解説
	いでその旨を回答メモに記載し、議長に渡そうとした。 　しかし、議長はすでに回答を始めてしまっていたところであった。	
「もちろん本件は報告を受けているので把握しておりますが……①。」と答えたところで、株主が長袖のシャツをぐいとまくり、議長に見せつけるように腕全体に描かれた昇り龍を示してきたのに気づき、思わず回答に詰まった。 「どうした？　ちゃんと答えろよ。こっちは代金を支払ってもらえなかったせいで大変な損害を被ってるんだぜ。どうしてくれるんだ？		①　取引先とのトラブルや個別の取引については、株主総会の目的事項ではなく、説明義務はないため、クレーマー株主とは「対話」する必要はなく、毅然と回答を断ればよい。 　たとえば、「個別の訴訟については株主総会の目的事項から外れますので、回答を差し控えたく存じます。」等と回答する。
今後誠意をもって交渉するくらいのことをいってくれれば、質問は終わりにしてやるけどどうする？」	後藤次長は、「回答を差し控えるといってください。」と小声でいいながら議長に回答メモを渡した。	
事務局からようやく回答メモを受け取った議長は、回答メモを読み上げた。 「個別の訴訟については株主総会の目的事項から外れますので、回答を差し控えたく存じます……。」 　しかし、議長は、ここまで回答したところで、株主がいかにも不満そうな様子であり、さらに発言を始めようとする様子であるのを見て、咄嗟にアドリブを加えてしまった。		
「……が、株主様にとってもできる限りよい解決が果たせるよう、今後誠意をもって交渉に当たりたいと		②　将来の事項は不確定であり、原則として、株主総会後に対応することを約束してはならない。質

質疑応答	事務局の動き	解説
考えております②。 以上ご回答申し上げました。」		問対象の取引については訴訟事件になっているので、裁判所において適切に対応する程度の回答に留めるのがよいであろう。
株主番号36番の株主は、わが意を得たりと満足げに、 「よし、議長自身が誠意をもって交渉すると約束したな。その言葉を忘れるんじゃないぜ。ところでこんな問題が生じるというのは、取締役の善管注意義務とやらとの関係でも問題があるんじゃないか。監査役は、ちゃんとしっかり監査しているのか。監査役から監査の結果を説明しろよ。監査役がこれに答えたらもう今日は許してやる。」 と述べた。		
議長は、事務局から、本件では監査役に説明義務は発生せず、議長自身で回答してよい旨を告げられた。 しかし、ここで監査役に一言だけ答えてもらえば、この株主も矛をおさめてくれるのではないかと思い、心の中で荒井常勤監査役に謝りながら、	議長が事務局を振り返ったので、後藤次長が内村弁護士に対応を尋ねたところ、内村弁護士は「本件では、監査役の説明義務は生じないので、監査役を指名する必要はありません。議長自身で答えてけっこうです。」 と述べた。 後藤次長は、議長にその旨を伝えた。	
「株主様、お席にお戻りください。ただいまの株主様のご質問は、監査役による監査結果についてのご質問であると承りました。この点につきましては、荒井常勤監査役よりご回答いた		③　法令・定款に違反する事実もしくは著しく不当な事実がある場合、または、株主から相当な根拠をもって当該事実があると指摘された

質疑応答	事務局の動き	解説
します。」 と荒井常勤監査役を指名した③。 荒井常勤監査役は、突然の「不意打ち」に一瞬驚いた顔を議長に向け、回答した。 「常勤監査役の荒井よりご回答申し上げます。ご質問の件については、取締役の善管注意義務違反は存しないものと考えております。」		場合については、監査役に説明義務が生じる（第5章209頁）。本件では、監査役の説明義務は生じないと考えられるので、議長は監査役を回答者として指名する必要はない。

カ　ユーザーとしてのクレーム

質疑応答	事務局の動き	解説
議長が次の質問を受け付けた。 「それでは、ご質問のある方はどうぞ。」 中肉中背の30代から40代くらいの男性株主が「はい！」といいながら挙手をした。 議長は、その株主を指名した。 「そちらの株主様、マイクのところへ移動していただき、株主番号をおっしゃってからご質問ください。会場係はご案内願います。」 株主は、マイクのところへ移動し、早口で発言を始めた。		
「株主番号77番です。実は、私、この間、当社製の風呂場の換気システムを購入したのですが、突然作動しなくなってしまって、当	後藤次長は、「またクレーム関係の質問か、それにしてもこの手のクレームは何回か聞いたことがあるな。」と思いながら、なかなか終	①　質問の趣旨が不明確な場合や冗長な質問の場合、議長としては、質問を端的に述べてもらうよう促すべきである。

質疑応答	事務局の動き	解説
社に連絡を入れたのですが、担当者が『近いうちに行く』といったきりまったく音沙汰なしだったんです。梅雨の時期だったし、風呂場には窓がついていないので、湿気がたまり、カビが生えて大変なことになりました。 ……そうしたら、備え付けの冷房も動かなくなって、今年は暑かったので、早めに冷房を入れようと思ったのに、使えなくて、むし暑いし、もう耐えられないと思って、もう1度連絡を入れたんです。そうしたら、ようやく修理してもらえたんですが、最初に連絡を入れてから修理まで、1か月もかかりました。それなのに謝罪の言葉も一切ありません。こちらが客なのに、このような扱いをされるなんて、信じられません。当社では、製品保証や修理部門の担当者に対して、いったいどのような教育をなさっているのですか？①」	わらない株主の質問に耳を傾けていた。 途中、内村弁護士に、「話が長いんですけど、途中で遮るって、難しいですよね？」と尋ねたところ、内村弁護士から、「いろいろ話が横道に逸れて質問がわかりにくいので、質問の趣旨を端的に話してください、と促すことは何の問題もなくできますよ。」とアドバイスを受けた。 後藤次長は、とりあえず株主の話を最後まで聞き、「個別の案件に関するものだから株主総会の目的外事項であることは明らかだな。」と判断し、その旨記載した回答メモを議長に回した。	途中で質問を遮って、「株主様、申し訳ございませんが、ご質問の趣旨を簡潔にお話しくださいますようお願い申し上げます。」等と促す。
議長は、 「株主様、お席にお戻りください。ただいまの株主様のご質問は、当社製の換気システムの不具合に対する当社従業員の対応が悪く、当社の従業員教育をどのように行っているのかというものと承りました。この点につきましては、本総会の目的外事項ですので、回答を差し控えさせていただきます②。」	後藤次長は、議長の回答を聞きながら、そのとおり、	② 会社にとって、ユーザー等の顧客が株主として株主総会で質問する場合、質問内容が具体的な事案についての提案・クレーム等といった株主総会の目的外事項であることが多々ある。このような質問について説明義務はないものの、株主が顧客という立場も併せ

質疑応答	事務局の動き	解説
と淡々と述べた。	と頷いた。	持っていることから、左記のような紋切型の回答では、他の一般株主に対しても、冷たい印象を与えるおそれがある。
なおも執拗に食い下がる株主から挙手があり、議長は、やむなく、当該株主を指名した。 株主から、 「今のような、通り一遍の回答では回答になっていないと思います。まがりなりにも、私は当社の顧客なのですから、もう少し誠意をもって、回答してもよいのではないでしょうか。繰り返しますが、従業員の教育がなっていない。当社の従業員の人件費は売上高比率でどうなっているんですか。そんなことだから、会社としてなっていないんですよ。従業員がなっていないんだ。」 との発言があった。	後藤次長は「おや。」と思った。「売上と人件費については、回答した方がよいのでないか。」と一瞬思ったのだ。しかし、議長がこの株主に辟易しているのもよくわかっていた。そこで、内村弁護士に「今の質問は、飛ばしてもやむをえないですよね？」と尋ねた。これに対して内村弁護士は、何やら紙に書きながら、「といっても、従業員数や平均賃金等については、事業報告や有価証券報告書でも記載しており、十分回答できますよね。議長に、その点だけは、補足という形でも回答してもらった方がよいと思います。後藤さん、メモを入れてください。」と返してきた。	そこで、基本的な対応としては、株主の納得を得るために、会社としての一般的な考え方を簡潔に説明することも多い（ただし、個別の案件に立ち入った詳細な回答をする必要はない）。 たとえば、「個別の案件については回答を差し控えさせていただきますが、当社におきましては、製品保証、修理部門におけるお客様満足に努めるよう、担当の従業員に指導を行っており、また、お客様からのクレームを受け付けるお客様相談センターも設け、お客様の声を反映するように取り組んでおります。今後もお客様に満足いただけるよう社員一同努力を重ねていく所存です。」等と回答するのがよい。
議長は、 「株主様、お席にお戻りください。	しかし、後藤次長は自信がなくなっていた。 「できません。私は会長と	③　本件はそのような事態

質疑応答	事務局の動き	解説
ただいまの株主様のご質問は、先ほど、議長である私から直接お答えさせていただいたとおりです。この点につきましては、本総会の目的外事項ですので、回答を差し控えさせていただきます。」 と淡々と述べて終えようとしていたところ③、背後から背広を引っ張られ、思わず振り向いた。株主総会中に背広を引っ張られて議長は驚き、しかもそれが後藤ではなく内村弁護士であったことに重ねて驚いたが、手渡されたメモを見て事態を理解した。そして、株主席の方に向き直り、 「えー、ただいまの株主様のご質問のうち、人件費の売上高比率については、財務担当の取締役からご回答いたします。」 と発言し、指名した取締役からの回答を済ませ、この株主とのやりとりを無事に終えた。	うまくやりとりできず、これまでも失敗ばかりしています。実際に私の席から議長席も遠いですし、間に合わないのです。議長は振り向いてくれないと思いますよ……④。」 すると、内村弁護士から予想外の返事があった。 「やむをえないですね。見本を見せましょう。今、議長宛てのメモを書きましたから、私が、議長の背広を少し引っ張ってきましょう。」というや否や、内村弁護士は、普段の落ち着き払った物腰からは想像できない敏捷さで、議長の背後に低い姿勢で近づいた。後藤次長は思った、「先生……、さすがだ……。」と。	に陥っていないが、議長と株主とのやりとりがエスカレートしてくるケースもままある。そのような場合、議長が、本来回答すべき事項を失念してしまうこともあるから、事務局としてはその点のフォローが重要となる。 ④ 事務局がスムーズに助言を出せるよう、席の配置等設営面についても注意すべきである。

キ　会計監査人の選解任等に関する質問

質疑応答	事務局の動き	解説
議長が次の質問を受け付けた。 「それでは、ご質問がある方はどうぞ。」 まだ質問は途切れそうにない。手がいくつも挙げられる中で、議長は40代くらいのスーツ姿の眼鏡をかけた男性株主を指名した。 「それではそちらの株主様、マイクのところへ移動		

質疑応答	事務局の動き	解説
していただき、株主番号をおっしゃってからご質問ください。会場係はご案内願います。」		
株主は、マイクのところへ移動し、発言を始めた。 「株主番号125番です。当社は会計監査人を再任するようですが、この会計監査人は期中に行政処分を受けています。CGコードでは、会社の監査役会が、外部会計監査人を適切に選定・評価するための基準策定を求めています①。当社はどのような理由で、この会計監査人を再任することにしたのか、なぜ解任または不再任としなかったのか、株主に納得のいくご説明をいただきたい。」	後藤次長は、東証に提出するコーポレート・ガバナンス報告書作成対応のために連日徹夜をした日々を思い出しながら、「最近の株主はCGコードの内容まで知っているのか……。」と感心しつつも、今回の株主総会の議案には会計監査人の選解任議案が含まれていないことから、「株主総会の目的外事項であるとも考えられますし、議長から回答をしてもらえばよいのではないでしょうか？」と内村弁護士に質問した。	① CGコード補充原則3-2①において、監査役会は、(i)外部会計監査人候補を適切に選定し外部会計監査人を適切に評価するための基準の策定、および、(ii)外部会計監査人に求められる独立性と専門性を有しているか否かについての確認を行うことが求められている。
議長は、 「ただいまの株主様のご質問は、会計監査人を再任した理由、というものと承りました。これにつきましては、荒井常勤監査役からご回答いたします。」と述べた。	内村弁護士は、 「会計監査人の選解任議案がなくとも、株主総会の目的事項との関係で、説明義務の範囲内と考えられます②し、また、監査役会による会計監査人の再任等の判断については監査役（会）が説明義務を負うという見解もあります③ので、監査役にご回答いただいた方がよいでしょう。後藤さん、議長と荒井常勤監査役に、その旨のメモと想定問答を入れてください。」と答えた。	② 会計監査人を再任する場合、会計監査人の選解任議案は株主総会に提出されない（会338条2項）が、会計監査人の再任に関しては、事業報告および監査報告等との関係で、説明義務の及ぶ「株主総会の目的である事項」（会314条ただし書）に含まれると考えられる。 ③ 会社法上、監査役または監査役会が株主総会に提出する会計監査人の選解任・不再任議案の内容を決定する権限を有するとされていることとの関係上、監査役（会）が株主総会における説明義務を負うという見解もあ

質疑応答	事務局の動き	解説
指名を受けた荒井常勤監査役は、次のとおり回答した。 「常勤監査役の荒井でございます。議長の指名により、会計監査人の再任の理由に対するご質問につき、私より回答させていただきます。当監査役会は、日本監査役協会『会計監査人の評価及び選定基準策定に関する監査役等の実務指針』を参考に、会計監査人の評価・選定に関する基準を定めております。なお、ご指摘の行政処分については承知しておりますが、当監査役会は、行政処分の内容を踏まえ、会計監査人から提出された改善計画等の文書をもとにヒアリングを実施した上で慎重に検討した結果、当監査役会の定める評価・選定基準に基づいて、監査法人の品質管理体制、監査チームの独立性、監査報酬等の水準、経営者等のコミュニケーションの状況等に関する情報を踏まえて検討した結果、再任することが適当と判断しました④。以上、ご回答申し上げました。」	後藤次長は、議長と荒井常勤監査役がゆっくり質問内容を確認・復唱する間に、荒井常勤監査役へ想定問答を差し入れた。	る。 ④　監査役会等は、監査役会の定める評価基準の概要、評価の内容、会計監査人の再任理由について、あらかじめ回答内容を準備しておく必要があろう。

ク　中継トラブルがあった場合

進行	事務局の動き	解説
議事の最中ではございますが、ここで、ライブ中継①をご視聴の株主様にご連絡申し上げます。 システム不具合により、○時○分○秒頃から、○時○分○秒頃まで一時的に通信不良となり、本総会の模様をご視聴いただけない状況となっておりました。 その間、会場では、ご来場いただいた株主様からの質疑応答を行っておりました。 ご視聴いただけなかった議事の模様は、近日中に当社ウェブサイトにおいて実施予定の動画配信を通じてご確認いただけます。 ライブ中継をご視聴の株主様におかれましてはご迷惑をおかけいたしましたことを、お詫び申し上げます。 それでは、質疑応答を再開いたします。		①　一般に利用可能なライブ配信サービスやウェブ会議ツールを利用することや、第三者が提供する株主総会専門システムのサービスを利用することが考えられる。事前に通信テスト等を行っておくことはもちろん、通信障害が発生した場合でも代替手段によって継続ができるよう、インターネットの代替手段や電話会議等のバックアップ手段を確保しておくことも重要である。

ケ　手続的動議（議長不信任）

質疑応答	事務局の動き	解説
議場がまだ静まらない中、議長が次の質問を受け付けた。 「それでは、ご質問がある方はどうぞ。」 60代くらいの小柄な男性株主が、すっと手を挙げた。 議長は、その株主を指名した。 「それではそちらの株主様、マイクのところへ移動していただき、株主番号をおっしゃってからご質問く		【アドバイス】 手続的動議は、いざ提出された場合に的確にさばけるよう、議長のみならず、事務局としても事前に訓練しておくことが望ましい。

質疑応答	事務局の動き	解説
ださい。会場係はご案内願います。」 株主は、マイクのところへ来ると、小さな声で発言を始めた。 「株主番号19番です。ええっと、質問じゃないのですが、先ほどからやりとりを見ていますと、本総会における議長の対応については株主から不満の声が上がっていて……。」		
すると、他の株主が呼応するように 「そうだそうだー。」と叫び声を上げた①。 株主は、他の株主に後押しされるように発言を続けた。		① 議長の許可なくなされる不規則発言については、議長はただちに発言を禁止または中止することができる（第5章228頁）。
「株主総会の議長としての適格性があるのか、と思いまして。そりゃあ突然議長になったのだから準備が十分できなかったのかもしれませんが、それにしても、もう少ししっかりしていただかないと。」	後藤次長は、株主は「適格性」という言葉は使っているが、「しっかりしていただかないと。」という表現からすれば、意見として扱うのが適当ではないかと判断し、その旨議長にメモを回そうとしたところ、	
議長は、この発言を受け間髪入れず、 「ただいま、株主様より、議長不信任の動議が出されました②。 これにつきましては出席株主の皆様にご審議いただいた上、採決をさせていただきたいと存じます……。」 と述べてしまった。	議長の「動議」との発言に、内村弁護士と顔を見合わせた。後藤次長は、「議長が動議と発言してしまった以上そのまま進めるしかないか。」とあきらめ、「議長不信任の動議は、どうやって進めていくんでしたっけ？」と内村弁護士に確認し始めた。	② 議長不信任動議は必ず株主総会に付議しなければならない必要的動議ではあるが（第5章231頁）、「もう少ししっかりしてほしい。」という程度の発言であれば、議長不信任の動議として扱うのではなく、「ただいまの株主様からのご発言につきましては、貴重なご意見として承

質疑応答	事務局の動き	解説
		らせていただきます。」等と回答すればよい。
すると、他の株主が勢いよく立ち上がった③。 「ちょっと待ってください。私は株主総会のルールについてはよくわかりませんが、議長の解任について採決をするというなら、議長本人を交代してからにすべきなんじゃないでしょうか？」		③　議長は、指名なく発言する株主については、指名を受けて発言するよう促すべきである。
議長は、対応に困り詰まったが、背後の事務局からの反応がないため、仕方なく、 「……と、とにかく私が議長である以上、私が動議の手続についても進めます。」 と言い切って、議事を進めた④⑤。	後藤次長は内村弁護士から議長不信任動議の対応について説明を受けるのに必死で、議長の様子をとらえきれなかった。議長の様子がおかしいことに気づいた内村弁護士も、席を立ち議長に近づこうとしたが今回は間に合わなかった。	④　議長は、対応に窮した場合であっても、慌てずに、「少々お待ちください。」等と述べた上で、事務局と相談すべきである。 ⑤　議長不信任の動議の審議・採決に際し、議長が交代することは法律上必要ない（第5章231頁）。 たとえば、「動議の審議・採決に際して議長が交代する必要はございませんので、このまま続行させていただきます。」等と回答すればよい。
議長は、 「ただいま、株主様から、議長の不信任の動議が提出されました。これにつきましては、出席株主の皆様にご審議いただいた上、採決をさせていただきたいと存じます。動議に賛成の株主様は、拍手をお願いします⑥。」 と述べた。 これに対し、株主番号19番の株主ほか数名が拍手をした。	説明を聞き終わった後藤次長は、対応メモを議長に渡し、「もしかして議長不信任動議が可決されてしまったらどうすればよいのだろう？」と心配な表情で議場を見つめた⑦。 後藤次長は、株主の反応にホッとした。	⑥　不信任動議に対する議長の考え方をあらかじめ示した上、それに対する賛成を求める諮り方の方が、否決を導きやすい。 たとえば、「私としては、この動議に反対でございます。私がそのまま議長を続けることにご異議ございませんか？」という諮り方をすればよい。 ⑦　手続的動議は、議場出席株主（委任状出席を含

質疑応答	事務局の動き	解説
		む）の議決権の過半数により決せられるので、会社の立場に賛成する大株主の委任状出席がある場合には、採決の結果を心配することはないのが普通である。

コ　手続的動議（採決方法）

質疑応答	事務局の動き	解説
議長は、議長不信任動議が出されたことにまだ動揺しているのか、心なしか震えた声で次の質問を受け付けた。 「それでは、ご質問がある方はどうぞ。」 数名の株主が手を挙げ、議長は、その中からサラリーマン風の若い男性株主を指名した。 「それではそちらの株主様、マイクのところへ移動していただき、株主番号をおっしゃってからご質問ください。会場係はご案内願います。」 株主は、マイクのところへ来ると、ゆっくりとした口調で話し始めた。 「株主番号110番です。えー、第2号議案の『取締役5名の選任の件』についてなんですが、株主の中には、「あの候補者はいいけれど、この候補者には賛成できない。」という方もいらっしゃると思います。ですので、本議案については、候補者ごとに採決を行った方がいいようにも思います	後藤次長は、「お、これは去年の株主総会で問題になった個別審議を求める動議だな。対応メモを事前に作成しておいたぞ。これまでの失敗の汚名返上のチャンスだ。」と考え、すぐさま動議対応用の議長シナリオを議長に渡そうとしたが、議長はこれに気づかなかった。	①　一般株主の発言は趣旨がわかりにくい場合が多い。株主の発言が、質問なのか、単なる意見表明

質疑応答	事務局の動き	解説
が、どうなんでしょうか？①」 議長は、動議対応メモを渡そうとする事務局の動きに気づかず、 「ただいま、株主様から、第2号議案について、個別審議を求める動議が提出されました。この点につきましては、一括審議でやらせていただきたいと思っております②。」と述べた。	 ここでも議長の独断を目の当たりにした後藤次長は、恐る恐る内村弁護士の方を見た。内村弁護士は、渋い表情であったが、「まあ、必要的動議かどうかで見解が分かれていますので、議長の裁量の範囲内として処理しておいてもいいでしょう。」とコメントしたので、後藤次長もとりあえずは胸をなで下ろした。	にすぎないのか、それとも動議なのか不明確な場合は、その趣旨を確認すべきである。 ② 個別審議を求める動議は、手続的動議であり、本来は議長の議事進行権の範囲内として処理することもできるが、その内容に鑑み、一般的には議場に諮ることが望ましい(第5章232頁)。 たとえば「この点につきましては、議長としては、一括して採決したいと考えておりますがいかがでしょうか？ ご賛成の株主様は拍手をお願いいたします。」と述べる。

サ 実質的動議(配当増額・定款変更)

質疑応答	事務局の動き	解説
議長が次の質問を受け付けた。 「それでは、引き続きまして、ご質問がある方はどうぞ。」 多数の株主が挙手する中、ひときわ大声で 「議長！」「議長！」と声を上げて立ち上がる男性の株主がいて、議長はその株主を指名した。 「それでは、そちらの株主様、マイクのところへ移動していただき、株主番号、お名前をおっしゃってからご質問ください。会場係はご案内願います。」		【アドバイス】 実質的動議についても、提出時に対応に戸惑う例が散見される。いざ提出された場合に的確にさばけるよう、議長のみならず、事務局としても事前に訓練しておくことが望ましい。

質疑応答	事務局の動き	解説
株主は、マイクのところへ来ると、大きな声で発言を始めた。		
「株主番号11番です。今回、第1号議案で、1株につき4円の配当とするということになっています。ただ、この会社は、毎年1株につき4円の配当じゃないですか。安定的な配当を堅持したいという会社の意向もわかるんですけど、ある程度業績に応じて配当額を変えてもいいんじゃないかと思うんです。 経常利益や純利益を見ても、前期より3割ほど数字はいいわけですから、それに応じてある程度配当を増やしてほしいと思います。具体的には、1株につき5円の配当にしてほしいです①。」	後藤次長は、株主の発言を聞きながら、「これは配当増額の動議として扱わなければいけないか、それとも、『5円の配当にしてほしい。』という意見にすぎないという整理も可能か、内村先生に確認しないといけないか。」などと考えながらメモをとり、事務局の席上に用意していた動議対応用の議長シナリオの準備をした。	① 配当の増額を求める動議も減額を求める動議も、一般的には適法な修正動議であると解されている（第5章234頁）。
「それから、定款変更の議案について②なんですけどね。 今回、社外取締役を増やそうということで、取締役の員数を10名から12名に増員するみたいですね。でも、社外取締役を増やしたいというのなら、従前取締役だった人にお辞めいただいて、その代わりに社外取締役に来てもらえばいいんであって、別に取締役の員数を増やす必要はないんじゃないでしょうか。その分、報酬もこれまでよりも多く支払わなければならないんですから。どうしても員数を増やすというのであれば、12名ではなく11名	後藤次長は、この2つ目の株主の発言についても、定款変更の動議として扱わなければならないか、単なる意見にすぎないとしてよいか、などと考えながらメモをとり、動議対応用の議長シナリオに記入して準備した。 後藤次長は、内村弁護士に、「動議か意見かを確認した方がいいですか？」と小さな声で尋ねたところ、内村弁護士も「そうしてください。」との回答であった。	② 取締役の員数変更の定款変更議案についての動議の場合、原案の枠内での減員修正は許される（第5章234頁）。

質疑応答	事務局の動き	解説
にしてほしいと思います。」 議長は、やや困った表情をしていたが、今回は落ち着いて事務局の方を振り返り、指示を待った。	後藤次長は、議長に対し、「動議か意見かを確認してください。」と伝えた③。	③　事務局は、動議か意見か、株主に確認するよう議長に促しており、よい対応である[37]。
事務局の指示を受け、議長は、 「ただいま、株主様から、第1号議案について、期末配当を1株当たり4円ではなく1株当たり5円としてほしいとのご発言がございました。 また、第4号議案について、定款の規定する取締役の員数を、10名から12名に増員するのではなく、11名に増員してほしいとのご発言がございました。		
これらのご発言は、いずれも動議としてご提出されるご趣旨でしょうか？　それとも、意見として承っておけばよろしいでしょうか？④」 と確認をした。		④　本件の株主からの質問からすれば、動議か意見かの確認という聞き方にならざるをえないが、実際の株主の発言中には、動議というよりも意見ととらえられるものもある。そのような場合には、たとえば、「ただいまの株主様の配当議案に関するご発言は、貴重なご意見として承りますがよろしいでしょうか？」などと示唆を含めて確認し、改めて株主から「議場に諮ってほしい。」などの発言があった場合に動議として対応することも考えられる。

37　森・濱田松本法律事務所編『株主総会の準備事務と議事運営〔第5版〕』（中央経済社、2021）370頁。

質疑応答	事務局の動き	解説
これに対し、株主は、「いずれも修正動議として取り上げていただきたいと思います。」と述べた。 株主の発言を聞いた議長は、「ただいま、株主様から、第1号議案について、期末配当を1株当たり4円とする議案を、1株当たり5円とする内容への修正動議が提出されました。また、第4号議案について、定款の規定する取締役の員数を10名から12名に増員するとの議案を、11名に増員するとの内容への修正動議が提出されました。」と述べた。	後藤次長は、「やはり動議か……、なかなか簡単には終わらせてくれないな。」と思いつつ、動議対応用の議長シナリオを議長に渡そうとした。しかしながら、議長が発言を始めていたため、議長シナリオを渡すタイミングを逃してしまった⑤。	⑤　事務局は、株主から動議が提出された場合、動議か否か、また、動議として適法であるか否か、動議内容を見極めた上で、あらかじめ用意されている議長シナリオを議長に示す。
議長は、そのまま、「それでは、ただいまの株主様の各修正動議について、反対の株主様は拍手をお願いいたします⑥。」と一息に述べてしまった。 これに対し、多数の株主が拍手し、議長は、「ありがとうございました。過半数の株主様のご賛同をいただきましたので、ただいまの株主様の各修正動議はいずれも否決されました。」と述べた。	後藤次長は、議長の発言が用意していた議長シナリオと違うことに気づき、前にいた内村弁護士の顔を見ると、内村弁護士も唖然とした様子であったが、時すでに遅し、議長の発言を止める間もなく、あっという間に修正動議が否決されてしまったのであった。	⑥　その場で修正動議の採決をとった場合には、一度修正動議を否決しても後で別の修正動議が出されるなどして非効率となる可能性がある[38]。そこで、その場で修正動議の採決をするのではなく、原案の採決時に一括審議を行う方が現実的には望ましい。また、実質的動議（修正動議）が出された場合、これをいつ採決するのかについては、基本的に議長の議事整理権に含まれるが、念のため、株主の過半数の賛同を得ておくことが望ましい。 「本修正動議につきましては、後程、原案など

38　東京弁護士会会社法部編・前掲注2）242頁。

質疑応答	事務局の動き	解説
		と一括して採決したいと存じます。この採決方法にご賛同いただける株主の皆様は拍手をお願いいたします。」と述べて、次の質問に移るのが妥当である。

シ　実質的動議（取締役の選任）

質疑応答	事務局の動き	解説
議長が次の質問を受け付けた。議長も疲れが出ている様子である。 「それでは、ご質問がある方はどうぞ。」 数名の株主が挙手し、議長は、その中から40代くらいの落ち着いた雰囲気の男性株主を指名した。 「それでは、そちらの株主様、マイクのところへ移動していただき、株主番号をおっしゃってからご質問ください。」 株主は、悠々とマイクのところまで移動し、演説をするような口調で、発言を始めた。 「株主番号62番です。今回、第2号議案で取締役として森氏が再任される旨の議案が提出されているようですが、森氏は、高齢であり、取締役会への出席も7割程度と取締役としての職務を十分果たせているとは思えません。		【アドバイス】 実質的動議についても、提出時に対応に戸惑う例が散見される。いざ提出された場合に的確にさばけるよう、議長のみならず、事務局としても事前に訓練しておくことが望ましい。
そこで、私の隣に座っている橋本氏を取締役に選任していただきたいと思います①。 橋本氏は、森氏と違って	後藤次長は、「招集通知に何も記載されていないのに、株主が連れてきた人を取締役候補にできるのですか？」と内村弁護士に尋ね	①　株主は、取締役の選任議案について、提案された候補者以外の者を修正動議として提案することができる（第5章234頁）。

第6章

株主総会は本番が命!!

49才と働き盛りですし、大手ゼネコンの役員も務めており、当社の取締役としては適任だと思います。」 すると突然、女性の株主がその場で立ち上がり、毅然とした口調で発言し始めた②。 「議長！　私も、森氏は89才と高齢で、取締役に適任とは思えません。私は、森氏に代わって、女性役員を入れることを提案します。当社と同業の取締役をしたご経験をお持ちの石川氏を取締役に選任する修正動議を提出いたします。」 議長は、 「えー、ただいま、2名の株主様より、取締役候補者の森氏に代えて、橋本氏、石川氏をそれぞれ候補者とする旨の修正動議が提出されました。」 と述べ、 「本修正動議につきましては、後程、原案などと一括して採決したいと存じます③。この採決方法にご賛同いただける株主の皆様は拍手をお願いいたします。」 と議場に諮った。 多くの株主が拍手をした。	た。 内村弁護士は、「株主には議案提案権がありますので、可能です。動議として取り扱ってください。」と回答した。 後藤次長は、「えっ、また？　1つの議案に2個も動議出されちゃったら、どうすればいいんだ！？」と慌てふためいた。 これを見た内村弁護士は、後藤次長を落ち着かせるように、「大丈夫です。すでに書面投票で過半数の賛成を得ていますから。原案と一括して採決して、その際に原案先議にすれば、原案可決で自動的に2つの修正動議はいっぺんに否決できますよ。本当は今の女性株主さんは指名し直すべきですが、議長もすでに動議として扱うとしてしまったので、そのとおりに進めましょう。」と助言した。 後藤次長は、すみやかに原案と一括して採決することを議場に諮るよう議長に指示を出した。	②　議長は、指名なく発言する株主については、指名を受けて発言するよう注意するべきである。特に、左記のように動議が出される場合などは、提案株主の氏名等と提案の内容を改めて確認し、また、対応のための時間を十分とるためにも、議長から正式に指名した上で、改めて発言させる手法も考えられる。 ③　原案と論理的に両立しない修正案については、原案が可決されると修正案が否決されることは明らかである。そのため、会議体の原則からは修正動議を先議するのが原則であるが、実務上は、原案と修正案を一括して審議し、原案を先に採決し、議長が原案の可決宣言をするとともに修正案について否決宣言をすることで修正案の採決を省略することが行われている（第5章233頁）。

ス　株主総会中に地震が発生した場合の対応

質疑応答	事務局の動き	解説
質疑応答中に、震度４程度の地震が発生した。一部の株主らの携帯電話の緊急地震速報のアラームがけたたましく鳴った。 しかし、議長は、緊張あるいは疲労のせいか、地震にもアラームにも気づかず、議事進行を進めていた。 「続きまして……。」		【アドバイス】 危機管理対応株主総会の一例である。左記においては震度４程度の地震を取り上げたが、これをはるかに超える大地震等による大規模災害や停電等への対応も検討しておく必要がある。
そんな議長の様子を見て、株主の１人が、興奮した様子で文句をいい出した。 「おい、地震だっていうのに、株主の身の安全をなんだと思ってるんだ。」	後藤次長は、自分の携帯電話の地震アラームが鳴り、地震に気づいたが①、「震度４か、大丈夫だろう。」とのんきに議場の様子をうかがっていた。	①　事務局は、会場の安全確保のため、即座に緊急地震速報を確認し、情報を収集する必要がある。事務局から議長へ緊急地震速報や地震を知らせるメモを差し入れ、会場の安全確保に努めなければならない。
議長は、 「申し訳ございません。 ただいま地震が発生しました。会場の安全と避難の要否を確認いたします。避難する必要がある場合には、係員が誘導いたしますので、しばらく着席のままお待ちください②。」 と述べた。	後藤次長は、株主の様子を見て、株主がパニックになったら大変なことになると地震時の対応の必要があることに気づき、ひとまず、株主を落ち着かせるよう議長に助言した。 地震は、揺れが小さく、すぐにおさまり、しばらく待っても、余震が来るということはなかった。	②　株主が動揺して一斉に避難すると危険なので、指示があるまで落ち着いて席を立たないよう呼びかけ、すみやかに会場の安全確認を行う。万一に備えて避難経路をあらかじめ確認しておくこと、会場内の張り紙や音声による案内により出席株主に周知しておくことも必要である。
議長は、議事を再開した。 「会場の担当者が確認いたしましたところ、緊急の避難の必要はございません。議事を再開いたします。」	後藤次長は、内村弁護士と相談の上、大きな余震の心配がないような状況であるならば③、株主総会を続けるとの判断をし、その旨を議長に伝えた。	③　余震のおそれ等もあるので、軽度の地震の場合でも、状況によっては、決議事項の採決を先に行うことも考えられる。その場合、 「余震発生の可能性もございますので、決議事項の採決を先に行いたく存じます。」 と述べて採決に入ることに

質疑応答	事務局の動き	解説
		なる。特に剰余金の処分の議案については、株主総会翌日から配当金の支払事務手続が開始されることが多く、その事務処理を停止することは現実には困難であるため、決議できなかった場合に生じる事務処理の負担等を考慮すれば、できる限り、当日に決議すべきである。

セ　退場命令

質疑応答	事務局の動き	解説
議長は、次の質問を受け付けた。 「それでは、ほかに、ご質問がある方はどうぞ。」 すると、複数の株主が手を挙げている中、パンチパーマでサングラスをかけ、上下黒色のジャージを着てセカンドバッグを持った男性が 「議長！　議長！」 と低く響く声を上げて手を挙げた。 議長は、 「それではそちらの株主様、マイクのところへ移動していただき、株主番号をおっしゃってからご質問ください。会場係はご案内願います。」 と、その株主を指名してしまった。 株主は、マイクのところに来ると、スタンドマイクからマイクをとり、手に持って、		【アドバイス】 退場命令の発令は、かつては総会屋等の反社会的勢力の跳梁跋扈の時代における対策という側面もあったが、クレーマーや大声で騒ぐ特殊な株主への対応として機能している。近時は不規則発言などを行う特殊な株主もあり、退場命令を発令せざるをえないケースもある。 ただし、退場命令により、株主総会に出席して議事に参加することができなくなるという重い結果が生じることを意識しておく必要がある。そのため、いきなり退場命令を発出するのではなく、繰り返し注意・警告したにもかかわらず、物理的危険あるいは進行妨害等の株主総会秩序の混乱が収束しないような場合にのみ、やむをえず発出するべきであろう。 また、退場命令に至る判断に当たっては、決議取消

質疑応答	事務局の動き	解説
		事由となることがないよう、臨席弁護士に逐次確認の上進めるべきであることはいうまでもない。
「株主番号14番。私ね、この前、マンションを買ったんですよー。新築の。入居に合わせてこちらの会社のエアコンを買ったんだけど、まだ1か月も経っていないのに、畳にカビが生えてきた。お宅に電話しても、『換気をこまめにしてください。』というばかりで、除湿機を使っても、またカビが生えてくる。さっきも、ほかの株主さんが、風呂場にカビが生えてきたっていっていましたよねー。お宅に問題があるんじゃないですか！　除湿機代もかかっているし、部屋がカビだらけで引っ越したいんだが、慰謝料を含めて、この損害は、ちゃんと弁償してくれるんでしょうねえ？」と強い語気でとうとうと述べた。	後藤次長は、またクレーム関係の質問だと思いつつも、他の株主よりもかなり語気が荒く、マイクまで手に握った状態の株主の様子を、どうなることかと緊張して見ていた。	
<u>株主は、マイクを握ったまま</u>①、議長を睨んでおり、議長は、株主の風貌、語気に緊張したのか、株主を自席に戻すことなく、すぐに回答を始め、会場係も、株主に席に戻るよう促すことはなく、マイクも回収しないままであった。 議長が、 「ただいまの株主様のご質問は、当社のエアコンを購入したところ、畳にカビが生えたので、それに関わる損害を当社は弁償してく		①　株主がマイクスタンドまで移動するスタイルの場合、本来、質問の都度、株主を自席に着席させることが望ましい。左記のように、株主がマイクを手に持ったままの状況であれば、議長としては、少なくともマイクをスタンドに戻すようにいうべきである（なお、そもそも、スタンド型の場合、マイクとスタンド本体を固定してしまう会社もある）。株主にマイクを渡

質疑応答	事務局の動き	解説
れるのか、という質問と承りました。 　えー、株主様のご質問は、個別の案件に関わるものでありまして、本総会の目的事項とは関係がなく、ご回答は差し控えさせていただきます。」		すスタイルの場合、本来、株主が発言を終える都度、会場係がマイクを回収すべきである。
と述べると、株主は、マイクを持ったまま前へ数歩詰め寄り②、 「ふざけんな！　おまえらのせいでこっちは被害を受けて、毎日嫌な思いをしながら暮らしてるんだぞ。株主に損害を与えておいてなんとも思わないのか？」 と怒鳴り出し、その様子に、会場係は、株主のそばに寄ろうとするものの、何もできずあたふたするばかりで、株主が握ったマイクを取り上げることもまったくできないありさまであった③。	突然の出来事に後藤次長がどうしたらよいのかパニックになる中、株主と会場係の様子を見ていた内村弁護士は、「会場係にマイクを取り上げるように指示してください。」と後藤次長に告げるが、後藤次長がインカムで会場係に指示しても、会場係はうまく対応できない。その様子を見て、内村弁護士は、後藤次長に対し、「議長に不規則発言を制止するように指示してください。」と述べ、後藤次長は、急いでメモを書いて、議長に渡した。	②　マイクを持ったままであるため、いっそう続けて発言をしやすくなってしまっている。 ③　マイクは危険物にもなるものであり、すぐに取り上げるべきである。 　会場係が適切に対応できていなければ、議長や事務局から指示を出す必要がある。
会場が緊張した空気に包まれる中、議長は、後藤次長から株主に注意するようにとのメモを渡されると、ただひたすらに注意を繰り返した。 「株主様、ご自分の席にお戻りになり、不規則発言はおやめください。議事進行に支障を来し、他の株主様のご迷惑になります。」④⑤ 「株主様、ご自分の席にお戻りになり、不規則発言はおやめください。議事進行に支障を来し、他の株主様のご迷惑になります。」⑤		④　議長は、議事整理権（会315条）に基づき不規則発言をやめるように命令することができる。 ⑤　左記で議長は、「不規則発言はおやめください。」というまったく同様の注意を4回繰り返しているだけであるが、この時点で、すでに株主は

質疑応答	事務局の動き	解説
「株主様、ご自分の席にお戻りになり、不規則発言はおやめください。議事進行に支障を来し、他の株主様のご迷惑になります。」⑤ 「株主様、ご自分の席にお戻りになり、不規則発言はおやめください。議事進行に支障を来し、他の株主様のご迷惑になります。」⑤		席から離れ役員席に近づこうとしている状況なのであるから、その違法性は顕著であり議事が乱されたことは明白である。したがって、数回注意した後は、退場命令を発すべく、警告すべきである。それでも株主が不規則発言を継続するような場合には、ためらうことなく退場命令を下すべきであろう。 また、そもそも最初に注意を出す際に、「不規則発言はやめ、ご自分の席にお戻りください。不規則発言をやめていただかないとご退場いただくことになります。」というように、退場命令の予告を含む表現を用いるべきである。
しかし、どんどんヒートアップしてきた株主は、 「迷惑を被ってんのはこっちだよ、わかってんのか？　あ？」 などと発言しながら議長の方に歩いて行き、会場係は株主を制止しようとするが何もできずあたふたするばかりであった⑥。株主は、マイクを持ったまま、暴言を続け、議場は騒然とし始めた。 議長は、だんだん近づいてくる株主に対し、 「株主様、ご自分の席にお戻りになり、不規則発言はおやめください。議事進行に支障を来し、他の株主様のご迷惑になります。」		⑥　会場係の練習も重要である。具体的には、リハーサルの際またはリハーサル後に実際に株主総会が開催される会場で訓練すべきであろう。

質疑応答	事務局の動き	解説
「株主様、本総会ではそのような不規則発言はおやめください。本総会では議長をそのように威嚇する行為は許されておりません。ただちに、ご退場ください⑦。」 とついに退場を命じた。 株主は、 「真剣に発言をしている株主に黙れというのかこの馬鹿野郎！」 と暴言を続け、 議長は、 「会場係、ただちに株主番号14番の株主様を退場させてください。」 と命じた。	内村弁護士から、「退場命令の予告をするようにしてください。」と指示を受けたものの、後藤次長は、恐怖と緊張とですぐに行動できなかった。それを見た内村弁護士は、自ら議長に伝えようとしたが、恐怖におののく議長は、耐え切れず唐突に退場を命じてしまったのであった。	⑦　議長は、退場命令の予告を行わず即退場としているが、退場命令は相当に重い処分であるから、事前に注意・警告を行い、それでも議長の命令に従わない場合に退場命令を下すべきである（第5章229頁）。 実際に退場命令を下すに当たっては、臨席弁護士や事務局に確認することが必要である。
議長は、続けて、 「12時49分審議を一時中断いたします⑧。しばらくお待ちください。」 と述べ、会場係は、株主を抱えて、会場外へと退場させた⑨。 その様子を見届け、議長は、 「12時51分審議を再開いたします⑧。」 と述べて、審議を継続した。	退場命令を出して落ち着いたのか、議長は急に冷静になって、審議の一時中断時刻と再開時刻を告げ出したが、後藤次長と内村弁護士は顔を見合わせ、「その冷静さは、退場させる前に見せてほしかった……。」と悔やむのであった。	⑧　退場命令が出され審議が中断する場合は、事務局、弁護士に確認して時刻を述べるようにする。 退場を確認後、審議を再開する際には、再開時刻を述べる。 ⑨　退場命令が出された後、会場係がただちに株主を抱えて退場させている。当該株主を退場させるために必要な実力行使はできると解されているが、後にクレームに発展することを回避するためにも、まずは自主的な退場を促すべきである。会場係にもこの点は徹底するよう注意しておく必要がある。

ソ　質疑打切り

質疑応答	事務局の動き	解説
議長は、これまでのやりとりで疲弊してしまったのか、複数の株主が手を挙げているにもかかわらず、うんざりした様子で時計に目をやり、 「それでは、時間もかなり経過しておりますので、審議を打ち切り、議案の採決に移らせていただきます①②。」 と述べた。	後藤次長は、内村弁護士に、「われわれに何の相談もなく質疑を打ち切ってしまいましたが、大丈夫でしょうか？」と尋ねた。内村弁護士は、苦い顔をして「うーん、確かにすでにかなり質疑に時間を費やしはしましたが、打ち切り方が少し唐突ですね。」となった。	【アドバイス】 株主総会における株主の質問の機会は、説明義務との関係から、それをむやみに奪えば決議取消事由に該当しうる、株主にとって重要な機会であるだけでなく、年に1度の株主総会の場において経営陣自らが株主の質問に答えるという貴重なIRの機会でもある。そのため、その機会を終了させる質疑打切りのタイミングは、株主総会運営上非常に重要であり、株主総会当日の最大のテーマの1つであるといっても過言ではない。最近の株主総会の平均開催時間は40分程度とされていること[39]、1時間程度の質疑を受け付ければ通常質疑も尽きてくることなどからすれば、一般的には閉会まで2時間程度を見ておけば十分ともいわれている。 ①　質疑打切りのタイミングの判断を間違うと説明義務違反（会314条）の問題が生じる可能性がある。打切りの判断は、議長も事務局や弁護士に確認した上で行うべきであり、また、事務局も適当なタイミングで議長にメモを差し入れるべきである。 質疑打切りのタイミングは、たとえば、a）挙

39　商事法務研究会編・前掲注12）25頁以下。

質疑応答	事務局の動き	解説
		手をする株主がどの程度残っているか、b）同様の質問が繰り返されているか、c）経過時間、d）議場の雰囲気等を総合的に勘案した上で判断することになる。 ② 打切りを行う場合も、突然審議を打ち切るのではなく、「質問はあと○名」という予告を行った後に打ち切る方が、株主の納得を得られやすい。 たとえば、「それでは、報告事項および決議事項に関し十分なご質問をいただいており、また時間も相当程度経過しておりますので、ご発言はあと2名の株主様とし、その後は、ご質問および動議の提出を含めたすべての審議を打ち切り、議案の採決に移らせていただきます。」などと述べる。

(4) 採　決

質疑応答	事務局の動き	解説
【採決】 　第１号議案が承認可決され、いよいよ修正動議が提出された第２号議案の採決場面となった①。 　ところが、議長は、修正動議が提出されたことを忘れている様子で、 「それでは、第２号議案『取締役５名選任の件』の採決をいたします。本案にご賛成……。」 と述べ、そのまま採決に入ろうとした②。 　その時、事務局からメモが出され、議長は、改めて 「本議案につきましては、先ほど、取締役候補者の森氏に代えて、橋本氏、石川氏をそれぞれ候補者とする旨の修正動議が提出されております。まずは原案を先に採決いたしたく存じますが、ご賛同いただける株主様は拍手をお願いいたします。」 と議場に諮ったところ、株主は原案を先に採決することに賛成した。その後、原	後藤次長は、内村弁護士より「修正動議が提出されている第２号議案については、原案を先に採決した方がいいですね。この点については議場に諮るよう議長に伝えてください。」といわれ、その旨議長にメモを出した。	①　修正動議が提出された場合には、採決の場面でその処理を忘れないよう注意が必要である。 ②　原案を先に採決することについては議場に諮る対応をとるのがよいだろう（原案先議）。

質疑応答	事務局の動き	解説
案の採決が行われ、原案が承認可決されたため、議長はその旨を述べるとともに、修正動議がいずれも否決されたことを併せて述べた③。 その後、残る議案もすべて承認可決された。 なお、本総会では、株主提案による議案が提出されていたため、議長は、次のとおり株主提案に関する採決を行った。 「次に、株主提案である第○号議案『定款一部変更の件』につきまして、採決をいたします。		③　修正動議が否決されたことも忘れずに述べる。
当社取締役会の意見は、本件株主提案に反対でございますが、当社取締役会と同様に、株主提案に反対される株主様は、拍手をお願いいたします。（拍手）④ ありがとうございました。本議案は、議決権行使書によるものを含め、３分の２以上の賛成が得られませんでしたので、第○号議案は否決されました。」		④　株主提案に対する取締役会の意見をあらかじめ示した上、それに対する賛成を求める諮り方の方が、否決を導きやすい。
【閉会宣言】 最後に、議長は閉会宣言をした。しかし、議長には安堵の表情はなく、疲れた表情で役員とともに会場を出て行ったのであった。	後藤次長は「ようやく終わった……。しかし、事務局として全然議長の力になれなかったな……。」と後悔の念でいっぱいだった。	

＜議場内集計を行う場合＞

質疑応答	事務局の動き	解説
【採決】 質疑が打ち切られ採決の場面となった。本総会においては、第２号議案「取締役５名選任の件」について、株主の賛否が拮抗することが予想されており、議決権の事前行使では賛否の結果が明らかになっていなかったことから、議場内集計を行うこととなった①。 議長は、「他にご質問がないようですので、議案の採決に入らせていただきます」と述べ、採決方法について説明した。	事前の集計結果では、賛否が拮抗していた。後藤次長は、賛否が拮抗した場合の対応について、内村弁護士や証券代行と事前に相談していたところ、やはり議場内で集計せざるを得ないと判断し、議長に対し、議場内集計をする場合のシナリオで進行するようメモを渡した。	①　議決権の事前行使から賛否の結果が判明しない場合には、議場において集計することが必要となる。事前行使の集計結果により承認可決となることが判明している議案については、通常の採決と同様に拍手を求めるなどして賛否を確認し、承認可決となった旨を宣言すれば足りる。
議長は、「採決につきまして、投票用のマークシートにご記入いただく方法で行わせていただきます②。」と述べた。		②　法的には、賛否の結果さえ確認できればよいため、必ずしも投票用のマークシートを利用する方法に限定されるわけではないが、当該方法は、決議要件の充足が客観的に判断可能となり、かつ、会社が恣意的に出席株主による議決権行使の結果を操作すること防ぐものであるため、特に出席株主が相当数になることが予想される会社において、事前行使の集計結果によって賛否が判明しない場合には、比較的多く採用される方法である。
議長は③、投票用紙（マークシート）の記入方法について、第２号議案の候補者ごとに「賛成」「反対」「棄権」のいずれか１つだけにマークして行うことを説明	後藤次長は、投票手順、方法について、事前に入念に議長に対してレクチャーしていたが、誤った説明をしてしまうのではないかと、気が気ではなかった。	③　議長ではなく、事務局が説明することもありうる。

質疑応答	事務局の動き	解説
した。 　さらに、議長は、第２号議案については、取締役候補者の森氏に代えて、橋本氏、石川氏をそれぞれ候補者とする旨の修正動議が提出されていることから、「株主様から修正動議が提出された取締役候補者の橋本氏に対する投票は、第２号議案の投票欄のうちのＡ欄に、石川氏に対する投票はＢ欄に、それぞれマークしてください」と説明した。 　そして、重複等の取り扱いについて、「第２号議案は取締役を５名選任することを内容とする議題に関する議案ですので、賛成にマークすることができる上限は５名となります。６名以上に賛成にマークされた場合にはすべて無効として取り扱わせていただきますのでご注意ください④。」と説明した。 　また、議長は、各議案あるいは各候補者に対するマーク欄のうち「賛成」「反対」「棄権」の欄に２つ以上重複してマークされますと「無効」となると説明した。 　加えて、マークにご記入がない場合には、会社提案については「賛成」、株主側提案については「反対」の意思表示があったものとして取り扱い、投票用紙のご提出がない場合は「棄権」として取り扱う⑤と説明した。	しかし、議長は、落ち着いた様子で説明を終え、後藤次長はひとまず安堵した。	④　会社提案と修正動議による修正提案がいずれも承認可決されることはない。両立しない関係にある双方の提案について賛成した投票については無効とする旨を説明するものである。 ⑤「賛否の表示をしない場合には賛成の表示があったものとして取り扱う」旨の記載が明記されている投票用紙による投票について、裁判例では、株主総会における表決の方式について法令上特段の規定は存在せず、出席者の意思を算定しうる方法であれば差し支えないとした上で、当該投票用紙には当該記載が明記されており、賛否を記載せず投票用紙を提出した株主は賛成と取り扱われることを事前に理解して賛

質疑応答	事務局の動き	解説
		成の意思を表示したものと認めることができるとされている[40]。賛否を記載しない投票用紙が提出されることはありうることから、賛否が記載されていない場合の取り扱いなどのルールについては、投票用紙に記載するとともに、左記のシナリオのように株主に対して説明しておくべきであろう。
議長は「それでは、投票者を特定させるため議場を閉鎖します。会場係は議場を閉鎖してください。」と述べた上⑥、「それではお手元の投票用紙にご記入ください。記入方法についてご質問のある方は挙手願います。」と説明した。		⑥　出席株主の議決権数を確定させるため、また、集計作業の混乱を避けるため、投票用紙を回収し、投票用紙の不備の確認が終わるまでは、議場を閉鎖するのが通例である。
議長は、投票が終わったタイミングを見計らって、「それでは、投票用紙の記入が終わられたようですので、投票用紙を回収いたします。係員が投票箱を持って回収に参りますので、投票用紙を投票箱にお入れください⑦。」と述べた。	後藤次長は、投票用紙の回収漏れがないか、会場係の対応を注視した。	⑦　本総会では、係員が投票箱を持って回収をしている。投票箱を複数設けるとか、会場をいくつかのブロックに分けて、ブロックごとに投票させるなどの方法もありうるところ、会社ごとに正確かつ、効率的に投票ができる方法を検討すべきである。
議長は、集計のため、「投票が完了いたしました。只今○時○分でございます。只今より○分間休憩と致します」と述べ、休憩を宣言し、株主全員に対し退室を求め、再度議場を閉鎖した⑧。	後藤次長は、会場係に対し、株主を退室させ、再度議場を閉鎖するよう指示し、集計作業に入った。	⑧　投票用紙の回収完了後、休憩を宣言した上で株主を退室させ、休憩時間中（集計中）は議場を閉鎖する方法をとる会社や、集計中は退室を認めない方法をとる会社等があるが、実務上、前者の

40　乾汽船事件（東京地判令和3・4・8資料版商事448号133頁、東京高判令和3・12・16資料版商事455号112頁）。

質疑応答	事務局の動き	解説
集計が終わり、事務局は、議場の扉を開き、議場の外で待機していた株主を入場させた。 そして、議長は、本総会の再開を宣言した。 議長は、「ご出席株主の皆様方の各議案の投票による採決が集計されましたので、これより議案の採決に移ります」と述べ、採決に入った。 議長は、各議案について、原案どおり承認可決されたことを述べた。		方法をとる会社が比較的多いものと思われる。また、議長から、公正性を担保するための状況（回収箱が空であることの確認や、投票に当たって株主総会検査役や委任状勧誘を行った株主の立会いを認めるなど）の説明等も行うことが望ましい（第5章244頁）。
なお、第2号議案については、原案が承認可決されたため、議長はその旨を述べるとともに、修正動議がいずれも否決されたことを併せて述べた⑨。 【閉会宣言】 最後に、議長は閉会宣言をした。		⑨　修正動議が否決されたことも忘れずに述べる。

第7章

株主総会は事後対応が命!!

第１節　株主総会後の社内手続

202Y年6月29日

●解説

1　株主総会後の会議体

株式会社の取締役、監査役は、株主総会において説明義務を負うため（会314条）、他社の取締役や監査役を兼務する場合の日程の競合や病気等の特別な事情がある者を除き、定時株主総会には全員が出席するのが通常である。また、選任予定の取締役や監査役の候補者も出席するのが通常であるため、定時株主総会終了後同日中に、新たに選任された取締役や監査役を加えての取締役会や監査役会を開催するのが一般的である。

定時株主総会後の取締役会および監査役会（監査等委員会）のポイントは、以下のとおりである。

(1)　取締役会

ア　招　集

上記のとおり、定時株主総会後に開催される取締役会は、新たに選任された者も含めて取締役・監査役の全員が揃っている機会に開催されるため、全取締役・監査役の同意の上で、招集手続を経ることなく全員が出席して開催されるのが一般的である（会368条2項）。この場合には、招集手続省略について全員の同意がある旨を取締役会議事録に記載しておくことが望ましい。

なお、取締役・監査役の欠席が想定される場合には、その者から招集手続省略の事前同意書（新任候補者の場合には、選任を停止条件とする同意書）を得ておくことが必要である。

イ　議　題

定時株主総会後の取締役会では、主として以下の事項が決議される。

(ア)　代表取締役の選定

代表取締役である取締役が改選された場合には、取締役の任期満了と同時に代表取締役の任期も終了することになるので、新たに代表取締役の選定が必要である（会362条2項3号・3項）。

(イ)　役付取締役や業務執行取締役の選定

取締役会設置会社では、代表取締役のほかに、業務を執行する取締役として選定された取締役（業務執行取締役）も会社の業務を執行することができ（会363条1項2号）、この業務執行取締役は、実務上、役付取締役として選定される場合が多い。取締役が一部入れ替わっている場合には、役付取締役や業務執行取締役が改選されていなくても、改めて選定し直すのが一般的である。

(ウ)　取締役の報酬等の決定

取締役の報酬等は、金額やその算定方法等が定款に定められていないときは、株主総会の決議によって定めなければならない（会361条1項）。実務上は、株主総会では報酬等の総額の限度額だけを定め、各取締役への配分額の決定は取締役会に（内規がある場合にはその内規に従うことを条件に）一任する取扱いが多い。その場合、取締役会が各取締役の報酬等の具体的な配分決定を行うことになるが、取締役会が特定の取締役に配分決定を再一任することも妨げないと解されており[1]、実務上は、取締役会において代表取締役の決定に一任する場合も多い。なお、有価証券報告書提出会社である監査役会設置会社（公開会社であり、かつ、大会社であるものに限る）または監査等委員会設置会社は、定款または株主総会決議により取締役の個人別の報酬等の内容を具体的に定めていないときは、取締役会で取締役の個人別の報酬等の内容についての決定に関する方針を決定する必要がある（会 361 条 7 項）[2]。

CG コード補充原則 4-10 ①においては、監査役会設置会社または監査等委員会設置会社であって、独立社外取締役が取締役会の過半数に達していない場合には、経営陣幹部·取締役の指名·報酬等に係る取締役会の機能の独立性·客観性と説明責任を強化するため、たとえば、取締役会の下に独立社外取締役を主要な構成員とする任意の諮問委員会を設置すること等により、報酬等の特に重要な事項に関する検討に当たり、ジェンダー等の多様性やスキルの観点を含め、独立社外取締役の適切な関与·助言を得るべき旨規定されている。特に、プライム市場上場会社は、各委員会の構成員の過半数を独立社外取締役とすることを基本とし、その委員会構成の独立性に関する考え方・権限・役割等を開示すべきとされている。近時は、かかる CG コードの趣旨を踏まえ、任意の諮問委員会での審議を経た上で、報酬額を決定するプロセスを採用する会社も多く見受けられる。これらの委員の選任を取締役会決議事項としている会社においては、定時株主総会後の取締役会において委員を選任し、さらに、委員会への諮問事項を決定することとなると考えられる。

（エ） 競業取引、利益相反取引の承認

取締役が会社と競業する取引を行っている場合や、利益相反取引を行っている場合には、当該取引によって会社の利益が害されないかを取締役会が検討し、その承認決議を行うことが必要である（会 365 条 1 項・356 条 1 項）。た

---

1 江頭憲治郎『株式会社法〔第 8 版〕』（有斐閣、2021）472 頁注(8)、落合誠一編『会社法コンメンタール 8——機関(2)』（商事法務、2009）167 頁〔田中亘〕。ただし、一任するには、多数決ではなく取締役全員の同意が必要とする見解もある（大隅健一郎＝今井宏『会社法論中巻〔第 3 版〕』（有斐閣、1992）171 頁注 5）。

2 当該方針については一旦取締役会で決定すれば、方針に変更がない限り、毎年取締役会において方針決定する必要はない（法務省パブリックコメント「会社法の改正に伴う法務省関係政令及び会社法施行規則等の改正に関する意見募集の結果について」（2020 年 11 月 24 日）第 3 の 1(5)⑨）。

とえば、競業関係にある会社の代表取締役が取締役に就任したような場合には、定時株主総会後の取締役会においてこれらの取引につきあらかじめ包括的に承認を受けるのが通例とされている。

（オ） 役員等賠償責任保険（D&O 保険）契約の締結および更新

令和元年改正会社法により、役員等賠償責任保険（D&O 保険）契約の内容の決定には、取締役会決議が必要とされることになった（会 430 条の 3 第 1 項）。また、役員等賠償責任保険（D&O 保険）契約を更新する場合においても、改めて保険契約の内容を決定することになるため、取締役会決議が必要とされている[3]。

上記取締役会決議は、会社が必要とするタイミングで行われるものであり、必ずしも定時株主総会後に開催される取締役会で行われる必要はないが、役員改選のタイミングで役員等賠償責任保険（D&O 保険）契約を締結・更新する場合には、当該決議を行うことになる。

（2） 監査役会

ア 招 集

定時株主総会後に開催される監査役会も取締役会と同様に、全監査役の同意の上で、招集手続を経ることなく全員が出席して開催されるのが通常であり（会 392 条 2 項参照）、取締役会について前述したところと同様である。

イ 議 題

（ア） 常勤監査役の選定

すでに常勤監査役（会 390 条 3 項）が選定済みであって、当該監査役の任期が満了していない場合には、改めて常勤監査役を選定する必要はないが[4]、他の監査役が改選されて監査役の一部に交替がある場合は、改めて常勤監査役を選定し直すのが一般的と考えられる。

（イ） 監査の方針や調査の方法等監査役の職務執行に関する事項の決定

監査役会において、監査の方針、監査役会設置会社の業務および財産の状況の調査の方法その他の監査役の職務の執行に関する事項の決定がなされる（会 390 条 2 項 3 号）。通常、事業年度開始の時点で決定済みであるが、定時株主総会において監査役の全部または一部が交替した場合には、改めて監査の方針や調査の方法等について確認し、新任監査役を含めた各監査役の職務の分担を定める必要がある。

（ウ） 監査役の報酬等の決定

監査役の報酬等は、定款の定めまたは株主総会の決議により定められるが、

3 竹林俊憲編著『一問一答令和元年改正会社法』（商事法務、2020）129 頁注 2。
4 稲葉威雄ほか編『〔新訂版〕実務相談株式会社法(4)』（商事法務研究会、1992）91 頁。

監査役が２人以上ある場合に、各監査役の報酬等について定款の定めまたは株主総会の決議がないときは、監査役の協議（監査役全員の同意）によって定められる（会 387 条１項・２項）。

（3）　監査等委員会

ア　招　集

定時株主総会後に開催される監査等委員会も監査役会と同様に、監査等委員全員の同意の上で、招集手続を経ることなく全員が出席して開催されるのが一般的といえる（会 399 条の９第２項参照）。

イ　議　題

（ア）　常勤監査等委員の選定

監査役会設置会社においては、常勤の監査役を選定しなければならない（会 390 条３項）が、監査等委員会設置会社では、常勤の監査等委員の選定は義務付けられていない。常勤の監査等委員を選定するか否かについての会社の方針は分かれるところであるが、これを選定する場合、上記で述べた監査役会設置会社における常勤監査役の運用に倣うことになると考えられる（公益社団法人日本監査役協会「監査等委員会監査等基準」１頁）。なお、常勤の監査等委員の選定の有無およびその理由は、事業報告の記載内容となる（施 121 条 10 号イ）。

（イ）　調査権限者の選定

監査等委員会において選定された監査等委員は、いつでも、取締役や使用人に対しその職務の執行に関する報告を求め、または会社の業務および財産の状況を調査することができる（会 399 条の 3）。この調査等の権限を有する監査等委員の選定は、調査等の都度行うこともできるが、継続的に調査等させるため、あらかじめ選定することもできる。そのため、後者の場合、定時株主総会後の監査等委員会において当該監査等委員を選定することが考えられる。

（ウ）　監査等委員の報酬等の決定

監査等委員である取締役の報酬等は、定款にその額を定めていないときは、株主総会の決議によって、監査等委員である取締役とそれ以外の取締役とを区別して定める（会 361 条１項・２項）。監査等委員である各取締役の個別の報酬額が定められていないときは、監査等委員である取締役の協議によって、これを定める（同条３項）。

2　株主総会後の書類の作成、備置等

株主総会議事録の作成とその備置等、会社法、金融商品取引法および証券取引所の上場規則等において、株主総会の終了後に（一部は株主総会の開催前から）会社が行うことが義務付けられている事項がいくつか存在する。以下では、

これらの事項について説明する。

（1） 会社法関連

ア 株主総会議事録の作成、備置

株式会社は、株主総会を開催した場合には、株主総会の議事録を作成し（会318条1項）、これを株主総会の日から10年間、本店に備置するとともに、株主総会の日から5年間、支店に議事録の写しを備置しなければならない（同条2項・3項）。なお、議事録が電磁的記録で作成されている場合には、支店での備置については、インターネット等の電気通信回線を通じて支店のパソコンから閲覧できる状態に置くことでも足りる（施227条2号）。

株主および債権者は、会社の営業時間内はいつでも、議事録の閲覧または謄写を申請することができる（会318条4項）。備置の懈怠および閲覧・謄写の不当な拒否には過料の制裁がある（会976条8号・4号）。

この議事録は書面または電磁的記録をもって作成され（施72条2項）、記載が必要とされる内容は以下のとおりである。

（ア） 株主総会が開催された日時および場所

① 株主総会が開催された日時および場所（施72条3項1号）については通常、議事録の表題に続けて記載する。記載方法としては、以下のサンプルのように箇条書きで記載する方式のほか、文章形式で記載する方式もある。

② ウェブ会議システムや電話会議システムを用いて株主総会に参加した役員等がいる場合には、その出席方法も記載しなければならない（施72条3項1号）。また、会場を複数設けた場合には、それらの会場をすべて記載することになるが、単なる中継会場やテレビ会議・電話会議システムの設置場所を記載する必要はない。したがって、参加型バーチャル株主総会の場合であっても、特段の記載は不要である。

（イ） 会議の目的事項

実務上、株主総会の目的事項（会298条1項2号）としての報告事項および決議事項を記載することが多い。一般に、株主総会招集通知の記載に対応させる（会299条4項、298条1項2号）。

（ウ） 議決権等の状況

出席株主数およびその議決権数は、書面投票や電子投票により事前に議決権を行使した株主の数およびその議決権数を含み、基準日現在の議決権を行使できる株主数およびその議決権数とともに記載する例が多い。

（エ） 株主総会に出席した取締役および監査役

株主総会議事録には、出席取締役、執行役、会計参与、監査役または会計監査人の記載が求められる（施72条3項4号）。

併せて「議事録の作成に係る職務を行った取締役の氏名」の記載が求められており（施 72 条 3 項 6 号）、具体的には、議事録案の最終決裁者の氏名がこれにあたると解される。

また、議長についても、その氏名を記載する必要がある（施 72 条 3 項 5 号）。

（オ） 議事の経過の要領およびその結果

① 基本的な考え方

「議事の経過」とは、株主総会の開会から閉会までの会議の経過をいい、「議事の結果」は、審議により最終的に確定した決議の内容をいう（施 72 条 3 項 2 号）。具体的には、会社法施行規則 72 条 3 項所定の事項に加えて、議長の開会宣言、議決権個数の報告、監査役の報告、報告事項の報告、質問状に対する一括回答、報告事項に関する質疑応答、質問状の提出者が株主総会に出席した場合はその旨、議案の上程および審議、議案に関する質疑応答、動議が出された場合はその旨、議長の閉会宣言と閉会時刻が含まれると解されている。

もっとも、株主総会議事録に記載するのは、「議事の経過の要領」であるため、議事の詳細を逐一記載する必要はない。通常は、あらかじめ作成している株主総会の議事シナリオに沿って、「議事の経過の要領」として記載する内容を組み立てることになる。

② 開会宣言

通常は、定款に「株主総会は取締役社長が招集し、議長となる」等の規定が設けられているため、「定款第○条の定めに従い議長に就任する」旨の就任宣言を行った上で開会を宣言するのが一般的であり、議事録にもその旨を記載している。

また、株主総会の開会に続けて、議長から議事の進め方についてその要領が簡単に説明されることが多い。

③ 監査報告

監査役は、株主総会において常に報告義務を負うわけではないが、実務上は、ほとんどの会社の定時株主総会で監査役による監査報告が行われている。

この場合、監査役は、監査報告書の内容について簡潔に報告することが通常であり、議事録にもこれを反映することとなる。なお、議事録に招集通知が添付されている場合、議事録上の監査報告書の内容については、これを引用する等して簡潔に記載すれば足りる。

④ 報告事項の報告

会計監査人設置会社においては、一定の要件を満たすときは、事業報告に加えて、計算書類についても（決議事項ではなく）報告事項となる（会 439 条）。また、連結計算書類作成会社においては、連結計算書類の内容およびその監査結果についても報告事項となる（会 444 条 7 項）。

これらの報告事項の報告は、議場では、おおむね招集通知の添付書類に沿ってなされることから、議事録上は内容を逐一記載せず、添付書類を参照する形式で記載する例が多い。

なお、映像やナレーション等の方法を用いて報告事項の報告を行った場合には、議事録においてかかる方法を用いたことに言及すべきであろう。

⑤　議案の上程および審議

議案の内容については、株主総会参考書類を添付し、これを引用することで、簡潔に記載することができる。

議案の審議の方法としては、報告事項・個々の議案ごとに審議して採決する個別審議方式と、報告事項も含め、すべての議案を一括して審議し、審議終了後採決のみを行う一括審議方式に分かれる。個別審議方式の場合は、報告事項の報告後、いったん報告事項に関する審議が行われ、株主からの質問を受け付けることとなる。

⑥　動議

議場に諮った動議については、原則として記載することになると考えられる。もっとも、議場を混乱させることを意図して行われたような動議については、議事録に記載することを要しない場合もあろう。

⑦　採決

議事録には、議事の結果を記載すればよく、特段の事情がない限り、採決の方法（投票によるか、拍手によるか等）まで記載する必要はない。

なお、議案の決議要件は、一般に普通決議（会 309 条 1 項）と特別決議（同条 2 項）に分かれるが、議事録への記載に際しては、それぞれの決議要件が満たされていることを明確に記載しなければならない。

普通決議であれば「過半数の賛成」、あるいは「賛成多数」や「大多数の賛成」等いずれでもよいが、特別決議の場合には「大多数の賛成」という記載では「出席株主の議決権の 3 分の 2 以上の賛成」という決議要件を満たしているかが明確でなく、そのような記載がなされた議事録では登記申請が受理されないため、注意を要する。

⑧　閉会宣言

議事が終了すると、議長は閉会を宣言する。議事録には、閉会宣言とともに、その終了時刻を記載する。

第○回定時株主総会議事録

1. 開催日時　20xx 年 6 月 xx 日午前 10 時 00 分から午前 11 時 31 分

2. 開催場所　東京都千代田区日比谷公園○―○新日比谷公会堂

3. 本総会の目的事項

報告事項

1. 第○期（20xx 年 4 月 1 日から 20xx3 月 31 日まで）

事業報告、連結計算書類ならびに会計監査人および監査役会の連結計算書類監査結果報告の件

2. 第○期（20xx 年 4 月 1 日から 20xx3 月 31 日まで）

計算書類報告の件

決議事項

第 1 号議案剰余金の配当の件

第 2 号議案取締役 3 名選任の件

第 3 号議案退任取締役に対する退職慰労金贈呈の件

4. 本総会における議決権等の状況

株主総数（20xx 年 3 月 31 日現在）　○○○○名

発行済株式総数（20xx 年 3 月 31 日現在）　○○○○株

本総会において議決権を行使できる株主の数　○○○○名

その議決権数（単元株式数：100 株）　○○○○個

本総会に出席の株主数（書面またはインターネットにより議決権を行使した者を含む）　○○○○名

その議決権数（書面またはインターネットによる議決権数○○○個を含む）　○○○○個

5. 本総会に出席した取締役および監査役

出席取締役○○○○、○○○○、○○○○、○○○○、○○○○

○○○○、○○○○、○○○○、○○○○

出席監査役○○○○、○○○○、○○○○、○○○○

6. 本総会の議事の経過の要領およびその結果

定刻、代表取締役社長○○○○は、当社定款第○条の定めにより本総会の議長を務める旨を述べて開会を宣した後、本総会の運営方法として、報告事項の報告および議案の上程の後にそれらについての審議を一括して行う旨を説明し、株主から了解を得た。

次に、議長は、本総会において議決権を行使する株主数およびその議決権数について、午前 9 時 50 分現在で、議決権行使書の提出者およびインターネットによる議決権行使者を含め株主数が○○○○名、その議決権個数が○○○○個であることを報告し、本総会に提出の全議案は適法に決議できる旨を報告した。

引き続き、議長は監査役に監査報告を求めたところ、監査役を代表して、常勤監査役○○○○は、第○期事業年度の監査の方法および結果は、別添「第○回定

時株主総会招集ご通知」記載の監査役会監査報告書のとおりであり、本総会に提出される議案および書類はいずれも法令および定款に適合し、不当な事項は認められない旨、第○期事業年度の連結計算書類の監査結果は「第○回定時株主総会招集ご通知」の連結計算書類に係る会計監査人および監査役会の監査報告のとおりである旨を報告した。

監査報告に続いて、議長は、事業報告、連結計算書類および計算書類の内容の概要を報告した。

引き続き、議長は議案の上程およびその内容の説明を行った。

第 1 号議案　剰余金の配当の件

議長は、第 1 号議案について、当事業年度の業績および今後の事業展開等を勘案し、当期の期末配当として普通株式 1 株につき金○円としたい旨を説明した。

第 2 号議案　取締役 3 名選任の件

議長は、第 2 号議案について、取締役○○○○、○○○○および○○○○の 3 名は、本総会終結の時をもって任期満了となるので、○○○○、○○○○および○○○○の 3 名を選任したい旨を説明した。

第 3 号議案　退任取締役に対する退職慰労金贈呈の件

議長は、第 3 号議案について、本総会終結の時をもって取締役を退任する○○○○に対し、その在任中の労に報いるため、当社の定める一定の基準に従い相当額の範囲内で退職慰労金を贈呈したい旨、その具体的な金額、贈呈の時期・方法等は、取締役会に一任願いたい旨、同氏の略歴は「第○回定時株主総会招集ご通知」○頁記載のとおりである旨を説明した。

議案を上程した後、議長は報告事項および決議事項について、出席株主から一括して質問を受ける旨を述べたところ、株主○名から、……、……、……について質問があり、議長および議長の指名に基づいて担当取締役から回答を行ったのちに、出席株主の了解を得て、議案の採決に入った。

第 1 号議案　剰余金の配当の件

議長が議案の賛否を諮ったところ、議決権行使書の提出者およびインターネットによる議決権行使者を含め出席株主の議決権の過半数の賛成があったので、原案のとおり承認可決された。

第 2 号議案　取締役 3 名選任の件

議長が議案の賛否を諮ったところ、議決権行使書の提出者およびインターネットによる議決権行使者を含め出席株主の議決権の過半数の賛成があったので、原案のとおり承認可決された。

第 3 号議案　退任取締役に対する退職慰労金贈呈の件

議長が議案の賛否を諮ったところ、議決権行使書の提出者およびインターネットによる議決権行使者を含め出席株主の議決権の過半数の賛成があったので、原案のとおり承認可決された。

議長は、以上をもって本総会における議事がすべて終了した旨を述べ、午前 11 時 31 分、第○回定時株主総会の閉会を宣した。

以上の議事の経過の要領およびその結果を明確にするため、代表取締役社長○○○○は、この議事録を作成し[5]、議長および出席取締役・監査役がこれに記名捺印する。

20xx 年 6 月 xx 日

議長[6] 代表取締役社長○○○○
専務取締役○○○○
常務取締役○○○○
取締役○○○○
取締役○○○○
取締役○○○○
取締役○○○○
取締役○○○○
取締役○○○○
常勤監査役○○○○
常勤監査役○○○○
監査役○○○○
監査役○○○○

イ　議決権行使書・委任状等の備置

株主総会に際して提出された委任状および議決権行使書は、本店に備置し、営業時間内はいつでも、株主（決議事項の全部につき議決権を行使することができない株主を除く）への閲覧・謄写に供する必要がある（会310条6項・7項、311条3項・4項)。その趣旨は、株主総会決議取消訴訟の準備として決議方法の法令・定款違反に関する株主の調査を可能とするためであり、備置期間も株主総会決議取消訴訟の提起期間に合わせて株主総会の日から3か月間とされている。備置の懈怠および閲覧・謄写の不当な拒否には過料の制裁がある（会976条8号・4号)。

ウ　取締役会議事録・監査役会議事録・監査等委員会議事録の備置

取締役会、監査役会、および監査等委員会を開催した場合、書面で作成する場合にはそれぞれ出席した取締役および監査役ならびに監査等委員が署名または記名押印した、電磁的記録で作成する場合には電子署名をした、議事録を作成し10年間本店に備え置かなければならない[7]（会369条3項・4項、施225条1項6号、会371条1項/会393条2項・3項、施225条1項7号、会394条1項/会399条の10第3項・4項、施225条1項8号、会399条の11第1項)。これは、取締役会、監査役会、または監査

5　施72条3項6号。
6　施72条3項5号。
7　指名委員会等設置会社の場合、議案等の決定に係る指名委員会等の議事録またはこれに代わる電磁的記録は、指名委員会等の日から10年間、本店において備置しなければならない（会413条)。

等委員会が定時株主総会直後に開催された場合でも同じである。株主総会議事録とは異なり、議事録の写しを支店に備置する義務はない。株主、債権者および親会社社員がその閲覧・謄写の請求を行うには、裁判所の事前許可が必要である（会371条2項以下、394条2項以下、399条の11第2項以下）。備置の懈怠および閲覧・謄写の不当な拒否には過料の制裁がある（会976条8号・4号）。

エ　計算書類等の備置

以下に掲げる計算書類等またはこれに代わる電磁的記録は、定時株主総会の日の2週間前[8]の日から、本店においては5年間、支店においては3年間、それぞれ備置するものとされている（会442条、378条）。なお、議事録が電磁的記録で作成されている場合には、支店での備置については、インターネット等の電気通信回線を通じて支店のパソコンから閲覧できる状態に置くことでも足りる。

① 計算書類および事業報告ならびにこれらの附属明細書
※なお、連結計算書類は備置対象ではない。

② 監査報告または会計監査報告[9]
※監査役会の監査報告に加え、各監査役の監査報告も備置の対象となるとの見解もあるため、各監査役の監査報告も併せて備置することが安全である。

③ 臨時計算書類

オ　役員退職慰労金支給基準の備置（施82条）

役員退職慰労金の支給基準については、法令上、原則として、株主総会参考書類に記載するものとされているが、その基準を記載した書面またはこれに代わる電磁的記録を本店に備置することとすれば、株主総会参考書類への上記記載を省略することができる。

カ　貸借対照表等の公告

株式会社は定時株主総会の終結後遅滞なく貸借対照表（大会社の場合は損益計算書も）を公告する必要があるが（いわゆる決算公告、会440条1項）、有価証券報告書提出会社においては、EDINETを通じて有価証券報告書によってより詳細な開示がなされることから（金商法24条1項）、決算公告義務が免除されている（会440条4項）。

8 取締役会設置会社であることを前提としている。
9 監査役会設置会社であることを前提としている。

キ　変更登記

(ア)　登記事項

株主総会決議の結果、本店所在地の変更や役員の改選等、会社法911条3項所定の登記事項に変更が生じた場合には、2週間以内に本店所在地で、変更の登記をしなければならない（会915条1項）[10]。これを懈怠すると過料の制裁がある（会976条1号）。

登記を要する株主総会決議事項は、主に以下のとおりである[11]。

①一定の定款変更
②役員等の変更
③募集株式の発行
④募集新株予約権の発行
⑤資本金の額の減少
⑥解散
⑦組織再編

(イ)　株主総会議事録の添付

登記すべき事項について株主総会の決議を要するときには、当該登記申請に株主総会議事録を添付しなければならない（商登法46条2項）。上記（ア）のとおり、登記事項の変更から2週間以内に本店所在地で変更登記をしなければならないことに鑑みれば、できる限り早急な議事録の作成が要求される[12]。

また、法定の記載事項を欠く場合には、登記申請が受理されないことにも注意を要する。さらに、登記すべき事項につき株主総会決議を要する場合には、登記申請に当たり、主要な株主についての株主リストを添付することが義務付

10　なお、令和元年改正前の会社法では、吸収合併、吸収分割等、会社法919条から925条までおよび929条に規定する場合で、一定の要件を満たす場合は、3週間以内に、支店の所在地においても登記をしなければならないとされていたが（改正前会社法932条）、令和元年改正会社法においては支店の所在地における登記に関する規定は削除された。これは、インターネットが広く普及した現在においては、支店の所在地の登記所に行かなくとも、登記情報提供サービスを利用して本店の所在場所等を検索した上で、必要な情報を取得することが可能であり、実際にも支店の所在地における登記について登記事項証明書の交付請求がなされる例はほとんどなかったため、登記義務を負う会社の負担軽減の観点から行われたものである（竹林編著・前掲注3）246頁）。

11　公開会社でかつ大会社であって、指名委員会等設置会社・清算株式会社でない株式会社を前提としている。

12　商事法務研究会編『株主総会白書2021年版〔商事2280号〕』153頁によれば、調査に回答した会社全体の87.1％が株主総会当日から7日目までに株主総会議事録の作成を完了している。

けられる（商登規 61 条 3 項）。

なお、役員選任との関係では、株主総会の席上で被選任者が就任を承諾しており、その旨を議事録に記載した場合には、かかる記載をもって承認承諾書に代えることができる。また、株式会社の役員（取締役、監査役等）の就任（新任に限る）の登記を申請するときには、本人確認証明書を添付する必要があり（商登規 61 条 7 項）、代表取締役等の印鑑提出者の辞任登記を申請するときには、辞任届に、当該代表取締役の実印の押印（市区町村長作成の印鑑証明書添付）または登記所届出印の押印が必要となる（同条 8 項）。

ク　決議通知

（ア）　決議通知の意義等

会社法上の定めはないものの、株主総会に出席できない多数の株主に株主総会決議の結果を知らせる方法として、実務上、決議通知の送付が行われており[13]、この決議通知には、株主通信等の報告書や配当金関連の書類を同封することが多い。実務上は、株主総会終了後ただちに株主に発送するために、すべての会社提案議案が承認・可決されたことを内容とする決議通知、報告書および配当金関連書類等を株主総会前に準備し、封入作業も終えている。もっとも、万が一、会社提案議案が否決される、ないし修正案が可決されたような場合には、配当金関連書類の早期送付を優先して事前に準備していた修正前の決議通知書類を送付した上で、事後に修正した決議通知を発送するという対応策が考えられる。また、端的に、決議結果をホームページ上に掲載し、別途株主に対して株主通信等の報告書や配当金関連の書類だけを郵送するということも考えられる。なお、決議通知および報告書を自社のホームページ上に掲載する会社も散見される。

（イ）　決議通知の記載事項

株主総会決議通知には、株主総会における報告事項の報告および決議結果等を記載する。なお、単元未満株主等株主総会招集通知が送付されない株主にも理解できるように記載する必要がある。

また、株主総会後に開催された取締役会または監査役会における、代表取締役、役付取締役および常勤監査役の選定結果ならびに配当金の受取方法が記載されることも多い。

13　商事法務研究会編・前掲注 12）164 頁によれば、調査に回答した会社全体の 77.1％が決議通知を発送している。

証券コード　○○○○
20xx年6月xx日

株　主　各　位

東京都港区港南○丁目1番地1
X電機株式会社
代表取締役社長○○○○

第○回定時株主総会決議ご通知

拝啓格別のご高配を賜り、厚く御礼申し上げます。
　さて、本日開催の当社第○回定時株主総会において、下記のとおり報告および決議されましたので、ご通知申し上げます。

敬　具

記

報告事項
1. 第○期（20xx年4月1日から20xx年3月31日まで）
　事業報告、連結計算書類ならびに会計監査人および監査役会の連結計算書類監査結果報告の件
2. 第○期 20xx年4月1日から20xx年3月31日まで）
　計算書類報告の件
　本件は、上記1.および2.の内容を報告いたしました。
決議事項
　第1号議案剰余金の配当の件
　　本件は、原案どおり承認可決され、期末配当金は1株あたり○円と決定いたしました。
　第2号議案取締役3名選任の件
　　本件は、原案どおり取締役に○○○○、○○○○、○○○○の3名が選任され、それぞれ就任いたしました。
　第3号議案退任取締役に対する退職慰労金贈呈の件
　　本件は、原案どおり承認可決され、退任取締役○○○○氏に対して退職慰労金を当社の定める一定の基準による相当額の範囲内で贈呈することとし、その具体的金額、贈呈の時期、方法等は取締役会に一任されました。

ケ　剰余金の配当

株主総会で剰余金の配当を決議した場合には、基準日（会124条1項）から3か月以内の日を期末配当の支払開始日となる「効力発生日」（会454条1項3号）とし、配当金の支払いを開始する。効力発生日は、株主総会開催日の翌営業日とするのが一般的である。配当金は、株式会社がその費用を負担して株主名簿に登録した株主の住所または株主が通知した場所において支払うことになる（会457条）。2009年1月の株券電子化前までは、配当金を受け取るためには、上場会社から郵送された「配当金領収証」を指定された期間

内に金融機関・郵便局に持参したり、あらかじめ保有する銘柄ごとに振込先の口座を指定したりする必要があったが、株券電子化に伴い、配当金の受取方法に登録配当金受領口座方式と株式数比例配分方式の２つの方式が加わった。

（ア） 登録配当金受領口座方式

この方式は、あらかじめ、１つの預金口座を口座管理機関である証券会社等に届け出ることにより、保有するすべての振替制度対象株式の配当金を、指定した預金口座への振込みによって受け取ることができる仕組みである。

ただし、銘柄ごとに振込先の預金口座を振り分けることができない点等に留意する必要がある。

（イ） 株式数比例配分方式

この方式は、社債の元利金や投資信託の収益分配金と同様に、配当金についても、証券取引口座残高に応じて、口座管理機関である証券会社等を通じて受け取ることができる仕組みである。また、当該証券会社に特定口座（源泉徴収あり）が開設されている場合には、この方法によって受領した配当金について、特定口座内における年間の上場株式の売却損失、投資信託の解約損失と損益通算することができる。

なお、剰余金配当の決定権限を取締役会に授権する旨の定款の定めがある会社の場合、定時株主総会の招集通知発送の前に、取締役会において剰余金の配当を決定し、招集通知に配当金関連書類を同封して送付することが実務上行われている。

マイナンバー（社会保障・税番号制度）の導入に伴い、2016年１月１日以降に支払われる配当等の支払調書には、個人番号および法人番号（以下「マイナンバー」という）が記載事項として加わったが（所得税法施行規則83条１項１号イ）、実務上は、株主名簿管理人が発行会社から個人番号の関係事務の委託を受けた個人番号関係事務実施者としてマイナンバーの取得と支払調書への記録を行うことになる[14]。

コ バーチャル参加株主からのコメントのHPにおける掲載等

参加型バーチャル株主総会において、インターネット等の手段を用いて参加する株主は、会社法上、株主総会に出席しているものとは取り扱われないため、取締役等に説明義務が生じる質問（会314条）を行うことはできない。

もっとも、株主とのコミュニケーション向上の観点から、バーチャル参加株主からコメントを受け付けることは有用であり[15]、実際にバーチャル参加株主

---

14 芳川雅史「株主総会終了後の実務」商事2099号（2016）15頁。

15 経済産業省「ハイブリッド型バーチャル株主総会の実施ガイド」（https://www.meti.go.jp/press/2020/02/20210203002/20210203002-1.pdf）（2020）10頁。

からコメントを受け付けている会社も存在する[16]。具体的な方法としては、株主総会の開催中または閉会宣言後に紹介・回答する方法のほか、後日、会社のHP等で紹介・回答するという方法も考えられる[17]。

なお、株主総会の議事の様子（質疑応答部分は含めない場合もある）を撮影した動画を後日会社のHP等で公開する事例もある。

(2) 金融商品取引法関連

ア 有価証券報告書の提出

有価証券報告書の提出会社は、事業年度経過後3か月以内に有価証券報告書を提出しなければならず（金商法24条1項本文）、実務上は、定時株主総会当日に有価証券報告書が提出されることが多い。

なお、2009年12月11日に施行された改正開示府令において、有価証券報告書記載の情報は、提出会社の株主が定時株主総会において意思決定を行う上で重要な参考情報になることから、説明責任を果たしたい経営者の選択肢を増やす趣旨で[18]、有価証券報告書の定時株主総会前の提出を可能とする改正が行われた（開示府令19条2項9号の3）。しかし、実際には、定時株主総会前に有価証券報告書を提出している会社は少数派であり[19]、定時株主総会前に提出している会社も数日前に提出する例が大半である。

イ 臨時報告書の提出

上場会社では、株主総会において、決議事項が決議された場合には、その終結後に遅滞なく臨時報告書を提出することにより、議決権行使結果を開示する必要がある（開示府令19条2項9号の2）。なお、ここでいう「株主総会」には、定時株主総会のみならず、臨時株主総会や種類株主総会も含まれる。株主総会の目的事項が報告事項のみであれば、決議事項が決議されていないため臨時報告書の提出は不要である。商事法務研究会編・前掲注12）158頁によれば、株主総会の開催日当日に提出した会社が5.7%、翌日が41.1%、3日目が34.5%であり、4日目までの合計で全体の90.6%が提出している。

臨時報告書に記載する事項は以下のとおりである（開示府令19条2項9号の2）。

---

16 商事法務研究会編・前掲注12）181頁によれば、調査に回答した会社全体のうち、8.5%がオンラインにより出席した株主からコメントを受け付けたとしている。

17 経済産業省・前掲注15）10頁、商事法務研究会編・前掲注12）181頁。

18 谷口義幸ほか「第三者割当に係る開示の充実等のための内閣府令等の改正」商事1888号（2010）12頁、松井秀征「コーポレート・ガバナンス強化の流れと株主総会」商事1919号（2010）5頁。

19 商事法務研究会編・前掲注12）161頁によれば、調査に回答した会社全体の4.1%にとどまっている。

(ア) 株主総会が開催された年月日

決議事項が決議された株主総会の開催年月日を記載する。

(イ) 決議事項の内容

決議事項の内容については、臨時報告書が対象とする株主総会のどの議案に係る議決権行使結果であるかを明らかにする趣旨で記載するため、基本的には議題を記載することになると考えられる。しかし、議題の記載だけでは他の議題と区別がつかない場合には、当該他の議題と明確に区別ができる程度の記載を行うことが必要とされる。たとえば、「取締役3名選任の件」においては、議題名のみならず、候補者の氏名を記載し、候補者ごとに賛成・反対の票数を記載する必要があるとされる[20]。また、開示府令の立案担当者は、動議のうち、手続的動議については「決議」には含まれないため記載不要であるものの[21]、実質的動議（議案の修正動議）については、投資家がどのような動議だったのかわかる程度に書くことが原則としており、たとえば、剰余金の配当議案であれば、会社提案が10円だったのに対し修正動議によって20円に修正されたというように、具体的な金額まで記載が必要になることもありうるとしている[22]。

(ウ) 決議事項に対する賛成、反対および棄権の意思の表示に係る議決権の数、決議事項が可決されるための要件ならびに決議の結果

ここにいう「議決権の数」については、必ずしもすべての議決権を意味しないが、概数やレンジではなく、会社が実際に確認した数および割合を記載する[23]。賛成、反対および棄権の意思表示に係る議決権数の集計方法[24]は、会社法に則って行われるものであれば足りる。

また、棄権票を反対票と区別しない場合には、その旨を記載する必要がある。無効票の取扱いについては会社法に則って行われるものとして、開示府令で特定の方法は定められておらず、実際の取扱いも臨時報告書の記載事項になっていない。

「決議が可決されるための要件」としては、定足数および議案の成立に必要な賛成数に関する要件を記載する。

---

20 2010年3月31日付金融庁パブリックコメントNo.16。

21 2010年3月31日付金融庁パブリックコメントNo.28。

22 三井秀範ほか「<座談会>上場会社の新しいコーポレート・ガバナンス開示と株主総会対応(上)」商事1898号（2010）13頁〔三井発言〕。

23 2010年3月31日付金融庁パブリックコメントNo.19。

24 議決権数の集計については、議案の賛否について判定できる方法であれば、いかなる方法によるかは株主総会の円滑な運営の職責を有する議長の合理的裁量に委ねられている（三井住友銀行事件・東京地判平成14･2･21判時1789号157頁）。

「決議の結果」は、各決議事項について「可決」か「否決」の別を記載し、併せてその根拠となる賛成または反対の意思表示に係る議決権数の割合を記載する。実務的には、上場会社では、株主総会の議場で逐一、網羅的に賛成・反対を集計することは困難であるため、事前に議決権行使書やインターネットにより行使された議決権に、当日会場において会社として把握可能な役員や大株主が保有している議決権の分を適宜加算して、臨時報告書に記載する取扱いが行われている。

株主総会当日に株主から議案の修正動議が提出された場合、実務上、会社提案である原案を先に採決して可決・成立させた上で、原案が可決されたことを理由に修正案は自動的に否決されたものとして取り扱い、あえて修正案について個別の採決は行わないという方法がとられることが多い。このような場合には、原案を先に採決して、可決・成立した結果、原案と矛盾する内容の修正動議は否決された旨を記載すれば、具体的に修正案についての反対票の数等は記載しない取扱いも認められると考えられる[25]。

(エ) 議決権の数に出席株主の議決権の数の一部を加算しなかった場合にはその理由

当日行使された議決権のすべてを確認して集計している場合でなければ、その理由を記載する。集計をしなかった理由としては、当日行使された議決権のすべてを確認せずとも、議案の可決要件を満たすか否かが明らかになったことを記載すれば足りる。

1.【提出理由】
20xx 年 6 月 xx 日開催の当社第○回定時株主総会において決議事項が決議されましたので、金融商品取引法第 24 条の 5 第 4 項および企業内容等の開示に関する内閣府令第 19 条第 2 項第 9 号の 2 に基づき、本臨時報告書を提出するものであります。
2.【報告内容】
(1) 株主総会が開催された年月日
20xx 年 6 月 xx 日
(2) 決議事項の内容
第 1 号議案　剰余金の配当の件
イ　株主に対する剰余金の配当に関する事項およびその総額
1 株につき金○円　総額○円
ロ　効力発生日
20xx 年 6 月 xx 日

25　三井ほか・前掲注 22) 18 頁〔三井発言〕。

第２号議案　取締役３名選任の件
取締役として、○○○○氏、○○○○氏、○○○○氏の各氏を選任する。
第３号議案　退任取締役に対する退職慰労金贈呈の件
退任取締役○○○○氏に対して退職慰労金を当社の定める一定の基準による相当額の範囲内で贈呈し、具体的金額、時期、方法等は取締役会に一任する。

(3) 決議事項に対する賛成、反対および棄権の意思の表示に係る議決権の数、当該決議事項が可決されるための要件ならびに当該決議の結果

決議事項	賛成数（個）	反対数（個）	棄権数（個）	決議の結果および賛成割合（%）
第１号議案 剰余金の配当の件				可決（　%）
第２号議案 取締役３名選任の件				可決（　%）
第３号議案 退任取締役に対する退職慰労金贈呈の件				可決（　%）

(注) 第１号議案から第３号議案が可決されるための要件は出席した株主の議決権の過半数の賛成であります。

(4) 議決権の数に株主総会に出席した株主の議決権の数の一部を加算しなかった理由

株主総会当日までの事前行使分および当日出席の一部の株主から各議案の賛否に関して確認できたものを合計したことによりすべての議案は可決要件を満たし、会社法上適法に決議が成立したため、株主総会当日出席の株主のうち、賛成、反対および棄権の確認ができていない議決権数は加算しておりません。

以上

COLUMN

株主が拍手している姿をビデオに撮影

株主総会の議事の様子をHP等で公開するのとは別に、会社として把握可能な役員や大株主が保有している議決権行使の状況を記録する目的で、会場にて株主の様子をビデオ撮影することも考えられる。

議場における議決権行使状況については「賛成。」の発声のみでは確認が難しいため、「原案に賛成の方は拍手をお願いします。」あるいは「原案に賛成の方は挙手をお願いします。」といって、目視による確認が容易な方法をとることが一般的である。大株主や委任状の受任者が拍手や挙手をしている姿をビデオに撮影しておくことで、後日のための記録とする会社もある。

なお、株主の様子をビデオ撮影する場合には、それが公開を目的としたものではないとしても、出席株主の肖像権への配慮が必要であるから、会場での掲示やアナウンスにより出席株主に告知する等の工夫がなされることが多い。

COLUMN

反対票の分析

CG コード補充原則 1-1 ①では、「取締役会は、株主総会において可決には至ったものの相当数の反対票が投じられた会社提案議案があったと認めるときは、反対の理由や反対票が多くなった原因の分析を行い、株主との対話その他の対応の要否について検討を行うべきである。」とされている。ここでいう「相当数の反対票」については、取締役会の合理的な判断に委ねられているところ[26]、事前に取締役会で審議するか否かの目安となる基準（たとえば、反対票が 2 割を超えた場合等）を設定しておくことが考えられる。「反対の理由や反対票が多くなった原因の分析」については、株主総会終了後の取締役会において審議することが考えられる。「株主との対話」の方法については、プレスリリース等において、原因分析の結果やそれに対する今後の対応についての会社の見解等を公表することや反対した株主との直接の対話を行うことが考えられる。なお、本補充原則では、「検討を行う」ことが求められているため、検討の結果、株主との対話その他の対応を要しないと取締役会が合理的に考える場合には、特段の対応をとる必要はない[27]。

（3） 証券取引所の規則等関連

ア　コーポレート・ガバナンス報告書

証券取引所は、上場会社に対し、コーポレート・ガバナンスの状況の開示のため、いわゆるコーポレート・ガバナンス報告書の提出を義務付けている（なお、以下では東京証券取引所を念頭に説明するが、他の国内証券取引所もおおむね共通のルールを設けている）。

コーポレート・ガバナンス報告書には、コーポレート・ガバナンスに関する基本的な考え方、経営の意思決定に係るコーポレート・ガバナンス体制等が記

26　油布志行ほか「『コーポレートガバナンス・コード原案』の解説〔Ⅰ〕」商事 2062 号（2015）52 頁。
27　油布ほか・前掲注 26）52 頁。

載されるところ、CG コードの原則（プライム市場およびスタンダード市場上場会社については、基本原則・原則・補充原則の 83 の原則、グロース市場上場会社については、5 つの基本原則）について、これを実施するかどうか、実施しない場合にはその理由を、コーポレート・ガバナンス報告書に記載することが必要となる（いわゆる「Comply or Explain」）（東証・有価証券上場規程 436 条の 3）。2021 年改訂 CG コードにおいては、主として、①取締役会の機能発揮、②企業の中核人材における多様性の確保、③サステナビリティを巡る課題への取組みについて改訂がなされた。具体的には、①については、プライム市場上場会社において独立社外取締役を 3 分の 1 以上選任（必要な場合には、過半数の選任を検討）すること、任意の指名委員会・報酬委員会を設置する（プライム市場上場会社は独立社外取締役を委員会の過半数選任することを基本とする）こと、経営戦略に照らして取締役会が備えるべきスキル（知識・経験・能力）と各取締役のスキルとの対応関係（スキル・マトリックス）を開示することが定められた。また、②については、管理職における多様性の確保（女性・外国人・中途採用者の登用）についての考え方と測定可能な自主目標を設定すること、多様性の確保に向けた人材育成方針・社内環境整備方針をその実施状況と併せて公表すること、③については、プライム市場上場会社において、TCFD またはそれと同等の国際的枠組みに基づく気候変動開示の質と量を充実させること、サステナビリティについて基本的な方針を策定し自社の取組みを開示することが規定された。

株主総会後の実務との関係においては、上場会社は、証券取引所に提出したコーポレート・ガバナンス報告書の内容に変更が生じた場合には、遅滞なく変更後の報告書を提出する必要がある（東証・有価証券上場規程 419 条 1 項）ため、株主総会後のタイミングでこれを提出することとなる。また、当該変更の内容が資本構成および企業属性に関する事項の変更である場合、当該変更が生じた後最初に到来する定時株主総会の日以後遅滞なく変更後の報告書の提出を行うことができる（同条 2 項、東証・有価証券上場規程施行規則 415 条 2 項）。

イ　独立役員届出書

東京証券取引所は、上場会社に「独立役員」（一般株主と利益相反が生じるおそれのない社外取締役または社外監査役）を 1 名以上確保し、それを同取引所に届け出るとともに（東証・有価証券上場規程 436 条の 2、東証・有価証券上場規程施行規則 436 条の 2 第 1 項）、独立役員の確保状況を同取引所に提出するコーポレート・ガバナンス報告書により開示すべきものとしている（東証・有価証券上場規程 204 条 12 項 1 号、210 条 12 項 1 号、216 条 12 項 1 号、419 条 1 項、東証・有価証券上場規程施行規則 211 条 4 項 6

号、225条4項、238条4項6号、415条1項6号)。

上場会社は、独立役員の異動がある都度、独立役員届出書を提出することとなっており(東証・有価証券上場規程施行規則436条の2第2項)、通常は、株主総会における社外取締役または社外監査役の選任と同時に行われることが想定される。この場合の独立役員届出書の提出期限は異動の日(株主総会の開催日)の2週間前であるから、会社が株主総会で選任する社外取締役または社外監査役を独立役員に指定しようとする場合には、その2週間前に独立役員候補者と当該者の独立性に関する情報を、株主・投資家が知ることができるようになっている。

(4) 次年度の定時株主総会に向けての準備

ア 本年度の株主総会事務の総括

株主総会が終了した後には、その年度の株主総会で判明した問題点や改善すべき点について、取締役・監査役をはじめ各担当者の認識を共有化し、組織体として同じ過ち等を繰り返さないよう努めることが肝要である。特に、議長による議事進行の具体的な進め方や株主との質疑応答における具体的なやりとりの方法等といった議場運営に関する気付き事項については、次年度の株主総会運営に生かされるべき点が多いものと思われる。

イ 次年度の会場予約

多数の来場者が見込まれる場合には大規模な会場を確保する必要性があるが、そのような要請に応えられる会場はそれほど多いわけではなく、次年度の株主総会開催日が集中日に重なる場合には特に留意が必要である。株主総会の会場としてホテルや貸しホール等を借りて利用する場合には、定時株主総会終了後ただちに翌年の会場を予約し確保することが必要である。

なお、株主総会の会場については、過去に開催した株主総会のいずれの場所とも著しく離れた場所であるときは、その場所を決定した理由を取締役会において定めた上で(会298条1項5号、施63条2号)、また、招集通知にもその旨を記載する必要があるが(会299条4項)、日時の変更については特段の定めは存在しない。通常の株主の参加に著しく支障がある時期(たとえばお盆の時期や年末年始)における開催や、深夜の開催等については招集手続が著しく不公正な場合として決議取消事由になるおそれがあるが(会831条1項1号)、かかる場合以外については、会社に広範な裁量があるものと考えられ、各社の工夫の余地がある。

COLUMN

閲覧請求にどこまで応じるか

株主からの閲覧請求の対象としては、定款、株主総会議事録、取締役会議事録、監査役会議事録、株主名簿や会計帳簿、株主総会の委任状、議決権行使書等が挙げられる。株主から閲覧請求があった場合、閲覧に応じるか否かについては、上場会社においては、振替法154条が定める個別株主通知の手続がとられていなければ、閲覧請求を拒むことができる。個別株主通知は、株券電子化後における株主の少数株主権等の行使の際に必要な手続として定められたものであるが、この手続は会社に対する対抗要件との位置付けであるため、個別株主通知がなくとも会社が自主的に請求者を株主と認めて書類の閲覧請求に応じることは差し支えない。なお、実務上、個別株主通知の到達前であっても、書類の閲覧請求書に個別株主通知の申出に係る受付票が添付されている場合には、これに応じている会社もある。

ただし、株主名簿については、個人情報保護法の問題があるため、自主的な開示は避けるべきである。株主名簿閲覧請求に関連する裁判例として、株主が金融商品取引法上の損害賠償請求訴訟において原告を募るために行う株主名簿の閲覧請求について、株主名簿には株主のプライバシーに関する記載がなされているものであるところ、会社の取締役は、株主の個人情報を法令の範囲を超えて外部に漏らさないようにすべき善管注意義務を負っており、また、会社法125条3項1号に該当する場合にはその理由のみで株主名簿の閲覧等を拒否しうる旨の判断を示したものがある[28]。

定款については、証券取引所のウェブサイトで公開されており、また、EDINETで一般に開示されている有価証券報告書の添付書類でもあるため、個別株主通知がなくとも開示に応じるという対応をとる会社がある。

取締役会議事録、監査役会議事録および監査等委員会議事録の閲覧については、秘密を要する事項も含まれているため、裁判所の許可が必要となる（会371条3項、394条2項、399条の11第2項）。

株主総会の委任状および議決権行使書については、令和元年改正会社法により、閲覧請求を行う株主は閲覧の理由を明らかにしなければならないこと、および会社側の拒絶事由（株主名簿閲覧等請求の拒絶事由と同様の拒絶事由）が明記された（会310条7項柱書、310条8項、311条4項、311条5項）。

28　フタバ産業株主名簿謄写仮処分命令申立事件抗告審決定・名古屋高判平成22·6·17資料版商事316号198頁。

第２節　株主総会後の株主対応

202Y年7月6日

●解説

1　反対株主の株式買取請求

(1)　総　論

反対株主の株式買取請求権は、会社の基礎の変更等の行為に反対する株主が会社に対し自己の有する株式を「公正な価格」で買い取ることを請求することにより、投下資本の回収を図る権利であり、吸収合併の決議に反対した存続会社の反対株主による請求権（会797条、798条）以外にも、①事業の全部または重要な一部の譲渡等の決議（会469条、470条）、②株式譲渡制限の定めを設ける定款変更決議（会116条、117条）、③新設分割・吸収分割の決議、④株式交換・株式移転の決議、⑤株式併合の決議（会182条の4、182条の5）、⑥株式交付の決議（会816条の6、816条の7）等の場合に認められるが、以下では、吸収合併の場合における、存続会社に対する株式買取請求権を例に解説する。

(2)　株式買取請求権を行使できる場合

株式買取請求権を行使するためには、会社法797条2項各号に定める「反対株主」の要件を満たした上で、効力発生日の20日前の日から効力発生日の前日までの間に、株式買取請求に係る株式の種類・数を明らかにしなければならない（会797条5項）。

「反対株主」として株式買取請求権を行使することができる株主は、買取請求の対象となる行為（ここでは吸収合併）について、①株主総会の決議を要する場合は、ⓐそれに先立って反対の通知をし、かつ株主総会において反対した者、および、ⓑ議決権を行使することができない株主全員[29]がそれぞれ該当し、②株主総会の決議を要しない場合（簡易合併や略式合併の場合）には、すべての株主（ただし、略式合併における特別支配会社を除く）が該当する（会797条2項）。

このうち、①株主総会の決議を要する場合に、当該株主総会において議決権を行使することができる株主については、**ア** 事前の反対通知と **イ** 株主総会における反対の議決権行使を行う必要がある（会797条2項1号イ）。

ア　事前の反対通知

事前の反対通知については、具体的な通知方法は法定されていないが、実務上は書面による通知がなされるのが一般的である。この点に関して、株式買取請求権を行使した株主が議決権行使書により反対の意思表明をしている場合に

29　議決権制限株式、相互保有株式、単元未満株式を保有する株主等が挙げられる。

は、株主総会において反対の議決権行使を行ったものと解されることに加えて、反対通知の要件を満たすとされている。他方で、反対の議決権を行使することを指図する旨の委任状を交付した場合については見解が分かれている[30]。

イ　株主総会における反対の議決権行使

株主総会における反対の議決権行使については、事前の反対通知を行った株主が株主総会を欠席していた場合には、議決権行使書によりその要件該当性を判断すれば足りるが、当該株主が株主総会に実際に出席していた場合には、株主総会において反対の議決権を行使したことを確認する必要がある。なお、議決権行使書を提出していたにもかかわらず株主総会当日に出席した株主についても、議決権行使書の内容よりも株主総会当日の議決権行使結果が優先されるため、その場で反対の議決権を行使したことを確認する必要がある。反対株主は会社に対して株主総会議事録に自己の名称および株式数を記載するよう請求することができると解されるため[31]、この点からも、会社は、株主による反対の議決権行使の確認方法について事前に検討しておく必要がある。

具体的な確認方法としては、①吸収合併契約の承認議案の採決の際に、当該議案に反対する株主に挙手を求め、その出席票番号と氏名を確認する方式（通常どおり議案の採決を行い、原案の承認可決が確認され、その旨の宣言をしてから、反対株主の確認作業を行うことが想定される）、②株主の入場の際に全株主に吸収合併契約の承認議案の反対票を交付しておいた上で、当該議案の採決は通常どおり行い、反対株主には株主総会終了後退出の際に、反対票を受付に提出してもらうこととする方式、③事前に反対通知（議決権行使書を含む）を行った株主が株主総会に出席したのであれば、株主総会後に株式買取請求権を行使した以上、当該株主は株主総会においても吸収合併契約の承認議案に反対したものと事実上推定されると考え、株主総会において反対の議決権を行使したことについては争わないという方針に基づき、その確認作業を行わないという方式[32]の３つが考えられる。

30　有力な見解は、会社がする委任状勧誘に対し反対の旨記載しても、受任者に対する意思表示にすぎず、会社に対する確定的な反対の通知と見ることはできないとする（森本滋編『会社法コンメンタール 18――組織変更、合併、会社分割、株式交換等(2)』（商事法務、2010）98 頁〔柳明昌〕、江頭・前掲注 1）875 頁注(2)、玉井裕子編集代表・滝川佳代＝大久保圭編『合併ハンドブック［第 4 版］』（商事法務、2019）153 頁）。上記見解に疑問を呈し、委任状ではあるものの「会社に対して書面による反対の意思を通知し」たと認定することは可能と考える見解（大隅健一郎ほか『会社合併手続――実務家のために』（財政経済弘報社、1966）150 頁における上田明信の発言）もある。

31　大森忠夫＝矢沢惇編集代表『注釈会社法(4)』（有斐閣、1968）157 頁〔長谷川雄一〕、酒巻俊雄＝龍田節編集代表・上村達男ほか編『逐条解説会社法(2)』（中央経済社、2008）150 頁〔岡田昌浩〕。

(3) 反対株主から株式買取請求がされた場合の手続およびスケジュール

反対株主の株式買取請求は、当該行為（合併・会社分割等）の効力発生日の20日前から効力発生日の前日までの間に行わなければならない（会797条5項）。当該反対株主が振替株式の株主であるときは、個別株主通知の手続を行った上で株式買取を請求する必要がある（振替法154条2項）。

反対株主からの株式買取請求がなされた場合、買取価格について会社と当該株主との間で協議がなされ、協議が調ったときは、会社は、効力発生日から60日以内にその支払をしなければならない（会798条1項）。

効力発生日から30日以内に買取価格についての協議が調わないときは、株主または会社は、その期間の満了の日後30日以内に、裁判所に対して、価格の決定の申立てをすることができる（会798条2項）。なお、実務上は60日経過しても協議が調わないようなこともままあり、その場合でも合意が形成されれば有効として取り扱われている。

COLUMN

買取代金の仮払い

会社は、買取代金に加えて、裁判所の決定した価格に対して吸収合併の効力発生日から60日経過後から法定利率[33]による利息を支払う必要があるため（会798条4項）、従前、買取代金が高額である場合には、裁判が長期化すれば、利息の負担が過大となるおそれが指摘されていた。そこで、平成26年会社法改正により、会社は、株式の価格が決定される前の段階で、株式買取請求を行った株主に対し、自らが公正な価格と認める金額を支払うことができることとなった（会798条5項）。この場合、会社は、当該金額を支払うことにより、その分についての弁済の提供があったとされるため[34]、実際の買取代金が当該支払金額を上回ったとしても、少なくとも当該支払金額については、法定利率による利息の負担を回避することができることになる。

32 松井秀樹「株主総会の議事運営」商事1830号（2008）17頁。

33 2022年現在、年3分。

34 坂本三郎編著『一問一答平成26年改正会社法〔第2版〕』（商事法務、2015）331頁。

2　株主総会決議の瑕疵に関する訴え

(1)　決議の瑕疵

株主総会の決議に手続上または内容上の瑕疵がある場合には、そのような決議は違法な決議であって、その決議の効力をそのまま認めることはできない。しかし、株主総会決議の効力は株主や債権者等の多数の者に及び、決議の有効性はこれら多数の利害関係人に影響を及ぼすものであるから、これを個々の当事者間の法律関係ごとに問題の解決を図る私法上の一般原則による処理に委ねることは法的安定性を害し妥当でなく、法律関係を画一的に確定し、重大な瑕疵以外はその主張をできるだけ制限することが望ましい。そこで、会社法は、株主総会の決議取消の訴え（会 831 条）と決議の不存在･無効確認の訴え（会 830 条）を用意し、これらの訴えのみによって株主総会の決議の有効性を争うことができることとした。また、決議の取消または不存在・無効確認の判決には対世効を認めるとともに、決議の取消の訴えについては提訴権者と提訴期間を制限している。

また､会社の本店所在地を管轄する地方裁判所の専属管轄（会 835 条 1 項、834 条)、同時に係属する訴えの弁論等の併合（会 837 条)、原告株主の悪意の疎明があった場合の担保提供命令（会 836 条 1 項・3 項)、悪意または重過失がある敗訴原告の損害賠償責任（会 846 条）は、これらの訴えに共通である。

(2)　株主総会決議取消の訴え

ア　決議取消の訴え

一定の瑕疵がある株主総会決議について、決議を取り消す旨の確定判決によって当該決議が遡及的に無効とされ（遡及効）[35]、この判決は第三者に対しても効力を有する（対世効）[36]。

決議取消の訴えの事由は、①招集手続または決議方法の法令・定款違反、または著しい不公正、②決議内容の定款違反（なお、法令違反は、後記 3 の決議無効確認の訴えの事由である)、③特別利害関係人が議決権を行使した結果著しく不当な決議がなされたときである（会 831 条 1 項各号)。提訴権者は、株主、取締役（清算人)、執行役または監査役に限られ、提訴期間は、決議の日から 3 か月以内に制限されている（会 831 条 1 項)。

35　取締役選任決議が取り消された場合、同人がそれまでに行った取引の効力が問題となるが、相手方は表見法理（会 908 条 2 項等）等により保護される。江頭・前掲注 1) 383 頁注(5)参照。

36　会 838 条、834 条 17 号。

上記①の招集手続または決議方法の法令・定款違反としては以下のような例が挙げられる。

〈招集手続の法令・定款違反〉
・株主の一部に招集通知漏れがあった場合
・招集の通知期間が不足した場合
・招集通知・株主総会参考書類に記載不備があった場合（株主総会参考書類に記載すべき事項を記載しなかった場合等）
〈決議方法の法令・定款違反[37]〉
・議案に関して取締役の説明義務の違反がある場合
・議案の修正動議を無視した場合
・株主または代理人による議決権行使を不当に拒んだ場合
・定足数に達していないにもかかわらず決議をした場合
・取締役会設置会社において招集通知に記載のない事項を決議した場合

上記②の決議の内容が定款に違反する場合とは、たとえば、定款所定の員数を超える取締役を選任した場合等である。

上記③の特別利害関係人が議決権を行使した結果著しく不当な決議がなされた場合とは、親会社が議決権を行使し子会社に著しく不利な合併条件を内容とする親子会社間の合併契約の承認決議を成立させた場合や、大株主でもある取締役が明白な善管注意義務違反を追及され、自己の議決権を行使して責任の免除決議を成立させた場合等である。

なお、株主総会決議取消の訴えの訴状は、以下のようなものである。

訴　状

収入
印紙

令和○年○月○日

(2 万 1000 円)
東京地方裁判所　御中

東京都港区白金 2 丁目 5 番 9 号
　　原　告　○○　○○

東京都港区港南○丁目 1 番地 1
　　被　告　X 電機株式会社

37　決議方法の法令・定款違反を理由に株主総会決議の取消が問題となった裁判例として、不正な計算書類が提示された株主総会において、別途上程された取締役選任議案等の決議の取消が求められた事例で、計算書類の提示はこれらの決議事項に直接的または間接的に関連しないことを理由として、株主総会決議取消の請求を棄却したもの（東京地判平成 25·12·19 公刊物未登載（LEX/DB25516601））が存在する。

上記代表者代表取締役　○○　○○

株主総会決議取消請求事件
　訴訟物の価額　　金 320 万円
　貼用印紙額　　　金 2 万 1000 円

第 1　請求の趣旨
　1　被告の令和○年 6 月○日の第○回定時株主総会における、
　「第 1 号議案　剰余金配当の件」、
　「第 2 号議案　取締役 10 名選任の件」、
　の各議案の決議を取り消す
　2　訴訟費用は被告の負担とする
　との判決を求める。
第 2　請求の原因
　1　原告は、被告の 1000 株の株主である。
　2　被告は、令和○年 6 月○日東京都千代田区○○において、第○回定時株主総会（以下「本件総会」という。）を開催し、請求の趣旨記載の各議案の決議（以下「本件各決議」という。）がなされた（甲第 1 号証参照）。
　3　しかしながら、本件各決議は、次のとおり、説明義務違反等の法令違反があり、または決議方法が著しく不公正であるから、取り消されるべきである。すなわち………

イ　裁量棄却

①株主総会の招集手続または決議の方法が法令または定款に違反するときであっても、②違反が重大でなく、かつ、それが決議に影響を及ぼさないと認められる場合には、裁判所が原告の請求を棄却することができる（会 831 条 2 項）。これを裁量棄却という。

上記①の要件については、決議内容の定款違反は該当しないことになり、また、上記②の要件については、決議の結果に影響を及ぼさないとしても、違反が重大であれば、決議を取り消さなければならないことになる。たとえば、議決権行使書によりすでに決議の成立が確定している株主総会で、説明義務違反があったからといって決議の成立に影響を及ぼさないことは明らかであるが、請求をただちに棄却することは許されず、説明義務違反が重大と判断されるような場合には、裁量棄却は許されないこととなる。

また、特定の株主に対して招集通知を欠いた場合には、株主総会に出席するという株主の基本的権利を侵害していることを理由として、たとえ決議の成立に影響を及ぼさない場合であっても、違反が重大でないとはいえないとして、裁量棄却を認めるべきではないとする見解[38]が存在する一方で、裁量棄却を

38　弥永真生『リーガルマインド会社法〔第 15 版〕』（有斐閣、2021）156 頁。

認めている裁判例[39]も存在する。

ウ　不適法な決議取消の訴え

株主総会決議取消の訴えが不適法として裁判所により訴えが却下された事例として、以下のものがある。

- 議案を否決する株主総会決議の取消を請求する株主総会決議取消の訴えは、当該決議によって新たな法律関係が生ずることはなく、また、当該決議を取り消すことによって新たな法律関係が生ずるものでもないため、訴えの利益を欠く[40]。
- 役員選任の株主総会決議取消の訴えの係属中、その決議に基づいて選任された役員がすべて任期満了により退任し、その後の株主総会の決議によって役員が新たに選任され、その結果、取消を求める選任決議に基づく役員がもはや現存しなくなったときは、特別の事情のない限り、訴えの利益を欠く[41]。
- 取締役らに対する退職慰労金を贈呈する旨の決議（第１決議）の取消の訴えの係属中に、第１決議と同一内容であり、かつ、第１決議の取消判決が確定した場合に遡って効力を生ずるとされている内容の決議（第２決議）が有効に成立したときには、特別の事情のない限り、訴えの利益は消滅する[42]。

39　高松高判平成４・６・29判タ798号244頁。

40　ARS VIVENDI株主総会決議取消請求事件・最判平成28・3・4民集70巻3号827頁、HOYA株主総会決議取消請求事件控訴審判決・東京高判平成23・9・27資料版商事333号39頁。

　なお、HOYA株主総会決議取消請求事件控訴審判決では、会社が株主提案議案を取り上げなかったことが、可決された会社提案議案に係る決議の取消事由となるかも争われたが、会社が株主提案議案を取り上げなかったことは、原則として株主総会の決議取消事由に該当しない旨が判示されている。もっとも、同判決では、株主提案の内容について、①株主総会の目的事項と密接な関連性があり、可決された議案を審議する上で検討・考慮することが必要かつ有益であったと認められるときであって、②株主総会の目的事項として取り上げると現経営陣に不都合なため、会社が現経営陣に都合のよいように議事を進行させることを企図して取り上げなかったとき等、特段の事情が存在する場合には決議取消事由に該当すると判示した。

41　最判昭和45・4・2民集24巻4号223頁。なお、中小企業等協同組合法に基づく事業協同組合についての事案ではあるが、最判令和2・9・3民集74巻6号1557頁は、理事を選出する選挙（先行選挙）の取消の訴えが提起された場合において、当該理事および監事がすべて任期満了により退任し、後行選挙において後任理事または監事が選出されていたときであっても、先行選挙が取り消されるべきものであることを理由として後行選挙の効力を争う訴えが併合されている場合には、後行選挙が全員出席総会においてされた等の特段の事情がない限り、先行選挙の取消を求める訴えの利益は消滅しないと判示したが、かかる判断の趣旨は、取締役選任の株主総会決議取消訴訟の場合でも異ならない旨指摘されている（斗谷匡志「最高裁時の判例」ジュリ1559号（2021）99頁）。

42　ブリヂストン株主総会決議取消請求事件上告審判決・最判平成4・10・29民集46巻7号2580頁。

(3) 株主総会決議不存在確認の訴え、株主総会決議無効確認の訴え

株主総会決議不存在確認の訴え、株主総会決議無効確認の訴えは、瑕疵が重大な場合に認められる。決議取消の訴えと異なり、出訴権者に限定はなく、また、出訴期間の制限もないが、不存在または無効を確認する判決が確定すると、その判決は第三者に対しても効力を有する(対世効。会838条、834条16号)。

株主総会決議不存在確認の訴えは、株主総会招集の手続または決議の方法における瑕疵の程度が著しく、法律上株主総会自体の存在を認めることができない場合に認められる。典型的な例としては、株主総会の決議がなされていないのに、決議があったかのように議事録が作成され、登記がなされたというようなケースが挙げられる。なお、特定の株主に対して招集通知を欠いた場合、招集手続が法令に違反することになるため(会831条1項1号)、通常は株主総会の決議取消事由となるが[43]、その程度が著しい場合には株主総会決議が不存在とされた裁判例もある[44]。

株主総会決議無効確認の訴えは、株主総会の決議の内容が法令に違反する場合に認められる。決議の内容が法令に違反する場合とは、欠格事由のある者を取締役・監査役に選任する決議や、剰余金分配額の規制に違反する剰余金処分決議、株主平等原則に違反する決議、株主の固有権を侵害する決議等である。

株主総会決議の瑕疵を争う場合、一般私法上の訴えは認められず会社法に基づく訴えのみが認められることとなり、また、議案が否決された株主総会決議の場合は、無効確認の訴えや決議取消の訴えにおける訴えの利益は認められないため、これらの訴えは却下されることとなる[45]。

(4) 会社の組織に関する行為の無効の訴えと決議取消の訴えとの関係

合併や会社分割等、会社の組織に関する行為の手続に瑕疵があれば、本来であればかかる行為は無効であるが、その解決を私法の一般原則に委ねると法的安定性を害するため、会社法は、これら会社の組織に関する行為の無効の訴えを用意し、無効を主張できる期間を制限している(会828条1項)。

---

43 東京地方裁判所商事研究会編『類型別会社訴訟Ⅰ〔第3版〕』(判例タイムズ社、2011)397頁。排除された株式数が4割を超える場合には決議不存在といえるが、2割に満たない場合には決議取消事由にすぎないとされている。

44 東京高判平成4·1·17東京高等裁判所民事判決時報43巻1~12号2頁、東京高判昭和63・3・23判時1281号145頁、東京高判平成2・11・29判時1374号112頁等。

45 東京高判令和3·5·13金判1623号12頁(取締役の報酬総額の上限額を引き下げる旨の議案が否決された決議に関し、会社法に基づく訴えではなく一般私法上の無効確認の訴えが提起された事案)。

合併については無効事由が法律上明記されておらず、たとえば合併承認決議に無効または取消事由があるときや、事前開示に不備があったとき、債権者異議手続がなされなかったとき等、重大な手続違反が無効事由になると解されている[46]。

合併無効の訴えと株主総会決議に取消事由があることを理由とする決議の取消の訴えとの関係については、合併の効力発生前は決議取消の訴え、効力発生後は合併無効の訴えを提起すべきであり、合併無効の訴えの提訴期間は合併効力発生日から6か月以内であるが（会828条1項7号・8号）、決議取消事由を合併無効事由として主張する場合、決議の日から3か月以内に提訴・主張することを要し、決議取消の訴えを提起した後に合併の効力が生じた場合には、原告は、訴えの変更の手続により合併無効の訴えに変更することができるとするのが通説的立場である[47]。

46　江頭・前掲注1）925頁、922頁。
47　江頭・前掲注1）384～385頁注(7)。

第8章

バーチャル株主総会

第１節　バーチャル株主総会

2022年3月15日

当社も昨年
定款変更しておいて
良かったですね
やれやれ…日本でも
新型ウイルスのせいで
バーチャルオンリーに
せざるを得ないか…

しかし、総会運営は
リアル総会のように
適正に運営
されなけりゃ
ね
特別の事情を条件とする
バーチャルオンリー
ですから
機関投資家の
理解も得られ
ましたし

それでは
打合せ事項を
ピックアップ
しておきます
明日は業者さんとの
打合せだから
様々な問題点
について
話し合ってみよう

2022年3月16日

翌日…

例えば他の株主から
見えないのをいいことに
会社に都合のいい
質問だけを取り上げる
チェリー
ピッキングの
問題が
あります

そういった問題を
解決する手法を
何か提案して
もらえない
でしょうか？
では株主が
バーチャル総会に
アバターで出席
するというのは
どうでしょう？

予め株主が
質問の要旨を
打ち込んで
その要旨を
アバターの頭上に
ポップアップ
させれば
Q.
会社が恣意的に
質問株主を指名
しているかどうか
わかるのでは
ないでしょうか

●解説

バーチャル株主総会とは

バーチャル株主総会には、ハイブリッド型バーチャル株主総会とバーチャルオンリー型株主総会がある。ハイブリッド型バーチャル株主総会とは、物理的に株主が一堂に会する株主総会（リアル株主総会）の会場を設けるとともに、リアル株主総会に出席しない株主に対して、インターネット等の手段を用いた参加または出席の機会を提供する形態の株主総会をいう。他方、バーチャルオンリー型株主総会とは、リアル株主総会の会場を設けずに、すべての株主がインターネット等の手段を用いて株主総会に出席する株主総会をいう。

バーチャル株主総会の主なメリットとして、株主からすると、インターネット等が利用できれば、どこにいても株主総会の傍聴または出席が容易になること、同日開催の複数の株主総会の傍聴または出席ができる可能性が広がること等が挙げられる。会社からすると、株主総会に参加・出席可能な株主が増えることにより株主との対話の機会の拡大に資することや、個人株主の議決権行使の意欲向上が期待できること等がある。

ハイブリッド型バーチャル株主総会は、「参加型」と「出席型」に分類される。「参加型」は、会社法上の株主総会については、あくまでもリアル株主総会で完結することを前提としつつ、遠隔地等の株主がインターネット等の手段を用いてリアル株主総会の中継動画等を確認・傍聴すること（バーチャル参加）が可能な仕組みが導入されている株主総会をいう（以下、本章において「参加型バーチャル株主総会」という）。参加型バーチャル株主総会では、株主総会にバーチャル参加している株主について、会社法上の出席株主としては取り扱わないこととする点に大きな特徴がある。他方、「出席型」は、遠隔地等の株主がインターネット等の手段を用いてリアル株主総会の中継動画等を確認し、会社法上の権利行使（質問や議決権行使等）が可能な仕組みが導入されている株主総会をいう（以下、本章において「出席型バーチャル株主総会」という）。参加型バーチャル株主総会と異なり、出席型バーチャル株主総会においてバーチャル出席をする株主（以下「バーチャル出席株主」という）は、リアル株主総会に出席した株主と同じように、会社法上の出席株主として取り扱われる。そのため、バーチャル出席株主の株主権の行使が不当に制限され、株主総会の手続が不当であると判断されると、株主総会の決議取消事由となりうる点に注意が必要となる。

2020年2月26日付で経済産業省が公表した「ハイブリッド型バーチャル株主総会の実施ガイド」（以下「実施ガイド」という）では、企業がバーチャル株主総会を運営する際に生じうるさまざまな課題および法的リスクを極力回避するためにとるべきアクションについて詳しく解説されており、同じく 2021 年 2 月 3 日付で公表された「ハイブリッド型バーチャル株主総会の実施ガイド（別冊）実施事例集」（以下「実施事例集」という）では、ハイブリッド型バーチャル株主総会の実務への浸透を図るため、2020 年の株主総会における実施事例や実際の運用における考え方等が示されている。ハイブリッド型バーチャル株主総会の実施を考える上で、実施ガイドおよび実施事例集は必読であろう[1]。

1　なお、バーチャル株主総会を実施する際に参考になるものとして、東京株式懇話会により 2021 年 10 月 22 日付で公表された「バーチャル総会の運営実務」がある。

第 2 節　出席型バーチャル株主総会

●解説

1　株主総会の準備

(1) 株主総会の招集事項の決定

出席型バーチャル株主総会を開催する場合、取締役会において株主総会の招集事項を決定するに際しては、株主総会の場所を決定することに加え、株主総会の場所に存しない株主が株主総会に出席をした場合における当該出席の方法（アクセス方法等）を決定する必要がある（会 298 条、299 条、施 72 条 3 項 1 号)。また、リアル出席に比べて制限を受ける事項（通信障害の影響、動議の取扱い等）についても決定する必要がある。具体的には、後記 **(2)** の招集通知の記載事項を決定することになる。

(2) 招集通知の記載事項

招集通知には、バーチャル出席の意義（バーチャル出席も「出席」に該当すること）や、インターネット等の手段を用いて出席することができ、リアルタイムに議事内容の確認が可能であることや、当日の参加方法（URL、ID・パスワード）等を記載することになる。具体的な記載例は下記のとおりである[2]。

証券コード　○○○○
20xx 年 6 月 xx 日

株　主　各　位

東京都港区港南○丁目 1 番地 1
X 電機株式会社
代表取締役社長○○○○

第○回定時株主総会招集ご通知

拝啓、平素は格別のご高配を賜り、厚く御礼申し上げます。

さて、当社第○回定時株主総会を下記のとおり開催いたしますので、ご出席くださいますようご通知申し上げます。

本総会におきましては、当日会場にご来場いただけない株主様も、後記のインターネット等の手段を用いた「バーチャル出席」の方法により株主総会にご出席いただくことができます。

なお、当日ご出席願えない場合には、書面またはインターネットによって議決権を行使することができますので、お手数ながら後記の株主総会参考書類をご検

2　東京株式懇話会・前掲注 1）38 ～ 41 頁。

討いただいた上、20xx 年 6 月 xx 日（火曜日）午後 6 時までに議決権を行使くださいますようお願い申し上げます。

敬　具

記

1.　日　　時　20xx 年 6 月 xx 日（水曜日）午前 10 時
2.　場　　所　東京都港区港南○丁目 1 番地 1 当社本店
「バーチャル出席」をご希望の株主様は後記の「バーチャル出席のご案内」をご参照ください。
3.　目的事項　（略）
4.　招集にあたっての決定事項（略）

以　上

◎当日会場にてご出席の際は、お手数ながら同封の議決権行使書用紙を会場受付にご提出くださいますようお願い申し上げます。なお、「バーチャル出席」によりご出席の際は、後記の「バーチャル出席のご案内」に従い、所定の ID とパスワードによりシステムにログインくださいますようお願い申し上げます。
◎代理人により議決権を行使される場合は、他の議決権を有する株主様であって当日会場で出席される方 1 名に委任する場合に限られます。なお、「バーチャル出席」の方法によるご出席は、後記ご案内のとおり株主様本人に限定しておりますので、予めご了承ください。
◎株主総会参考書類ならびに事業報告、計算書類および連結計算書類に修正が生じた場合は、インターネット上の当社ウェブサイト（http://www.○○○.○○○）に掲載させていただきます。

バーチャル出席のご案内

1．バーチャル出席とは

以下にご案内する方法により「バーチャル出席」される株主様（以下「バーチャル出席株主様」といいます。）は、開催日当日に実際に株主総会の会場にお越しいただいてご出席いただく場合（以下「会場出席」といい、会場出席される株主様を「会場出席株主様」といいます。）と同様、株主総会に「出席」したものと取り扱われます。

バーチャル出席株主様におかれましては、以下にご案内する方法により、株主総会当日の議事進行の様子をライブ配信でご確認いただくことが可能となるとともに、ご質問および議決権行使の機会がございます。もっとも、システム等の都合上、会場出席株主様と完全に同じ取扱いをさせていただくことが難しい点、ご了承ください。

また、通信環境の影響により、ライブ配信の画像や音声が乱れ、あるいは一時断絶される等の通信障害が発生する可能性がございます。このような通信障害の影響を懸念される株主様は、会場出席をご検討いただきますようお願いいたします。

2. バーチャル出席に必要となる環境

バーチャル出席を行うためには、株主の皆様におかれて、以下の環境を整えていただく必要がございます。

＜ 略 ＞

3. バーチャル出席の方法（システムへのログイン方法）

バーチャル出席を希望される株主様は当社から株主様宛に送付します○○に記載する ID およびパスワードを用いて、当社ウェブサイト上の特設ページ（https://www. ○○○ . ○○○）から当社所定のバーチャル出席システムにログインいただきますようお願いいたします。

ログインの方法およびバーチャル出席システムの具体的な使用方法は、別添の「○○」をご参照ください。

なお、バーチャル出席によるご出席は、株主様本人に限定しております。代理人による出席を希望される株主様は、法令および定款等の定めに従い、当日会場出席される株主様 1 名に委任いただきますようお願いいたします。

4. 事前の議決権行使の取扱い

事前に書面またはインターネットにより議決権を行使された株主様がバーチャル出席により当日ご出席された場合には、当日の議決権行使が確認された時点で、事前の議決権行使は無効といたします。事前に議決権行使の上、当日バーチャル出席されたものの、当日の議決権行使が確認されなかった場合には、事前の議決権行使を有効なものとして取り扱いますので、あらかじめご了承ください。

5. ご質問の方法および取扱い

バーチャル出席株主様でご質問を希望される場合は、株主総会の当日に議長が指定する時間内に、次の手順で質問を行っていただきますようお願いいたします。

＜ 略 ＞

ただし、バーチャル出席株主様からのご質問は、1 人○問まで（合計で最大○文字まで）とさせていただきます。

6. 動議の取扱い

動議につきましては、株主総会の手続に関するものおよび議案に関するものを含めてすべて、バーチャル出席株主様からの提出は受け付けないこととさせていただきます。動議を提出する可能性がある株主様におかれましては、会場出席をご検討いただきますようお願い申し上げます。

また、当日、会場出席株主様から動議が提出された場合等、招集通知に記載のない件について採決が必要になった場合には、バーチャル出席株主様は、事前に書面または電磁的方法により議決権を行使して当日出席しない株主様の取扱いに準じて、棄権または欠席として取り扱うことになりますのであらかじめご了承ください。動議の採決への参加を希望される株主様におかれましては、会場出席をご検討いただきますようお願い申し上げます。

7.　議決権行使の方法
　バーチャル出席株主様は、開催日当日、議事の内容をご覧いただいた上で、議決権を行使いただくことが可能です。
　議決権を行使いただくための手順は以下のとおりです。

< 略 >

8.　その他留意事項
　上記に関するより詳細な情報、システム障害等の事情変更への対応その他のお知らせにつきましては、適宜当社ウェブサイトの特設ページ（https://www.○○○○）に掲載いたしますので、こちらの内容も合わせてご覧ください。

2　株主総会当日

（1）バーチャル出席株主の本人確認について

リアル株主総会においては、会社から送付した議決権行使書を持参した者を株主として入場させる取扱いが一般的である。出席型バーチャル株主総会においても、リアル出席株主に関しては同様の取扱いで足りると考えられる。他方で、バーチャル出席株主の本人確認については、事前に株主に送付する議決権行使書等に、株主ごとに固有のIDとパスワード等を記載して送付し、株主がインターネット等の手段でログインする際に、当該IDとパスワード等を用いたログインを求める方法で本人確認を行うことが考えられる。なお、本人確認の方法が不十分であり、株主以外の者がバーチャル株主総会に出席して権利行使をするような事態が発生した場合には、決議取消の訴えを提起されるリスクが生じる点には留意する必要がある。かかるリスクも踏まえ、大株主についてのみ、より慎重な本人確認を実施したり、二段階認証やブロックチェーン等の技術を用いる等「なりすまし」を防止するためのより実効的な措置を採用することも今後検討されていくものと考えられる。

（2）事前に議決権行使をした株主がバーチャル出席した場合の取扱い

出席型バーチャル株主総会において、事前に議決権行使をしていた株主がバーチャル出席をした場合、どの時点で事前の議決権行使を無効と取り扱うべきかが問題となる。

まず、従来、リアル株主総会においては、事前に議決権行使をした株主が来場した場合は、受付の時点で、事前の議決権行使は無効になるものとされてきた（第４章160頁参照）。もっとも、バーチャル出席はリアル株主総会への出席と比較し、株主総会中の入場（ログイン）や退場（ログアウト）が容易であることから、必ずしも議決権行使を目的とせず、アクセスはしたものの議決権行使をしないバーチャル出席株主が生じることが想定されるところであり、ログイン時を基準に事前の議決権行使を無効とすると、結果的に無効票が増え、株主意思が正確に反映されないことになってしまうことが懸念される。そこで、株主意思をできる限り尊重し、無効票を減らすという観点から、バーチャル出席によるログイン時ではなく、当日の採決において議決権行使をした時点を基準として、その時点までに新たな議決権行使があった場合に限り事前の議決権行使を無効とする取扱いとすることも可能と解されている。なお、議決権を事前行使していた株主がバーチャル出席をした場合の事前の議決権行使の取扱いについては、あらかじめ招集通知で株主に通知しておく必要がある（施 63 条 3 号へ、4 号ロ参照）。

(3) 委任状を交付した株主がバーチャル出席した場合の取扱い

株主総会において、株主は、委任状を会社に提出し、代理人によって議決権を行使することができるが（会 310 条 1 項）、このことはバーチャル株主総会でも同様である。委任状を提出した株主が自ら株主総会に出席した場合には、その株主は委任を撤回する意思を有していると考えられることから、出席により当該委任状は撤回されたものと認められ、出席した株主による議決権行使を正当なものとして取り扱うことができると解されているところ、委任状を提出した株主がバーチャル出席した場合に、その委任状の効力をどのように取り扱うべきかが問題となる。

この点、事前の議決権行使を行った株主がバーチャル出席した場合には、前記（2）のとおり、ログイン時ではなく、当日の採決において議決権行使をした時点で事前の議決権行使を無効とすることが可能と解されている。委任状の場合も、これと同様に考えて、委任状を提出した株主がログインしたときではなく、当日の採決において議決権行使をしたときに、委任が撤回されたものとして取り扱うことが可能と解されている[3]。

(4) バーチャル出席株主からの質問および動議

バーチャル出席株主からの質問および動議については、テキストで入力し提出する方式や、電話やウェブ会議システムの挙手機能等を用いた音声等による方式が想定される。バーチャル出席株主は、リアル出席株主と比して、物理的に議長と対峙していない等の要因から、質問や動議の提出に対する心理的ハードルが低く、質問権の行使や動議の提出が濫用的に行われる可能性も否定できない。そのため、バーチャル出席株主からの質問および動議については、かかる特性も踏まえつつ、リアル株主総会とは異なる対応を考える必要がある。

3　会社法・実務研究会／後藤元企画・監修「実務問答会社法第 61 回 バーチャル株主総会への参加・出席と委任状の取扱い」［若林功晃］商事 2291 号（2022）56 頁。

ア 質 問

質問については、招集通知等でその制限内容を通知した上で、質問の字数制限、回数制限、送信期限等を設ける対応が考えられる。このような制限が許容される根拠は、出席型バーチャル株主総会においては、株主には、リアル出席とバーチャル出席の2つの選択肢があるところ、質問権等が制限される旨の通知を受けつつバーチャル出席を選択した株主は、制限のない質問権等の権利を放棄したものと考えられる点にある。また、バーチャル出席株主からの質問については、リアル株主からの質問とは異なり、事務局が事前に質問を確認し、回答するか否かを決定することが可能であるところ、取り上げる質問が会社側で恣意的に選択され、会社にとって不都合な質問や発言が秘密裏に排除されること（いわゆるチェリーピッキング問題）のないよう留意すべきであり、また、そのような懸念を生じさせないための配慮も必要となる。この点については、たとえば、質問を取り上げる際の考え方をあらかじめルールとして定めて株主に対して通知することや、回答ができなかった質問については株主総会後に質問概要および回答をHPで公開するといった工夫が考えられる。

イ 動 議

動議を提出した株主に対しては、会社側から提案内容についての趣旨確認が必要になる場合や提案理由の説明を求めることが必要になる場合が想定されるが、議事進行中にバーチャル出席株主に対してそれを実施することや、そのためのシステム上の体制を整えることは、対応困難な場合もある。そこで、あらかじめ招集通知等において、バーチャル出席株主の動議は取り上げることが困難な場合があるため、動議を提出する可能性がある株主はリアル出席されたい旨を通知した上で、原則としてバーチャル出席株主からの動議については受け付けないという対応が考えられる。かかる対応が許容される根拠は、上記**ア**の質問と同様に、株主には動議の制限を受けないリアル出席の機会が与えられているという点にある。

また、動議が提出された場合、都度個別に議場の株主の採決をとる必要が生じる場合があるが、招集通知に記載のない事項について、バーチャル出席者を含めた採決を可能とするシステムを整えることは困難な場合も多いと考えられる。そこで、株主に対し、事前に招集通知等において、招集通知に記載のない事項について採決が必要になった場合にはバーチャル出席株主は賛否の表明ができない場合があり、棄権または欠席として取り扱うことになる旨を通知した上で、バーチャル出席株主は、実質的動議については棄権、手続的動議については欠席として取り扱うことが考えられる。このような取扱いは、リアル株主総会において事前の議決権行使を行い当日は出席しない株主について、実質的動議については反対または棄権、手続的動議については欠席として取り扱われていることを踏まえたものである。

ウ　バーチャル出席株主の「退場」

バーチャル出席株主による質問や動議の提出について、濫用の程度が強く、株主総会の秩序を乱すと判断される場合には、（事前に注意・警告を行った上で）バーチャル出席株主の通信を強制的に途絶することも、議長の権限により可能であると解されている。なお、かかる措置は、あらかじめ議長から、判断の具体的要件とともに権限を委任することで、議事の最中にスタッフが実施することも可能と考えられるが、その場合はその具体的要件について、事前に招集通知等で通知することが必要となる。

(5) オンライン不通が生じた場合の対応について

出席型バーチャル株主総会を実施するには、前提として、開催場所とバーチャル出席株主との間に情報伝達の双方向性および即時性が確保されている必要があるところ、通信障害が発生し、その結果、バーチャル出席株主が審議または決議に参加できない事態が生じた場合には、決議取消事由に該当するとして、決議取消の訴えが提起される可能性も否定できない。会社としては、かかる株主総会決議の取消リスクを可能な限り回避する観点から、事前に招集通知等において通信障害が発生するリスクについて告知しておくほか、オンライン不通が生じないよう入念な事前準備を行う必要があるが、万一オンライン不通が発生した場合においては、次のような対応が考えられる。

ア　株主総会開催前のオンライン不通

株主総会開催前に通信障害が発生し開催日までに復旧しない場合には、株主総会視聴サイトや自社 HP 等により、オンライン不通により出席型バーチャル株主総会の開催ができない旨、リアル株主総会会場にて予定どおり株主総会を開催する旨を告知することが考えられる。併せて、急遽リアル株主総会に来場することとなる株主のため、開会時刻を遅らせる対応も考えられる。なお、本対応に際しては、株主総会決議の取消リスクを可能な限り軽減するため、各議案の承認可決に必要かつ十分な賛成票が事前行使分含め確保できていることが必要であり、これが確保できていない場合には、実務上は、延期（会 317 条）の手続を検討すべきことになるであろう。

イ　株主総会途中でのオンライン不通

株主総会の途中で通信障害が発生し一定時間復旧を試みたが復旧しない場合、株主総会決議の取消リスクを勘案しながら、リアル株主総会のみをもって議事を再開、進行し、議案の採決等必要な手続を実施するとともに、自社 HP 等でオンライン不通が発生した旨とこれに対するお詫び、議事はリアル株主総会の決議をもって終了した旨を周知することが考えられる。この場合も、各議案の承認可決に必要かつ十分な賛成票が事前行使分含め確保できていることが前提であり、承認可決に必要かつ十分な賛成票が事前行使分含め確保できていない場合には、実務上は、継続会（会317条）の手続を検討すべきことになるであろう。

3 株主総会後

(1) 株主総会議事録

バーチャル出席は、株主総会における出席と取り扱われるため、株主総会議事録には出席方法を記載する必要がある(会318条1項、施72条3項1号)。

具体的には、次のような記載が考えられる[4]。

> X電機株式会社
> 第○回定時株主総会議事録
>
> 当社の第○回定時株主総会を以下のとおり開催した。
>
> 1. 日時　20xx年6月xx日（水曜日）午前10時
>
> 2. 場所　東京都港区港南○丁目1番地1 当社本店
> なお、当日出席の株主の一部は、当社所定のウェブサイトに所定のIDとパスワードを用いてログインし、会場の画像および音声の配信を受け、インターネットにより質問および議決権行使を行う方法により本総会に出席した。
>
> 3. 出席取締役および監査役
> < 略 >
>
> 4. 出席株主および議決権の状況
> 出席した株主（議決権行使書等により事前に議決権を行使した株主を含む）の数およびその議決権の数は以下のとおりである。
> (1) 株主数○名
> (2) 議決権の数○個
>
> 5. 議事の経過の要領およびその結果
> 定刻、取締役社長○○は、定款の規定に基づき議長となり、開会を宣した。
> 議長は、本総会においては、上記のとおり一部の株主がインターネットを用いて当社所定のウェブサイトにログインする方法で出席しているところ、関連するシステムが特段の支障なく稼働していることを確認し、議事に入った。
> < 略 >
> 議長は、報告事項に関する質問も含め、発言を一括して受け、その後決議事項につき採決を行う旨を説明した後に、株主からの発言を受ける旨を告げた

4 澤口実＝近澤諒編著『バーチャル株主総会の実務〔第2版〕』（商事法務、2021）157～158頁参照。

ところ、会場出席株主との間で、大要別紙○のとおり、質疑応答等がなされた。

また、議長は、所定のウェブサイトにログインする方法で出席している株主からインターネットにより受け付けた質問に回答する旨を述べ、大要別紙○のとおり議長および担当取締役から回答を行った。

< 略 >

(2) 臨時報告書

上場会社では、株主総会において決議がなされた場合、臨時報告書を提出する必要がある(開示府令 19 条 2 項 9 号の 2)。その際、バーチャル出席株主も、出席株主であるから、当日出席株主の議決権数に含めるべきである。また、臨時報告書には、「株主総会に出席した株主の議決権の数の一部を加算しなかった理由」を記載する必要がある。リアル株主総会では、事前の議決権行使および当日出席の一部の株主の議決権行使結果により賛否が判明している場合には、株主総会当日の議決権行使結果については集計しないことが一般的であるところ、出席型バーチャル株主総会においても、これと同様に対応することが考えられる。もっとも、通常、システム上集計可能と考えられるので、議案の賛否について集計の上、臨時報告書に記載することも考えられる。

第3節　バーチャルオンリー型株主総会

●解説

バーチャルオンリー型株主総会とは、物理的な開催場所を設けずに、すべての株主がインターネット等の手段を用いて株主総会に出席する株主総会をいう。この点、会社法上、株主総会の招集には「場所」の決議が必要とされている（会298条1項1号）ことから、株主総会を開催するには物理的な場所が必須であり、一般的に、バーチャルオンリー型株主総会は許容されていないと解されてきた。

これに対し、2021年6月16日にバーチャルオンリー型株主総会を可能とする改正産業競争力強化法が施行されたことにより、経済産業大臣および法務大臣の確認を受けた上場会社は、会社法の特例として、定款に「株主総会を場所の定めのない株主総会とすることができる」旨を定めることで、バーチャルオンリー型株主総会を実施することが可能となった（産競法66条1項）。バーチャルオンリー型株主総会を開催するためには、①上場会社であること、②あらかじめ経済産業省令・法務省令で定める要件（省令要件[5]）に該当することについて経済産業大臣および法務大臣の確認を受けること、③株主総会を場所の定めのない株主総会とすることができる旨の定款の定めがあること、④株主総会招集決定時に省令要件を充足することが必要であるため（産競法66条）、バーチャルオンリー型株主総会の開催を検討する上場会社は、事前に、両大臣の確認申請手続を余裕をもって完了させるとともに[6]、株主総会決議により定款変更[7]を行っておくことが求められる。

以下では、バーチャルオンリー型株主総会の実施において特に留意が必要となる事項について紹介する。

1　株主総会の準備

（1）株主総会の招集事項の決定

バーチャルオンリー型株主総会を開催する場合、通常の決議事項[8]（会298

5　省令要件としては、①通信方法に関する事務責任者を置いていること、②通信障害対策に関する方針を定めていること、③インターネットを使用することに支障のある株主の利益確保の配慮に関する方針を定めていること、④株主名簿に記載または記録されている株主数が100人以上であることの4要件が定められている（本省令1条）。

6　なお、確認申請を受けた日から両大臣の確認が行われるまでの標準処理期間は原則として1か月以内とされている（本省令2条7項）。

条１項）に加え、以下の事項を取締役会で決議する必要がある（産競法66条２項、産業競争力強化法に基づく場所の定めのない株主総会に関する省令（以下「本省令」という）３条）。

決議事項	具体例等
ア　書面投票制度を採用する旨（本省令３条１号）	※委任状勧誘を行う場合を除き、書面投票制度の採用が義務付けられている。
イ　議事における情報の送受信に用いる通信の方法（本省令３条２号）	たとえば、インターネット、ウェビナー、電話等がある。
ウ　議決権を事前行使した株主がバーチャルオンリー型株主総会に参加した場合の議決権行使の効力の取扱い（本省令３条３号）	たとえば、①株主総会にアクセスした時点で、事前の議決権行使を無効とする（議決権を行使しない場合は棄権扱いとする）、②採決の際に議決権を行使した時点で、事前の議決権行使を無効とする（議決権を行使しない場合は事前の議決権行使を有効とする）といった取扱いが考えられる[9]。

（2）招集通知の記載事項

バーチャルオンリー型株主総会を開催する場合、リアル株主総会に係る招集通知の記載事項に加え、以下の事項を記載する必要がある（産競法66条２項、本省令４条）。

7　定款規定としては、「当会社は、株主総会を場所の定めのない株主総会とすることができる」と産競法に忠実かつシンプルな規定とすることが考えられる。もっとも、一部の議決権行使助言会社は、バーチャルオンリー型株主総会では会社・株主間の有意義な交流が妨げられる可能性があること等を理由として、バーチャルオンリー型株主総会の開催が感染症拡大や天災地変が発生したときに限定されている場合を除き、原則としてバーチャルオンリー型株主総会を開催するための定款変更に反対することを推奨している。この点を勘案し、定款規定としては、「当会社は、感染症拡大または天災地変の発生等により、場所の定めのある株主総会を開催することが株主の利益に照らして適切でないと取締役会が決定したときは、株主総会を場所の定めのない株主総会とすることができる」と定めることも考えられる（東京株式懇話会57頁）。

8　ただし、通常の決議事項のうち、株主総会の「場所」（会298条１項１号）については、これに代えて、「株主総会を場所の定めのない株主総会とする旨」を決議する必要がある（産競法66条２項）。

9　2021年にバーチャルオンリー型株主総会を開催したユーグレナ、グリー、freeeの３社は、いずれも、採決の際に議決権を行使した時点で事前の議決権行使を無効と取り扱う方法（②）を採用している。

記載事項	具体例等
ア　バーチャルオンリー型株主総会を開催する場合の上記取締役会決議事項（本省令４条１号）	―
イ　議事における情報の送受信をするために必要な事項（本省令４条２号）	たとえば、インターネットにより開催し、ウェブサイトへのログイン時に株主にID・パスワードを入力させる場合には、株主総会を開催するウェブサイトのアドレス（URL）およびID・パスワードを記載する。 また、株主総会の出席に先立って所定の事前登録を求める制度（事前登録制[10]）を採用する場合には、事前登録の方法および事前登録株主に通知されるべき事項（URL、ID・パスワード）の通知方法を記載する。
ウ　通信障害対策に関する方針（本省令４条３号）	たとえば、通信障害対策措置が講じられたシステムを用いること、通信障害が生じた場合の代替手段を用意すること、通信障害が生じた際の具体的な対処マニュアルを作成すること、バーチャルオンリー型株主総会において延期または続行の決議（産競法66条２項、会317条）を行うことが考えられる[11]。
エ　インターネットを使用することに支障のある株主の利益確保の配慮に関する方針（本省令４条３号）	たとえば、招集通知に書面投票を推奨する旨を記載すること、バーチャルオンリー型株主総会に出席するために必要な機器の貸出しを希望する株主の全部または一部に貸出しを行うこと、出席株主の全部または一部のために電話による出席を可能とすることが考えられる[12 13]。

10　バーチャルオンリー型株主総会においても、事前登録による出席株主の数に上限を設けない場合、または、上限数を過去の株主総会への出席株主の最多人数を十分に上回る数に設定する場合には、事前登録制を採用し、事前登録がない株主の出席を拒絶することも適法であると考えられる（太田洋ほか編著『バーチャル株主総会の法的論点と実務』（商事法務、2021）260頁）。

11　産業競争力強化法66条１項に規定する経済産業大臣及び法務大臣の確認に係る審査基準第２。

12　産業競争力強化法66条１項に規定する経済産業大臣及び法務大臣の確認に係る審査基準第３。

具体的な記載例は下記のとおりである。

証券コード　○○○○
20xx 年 6 月 xx 日

株　主　各　位

東京都港区港南○丁目 1 番地 1
X 電機株式会社
代表取締役社長○○○○

第○回定時株主総会招集ご通知

拝啓、平素は格別のご高配を賜り、厚く御礼申し上げます。
　さて、当社第○回定時株主総会を下記のとおり開催いたしますので、ご出席くださいますようご通知申し上げます。
　本総会は、産業競争力強化法第 66 条第 1 項に基づき、場所の定めのない株主総会（以下、「バーチャルオンリー株主総会」といいます。）といたしますので、本総会には、当社指定のウェブサイト（http://www.○○○.○○○）を通じてご出席くださいますようお願い申し上げます。ご出席いただくために必要となる手続方法等については、別紙「バーチャルオンリー株主総会の出席方法等に関するご案内」をご参照ください。
　なお、当日ご出席願えない場合には、書面またはインターネットによって議決権を行使することができますので、お手数ながら後記の株主総会参考書類をご検討いただいた上、20xx 年 6 月 xx 日（火曜日）午後 6 時までに議決権を行使くださいますようお願い申し上げます。

敬　具

記

1. 日　　時　20xx 年 6 月 xx 日（水曜日）午前 10 時
※通信障害等により本総会を上記日時に開催することができない場合には、本総会は予備日として 20xx 年 6 月 xx 日（木曜日）午前 10 時より開催いたします。また、通信障害等により本総会の議事に著しい支障が生じた場合に議長が本総会の延期または続行を決定することができることとするため、その旨の決議を本総会の冒頭において行うことといたします。当該決議に基づき、議長が延期または続行の決定を行った場合には、上記記載の予備日である 20xx 年 6 月 xx 日（木曜日）午前 10 時より、本総会の延会または継続会を開催いたします。その場合は、速やかに当社ウェブサイト（http:

13　株主の利益確保の配慮に関する方針の一環として、必要機器の貸出し、電話による出席を認める場合、必要機器を貸し出す株主数および電話による出席を可能とする株主数を限定しても差し支えない（産業競争力強化法に基づく場所の定めのない株主総会に関する Q&A・Q2-3、2-4）。なお、2021 年にバーチャルオンリー型株主総会を開催したユーグレナでは、必要機器を貸し出すための視聴室を社内に設けた上、当該視聴室の利用を希望する株主に対し事前登録を求める制度（利用人数最大 5 名、申込多数の場合は抽選）を採用している。

//www.○○○.○○○）でその旨お知らせいたしますので、別紙「バーチャルオンリー株主総会の出席方法等に関するご案内」に従ってお手続きの上、本総会にご出席くださいますようお願い申し上げます。

2. 開催方法　場所の定めのない株主総会（バーチャルオンリー株主総会）といたしますので、当社指定のウェブサイト（http://www.○○○.○○○）を通じてご出席ください。

※ご出席いただくために必要となる手続等については、別紙「バーチャルオンリー株主総会の出席方法等に関するご案内」をご参照ください。

3. 目的事項　（略）

4. 招集にあたっての決定事項

(1) 本総会の議事における情報の送受信に用いる通信の方法は、インターネットによるものとします。

(2) 書面またはインターネットにより事前に議決権を行使された株主様が本総会に出席し、重複して議決権を行使された場合は、本総会において行使された内容を有効なものとして取り扱い、本総会において議決権を行使されなかった場合は、書面またはインターネットにより事前に行使された内容を有効なものとして取り扱います。

以　上

バーチャルオンリー株主総会の出席方法等に関するご案内

【出席方法について】

・本総会にご出席される場合には、本総会の開催時刻（午前10時）までに、以下の当社ウェブサイトにアクセスし、ログインを完了していただく必要があります（ウェブサイト上のログインは午前9時30分より可能です）。
http://www.○○○.○○○

・ログインに際しては、議決権行使書用紙に記載されているIDおよびパスワードを入力してください。

・推奨環境は以下のとおりです。

＜ 略 ＞

【議決権行使について】

・本総会では、決議事項の採決時にウェブサイト上で議決権を行使いただけます。

・書面またはインターネットにより事前に議決権を行使された株主様が本総会に出席された場合には、当日の議決権行使が確認された時点で、事前の議決権行使は無効とします。事前に議決権行使のうえ、当日本総会に出席されたものの、当社側で当日の議決権行使が確認できない場合には、事前の議決権行使を有効なものとして取り扱います。事前に議決権行使をせず、当日本総会に出席されたものの、当社側で当日の議決権行使が確認できない場合には、棄権として取り扱います。

【ご質問および動議について】
・本総会では、ウェブサイト上の専用フォームを用いて入力・送信することによりご質問および動議を提出いただけます[14]。
・ご質問につきましては、質疑応答時間に限りがありますため、円滑な議事進行の観点から、お1人様につき質問は1問まで、入力できる文字数は250字以内とさせていただきますので、予めご了承ください。
・当日は、本総会の目的事項に関連するご質問、多くの株主様にご関心があると思われる事項を中心に取り上げて回答することといたします。株主様からいただいたご質問のすべてに回答できない場合がございますが、当日いただいたご質問およびこれに対する回答については、本総会の目的事項に関連しない質問や他の質問と重複する質問等を除き、本総会後に当社ウェブサイト（http://www.○○○.○○○）に掲載いたします。
・動議につきましても、円滑な議事進行の観点から、1提案あたり入力できる文字数は250字以内とさせていただきますので、予めご了承ください。
・なお、同様の質問や本総会の目的事項と関連しない質問を繰り返し行うなど、議事進行に支障を生じる不適切な行動が認められた場合、議長の命令または議長の指示を受けた事務局の判断により、当該株主様との通信を強制的に遮断させていただく場合がございます。

【通信の方法に係る障害に関する対策についての方針】
・通信障害により議事に著しい支障が生じた場合に備え、本総会の冒頭において、本総会の延期または続行について議長への一任決議を諮ることといたします。
・通信障害対策が講じられた株主総会専用システムを利用し、本総会当日の運用に際して通信障害対応が可能な専門スタッフを複数名配置いたします。
・通信障害等に備えるため、「バーチャルオンリー株主総会リスク管理マニュアル」を予め整備しております。

【インターネットを使用することに支障のある株主様の利益の確保に配慮することについての方針】
・インターネットを使用することに支障のある株主様におかれましては、書面による事前の議決権行使を推奨いたします。
・本総会へのご出席が容易となるよう、スマートフォン端末からも利用可能な専用ウェブサイトを用意し、その利便性を高めるよう努めておりますが、同ウェブサイトからのご出席が困難な株主様にも、書面による事前の議決権行使を推奨いたします。
・原則として事前質問はインターネットを利用した株主総会専用システムにより受け付けますが、インターネットを使用することに支障のある株主様におかれましては、書面による事前質問を受け付けます。株主様から受け付けた事前質問に関しましては、本総会の目的事項に関連しない質問や他の質問と重複する質問等を除き、質問およびこれに対する回答を本総会後に当社ウェブサイト

14　質疑応答の方法の選択肢としては、テキストベースのほか、音声または映像でのやり取りも考えられるが、複数の株主との間で通信を円滑に行うことは容易ではないため、まずはテキストの質問を受け付ける方法が主流となると考えられる。

(http://www. ○○○ . ○○○) に掲載いたします。

【代理出席について】
・議決権を有する他の株主様 1 名を代理人として、議決権を代理行使いただけます。
・本総会に代理人が代理出席される場合、本総会に先立ち、以下の書類を当社宛にご送付いただく必要があります。ご提出いただけない場合や書類に不備があった場合は代理出席を認められませんので、予めご了承ください。

[必要書類]
・委任状
・委任する株主様（委任者）の議決権行使書用紙のコピー

[送付先]
郵送の場合：東京都港区港南○丁目 1 番地 1　株式会社 X 電機　株主総会運営事務局宛
メールの場合：○○○○○○@○○ .com

[送付期限]
2023 年 6 月 23 日（金）午後 6 時（必着）

■本総会の出席方法等に関するお問合せ先
[受付期間]
2023 年 6 月 12 日（月）～ 2023 年 6 月 28 日（水）（※平日のみ）
午前 10 時～午後 6 時
[電話番号]
○○ - ○○○○ - ○○○○

COLUMN

通信障害発生時に備えた事前対応策

バーチャルオンリー型株主総会では、通信障害の発生により、①開会宣言すら出来ず株主総会が不成立となる、②株主総会の成立後、議事に入らない段階で株主総会が終了する、③議事に入った後、審議未了の段階で株主総会が終了する可能性がある。

上記①については、事前に予備日を設定しておくことが有用である。あらかじめ株主総会の予備日を設け、招集通知に記載しておくことで、改めて招集手続をやり直すことなく当該予備日に株主総会を開催することが可能と考えられる[15]。

上記②③については、株主総会冒頭で延期・続行の議長への一任決議（産

15　太田ほか編著・前掲注 10）253 頁、東京株式懇話会・前掲注 1）82 頁。

競法66条2項、会317条)を行うことが有用である。バーチャルオンリー型株主総会では、通信障害により議事に著しい進行が生じた場合に議長が延期または続行を決定することができる旨の一任決議を行うことにより、議長において柔軟に延期・続行の決定を行うことが可能となる。

2　株主総会当日

(1) 延期・続行の一任決議(産競法66条2項、会317条)

上記のとおり、通信障害発生時に備え、株主総会の冒頭において議長への延期・続行の一任決議を行っておくことが考えられる。

(2) 質疑応答・動議

質疑応答・動議の受付方法としては、電話会議システムを利用して株主に発言させる音声方式や、株主にウェブサイト上の専用フォームから質問内容・動議を送信させるテキスト方式がある。

特にテキスト方式における質疑応答に際しては、株主の関心が高いと思われる質問や株主の意思決定に影響を及ぼしうる重要な質問を適切にピックアップした上で回答を行う必要がある。また、出席型バーチャル株主総会と同様に、会社側において都合の悪い質問等を恣意的に排除しているのではないかとの疑念を抱かれないよう留意する必要がある。質問の取扱いの公正性・透明性を確保する観点からは、質問の選択指針を事前に公表したり、回答しなかった質問の概要および回答を自社HPで公開することが考えられる(出席型バーチャル株主総会については本章362頁参照)。

なお、議長は、その命令に従わない者その他株主総会の秩序を乱す者を退場させることができるところ(会315条)、出席株主が同様の質問や株主総会の目的事項と関係しない質問等を繰り返し行う、他の出席株主に対する個人的な攻撃を行う等の行動により、議事運営に支障を及ぼす場合には、(事前に注意・警告を行った上で)当該出席株主の通信を強制的に遮断することも可能である[16]。

(3) 採　決

採決の方法としては、ウェブサイト上の専用フォームに議案ごとの賛成・反対の行使ボタンを設けて内容を送信させる方式や、拍手ボタンを押させる方式などがある。

16　太田ほか編著前掲注10) 284頁。

COLUMN

大株主への対応

リアル株主総会の場合、会場での手続的動議に備え、大株主の出席または委任状の任意提出を受ける例が相応にある。バーチャルオンリー型株主総会の場合、リアル株主総会の場に出席する方法が採用できないことから、手続的動議に備え、大株主のオンラインによるログインを確認しておくことも考えられる（例：ウェブ会議システムにおける大株主のログイン状況を事務局において継続的に確認し、特に採決時には議長のモニターに投影する等）。

また、リアル株主総会の場合、採決時は、株主総会に出席した大株主の議決権行使状況を確認した上で賛否を判断している例が多いと思われるところ、バーチャルオンリー型株主総会では、採用するシステム等の仕様によっては、大株主の議決権行使状況が一見して分からないことも予想される。

この点を解消する手法として、大株主に対してのみ専用のウェブサイトを用意し、かかるウェブサイト上で大株主の議決権行使状況を確認することが考えられる[17]。

3　株主総会後

バーチャルオンリー型株主総会の議事録においては、①株主総会を場所の定めのない株主総会とした旨、②議事における情報の送受信に用いた通信の方法、③通信障害対策に関する方針およびインターネットを使用することに支障のある株主の利益確保の配慮に関する方針に基づく対応の概要を記載する必要がある（産競法66条2項、本省令5条3項1号）。

COLUMN

近未来の株主総会

バーチャル株主総会は、2020年以降、新型コロナウイルス感染症の拡大を受け急速に普及し、また、2021年6月の産業競争力強化法の改正によりバーチャルオンリー型株主総会が解禁される等して、株主総会のデジタル化が急速に進展している。そのような中、近年では、3D（3次元）キャ

17　東京株式懇話会・前掲注1）92頁。

ラクターのアバター（自身の分身）を通じて仮想空間内で現実世界のように参加者同士が交流できる「メタバース（インターネット上の仮想空間）」に関し、国内外の企業が関連事業を強化する動きが相次ぐ等注目が集まっている。

近い将来、メタバース（仮想空間）での株主総会が開催され、株主が自身の分身であるアバターにより仮想空間内の株主総会に出席し、議決権行使を行うといった時代がくることも予想される。

編著者・執筆者紹介

岩田合同法律事務所

岩田合同法律事務所は、1902年、故岩田宙造弁護士（司法大臣、日本弁護士連合会会長等を歴任）により創立された、我が国において最も歴史ある法律事務所の一つです。設立以来一貫して企業法務の分野を歩み、金融機関・エネルギー・各種製造業・不動産・建設・食品・商社・運送・IT・メディア等、幅広い業界に属する上場会社を中心とした顧問先に対し、顧問先の成長・発展を長期に亘り総合的にサポートすることを重視し、経営法務から紛争解決、海外法務に至るまで多様な法的ソリューションを提供しています。現在、日本法弁護士80余名、米国弁護士経験を有する米国人コンサルタント、中国法律師、フランス法弁護士を擁しています。

● URL：https://www.iwatagodo.com/

【編著者】

田子　真也（たご　しんや）

＜略歴＞

岩田合同法律事務所執行パートナー弁護士（1993年登録）。一橋大学法科大学院特任教授。ニューヨーク州弁護士（2002年登録）。2001年から2002年までCoudert Brothers LLP（New York）勤務。2010年から2013年まで司法研修所民事弁護教官。2014年から2016年まで司法試験考査委員（民法）。2015年から2016年まで司法試験予備試験考査委員（民法）。

企業の経営法務、株主総会指導、コンプライアンス、コーポレートガバナンスに関する法律問題を多数取り扱っている。大手資産運用会社の取締役監査等委員、不動産投資顧問会社のコンプライアンス委員会外部委員、大手製造業者等の社内調査委員会委員としての実務経験を有する。

＜主要著作＞

・『Q&A 社外取締役・社外監査役ハンドブック』（編著、日本加除出版、2015）
・「外国国家を相手方とする訴訟」（ジュリスト1491号（2016））
・「株主総会における議事運営」（旬刊商事法務2128号（2017））
・『講義 民事訴訟の実務』（きんざい、2020）、等。

坂本　倫子（さかもと　ともこ）

＜略歴＞

岩田合同法律事務所パートナー弁護士（2000年登録）。2015年6月から株式会社八千代銀行取締役、2019年6月から富士石油株式会社監査役（現任）、2020年6月から株式会社あらた監査役（2021年6月から監査等委員（現任））。

企業法務全般、特に、株主総会指導、取締役の責任、ガバナンス関係、

M&A等会社法分野、コンプライアンスに関する助言・代理等、訴訟・紛争解決の代理を多く取り扱う。
＜主要著作＞
・「新商事判例便覧60年の歴史――時代を彩った裁判例を振り返る(I)〜(IV)」(共著、旬刊商事法務2056号・2057号・2059号・2060号（2015))
・『Q&A社外取締役・社外監査役ハンドブック』（共著、日本加除出版、2015)
・『時代を彩る商事判例』（共著、商事法務、2015)
・『金融機関役員の法務――コーポレートガバナンスコード時代の職責』(共著、金融財政事情研究会、2016)、等。

泉　篤志（いずみ　あつし）
＜略歴＞
岩田合同法律事務所パートナー弁護士（2005年登録)。ニューヨーク州弁護士(2014年登録)。2013年9月から2014年5月までSteptoe & Johnson LLP (Washington,D.C.）勤務。2015年から2019年まで成蹊大学法科大学院非常勤講師。
　ジェネラルコーポレート、M&A、独占禁止法分野を中心に企業法務全般を取り扱う。
＜主要著作＞
・『金融機関の法務対策6000講』（共著、金融財政事情研究会、2022)
・「株主総会当日の議事運営等」（共著、旬刊商事法務2292号（2022))
・「株主総会想定問答の準備――SR対応も念頭に置いて」（共著、旬刊商事法務2293号（2022))
・「物流会社を対象としたM&Aにおける法的ポイント」(共著、流通ネットワーキング2022年9・10月号)、等。

伊藤　広樹（いとう　ひろき）
＜略歴＞
岩田合同法律事務所パートナー弁護士（2007年登録)。
　主にM&A取引、会社法・金融商品取引法をはじめとするコーポレート分野に関する業務を取り扱う。上場会社を中心に数多くの株主総会に関与し、経営支配権争奪事案・アクティビストへの対応や、買収防衛策の導入・運用等にも取り組む。コーポレートガバナンスの構築・運用等に関する法的助言、商事紛争への対応等も専門とし、近時は上場会社の社外役員も務める。
＜主要著作＞
・『会社法改正後の新しい株主総会実務――電子提供制度の創設等を踏まえて』（編著、中央経済社、2019)

・「株主の招集による上場会社の株主総会の実務対応」（共著、旬刊商事法務2239号（2020））
・「会社法改正を踏まえた株主総会対応の留意点(上)(下)」（共著、資料版商事法務442号・443号（2021））
・「賛否拮抗総会に関する近時の裁判例からの実務上の示唆」（共著、旬刊商事法務2294号（2022））、等。

【執筆者】

田路　至弘（とうじ　よしひろ）

＜略歴＞

岩田合同法律事務所代表パートナー弁護士（1991年登録）。

上場企業および中堅中小企業等の法律顧問として会社法、契約、金融取引、損害賠償、個人情報保護、独占禁止法、税務、株主総会など、企業が日々直面する法的リスクについて、助言・指導を行うとともに、大型企業再編等のM&A案件や大規模訴訟における企業側代理人として幅広く訴訟・仲裁等の紛争案件も手がけている。

＜主要著作＞

・『わかりやすい電子記録債権法』（編著、商事法務、2007）
・『法務担当者のためのもう一度学ぶ民法（契約編）』（商事法務、2009）
・『法務担当者のための民事訴訟対応マニュアル〔第2版〕』（編著、商事法務、2014）
・『インサイダー取引規制・フェアディスクロージャールール入門』（編著、きんざい、2019）、等。

永口　学（えいぐち　まなぶ）

＜略歴＞

岩田合同法律事務所パートナー弁護士（2007年登録）。2021年から千葉大学大学院専門法務研究科特任准教授（現任）。

競争法及び危機管理に関する事案を数多く取り扱う。

＜主要著作＞

・『Q&A 独占禁止法と知的財産権の交錯と実務 基礎から応用までを理解しコンプライアンスを実現するための手引き』（編著、日本加除出版、2020）
・『第三者委員会　設置と運用〔改訂版〕』（編著、きんざい、2020）
・「AIがもたらす競争法への影響――デジタルカルテルからデジタル時代に要請されるコンプライアンス体制まで」（共著、知財管理2021年12月号）
・『The International Comparative Legal Guide to：Vertical Agreements and Dominant Firms 2022』の第11章「Japan」部分（共著、Global Legal Group、2022）、等。

伊藤　菜々子（いとう　ななこ）

<略歴>

岩田合同法律事務所パートナー弁護士（2007年登録）。2013年から2015年まで金融庁証券取引等監視委員会証券検査課勤務。

会社法・金商法を中心とした訴訟・紛争、会社法に関するアドバイスをはじめ株主総会支援等コーポレートガバナンス全般に対応。金融商品取引業者の業規制、当局対応も行う。

<主要著作>

・「株主総会想定問答の準備――SR対応も念頭に置いて」（共著、旬刊商事法務2293号（2022））
・「株主総会当日の議事運営等」（共著、旬刊商事法務2292号（2022））
・「知財投資等に関する情報開示の具体的対応――知的財産の範囲、開示の内容・方法」（共著、ビジネス法務2022年5月号）

青木　晋治（あおき　しんじ）

<略歴>

岩田合同法律事務所パートナー弁護士（2008年登録）。

<主要著作>

・「特集 オール・アバウト地域金融機関の株主総会対策」（共著、金融法務事情1919号（2011））
・「民事再生手続における取立委任手形にかかる商事留置権の効力」（共著、NBL969号（2012））
・「新商事判例便覧」（共著、旬刊商事法務（連載）（2014～2016））
・『金融機関の法務対策6000講』（共著、金融財政事情研究会、2022）

徳丸　大輔（とくまる　だいすけ）

<略歴>

岩田合同法律事務所パートナー弁護士（2008年登録）。2014年から2016年まで法務省大臣官房訟務部門および同省訟務局にて訟務検事として勤務。

<主要著作>

・『Q&A家事事件と銀行実務〔第2版〕』（共著、日本加除出版、2020）
・『金融機関の法務対策6000講』（共著、金融財政事情研究会、2022）

武藤　雄木（むとう　ゆうき）

<略歴>

岩田合同法律事務所パートナー弁護士（2009年登録）。公認会計士、公認不正検査士。2003年から2006年まで中央青山監査法人、2015年から2017年まで

東京国税局調査第１部にて任期付公務員としてそれぞれ勤務。
＜主要著作＞
・「時系列ですっきり理解！ 総会での経理・財務担当者の役割」（共著、旬刊経理情報 1344 号（2013））
・『IPO 物語』（共編著、商事法務、2020）
・『金融機関の法務対策 6000 講』（共著、金融財政事情研究会、2022）
・「2022 年 6 月総会対策 想定問答最終チェック――主要想定問答 20」（共著、資料版商事法務 457 号（2022））

角野 秀（かくの しゅう）
＜略歴＞
岩田合同法律事務所パートナー弁護士（2009 年登録）。
ジェネラルコーポレート・M&A 案件を中心に企業法務全般を取り扱う。
＜主要著作＞
・「2022 年 6 月総会対策 想定問答最終チェック――主要想定問答 20」（共著、資料版商事法務 457 号（2022））

冨田 雄介（とみた ゆうすけ）
＜略歴＞
岩田合同法律事務所パートナー弁護士（2010 年登録）。2014 年から 2016 年まで三井住友信託銀行株式会社勤務。
多くの上場会社で株主総会指導を行うとともに、企業の経営法務、コーポレート・ガバナンスに関する法律問題や商事紛争を多数取り扱っている。
＜主要著作＞
・『株主総会判例インデックス』（共著、商事法務、2019）
・「株主総会をめぐる近時の重要裁判例 6 選と実務への影響」（共著、ビジネス法務 2021 年 3 月号）
・「会社法改正を踏まえた株主総会対応の留意点㊦」（共著、資料版商事法務 443 号（2021））
・「賛否拮抗総会に関する近時の裁判例からの実務上の示唆」（共著、旬刊商事法務 2294 号（2022））

飯田 浩司（いいだ ひろし）
＜略歴＞
岩田合同法律事務所パートナー弁護士（2010 年登録）。2014 年から 2016 年まで金融庁総務企画局企画課課長補佐兼保険企画室専門官として勤務。
会社法務・株主総会指導のほか、ストラクチャードファイナンス、銀行取引等の金融取引法務、規制法・コンプライアンス等の金融規制法務を多く取り扱う。

<主要著作>

・「平成26年改正保険業法関係改正府令（2年内施行部分）の解説(上)(中)(下)」（NBL 1079～1081号（2016））
・『時効・期間制限の理論と実務』（共編著、日本加除出版、2018）
・『Q&A 家事事件と銀行実務〔第2版〕』（共著、日本加除出版、2020）、等。

上西　拓也（うえにし　たくや）

<略歴>

岩田合同法律事務所パートナー弁護士（2011年登録）。ニューヨーク州弁護士試験合格（2019年10月）。2019年9月から2020年5月までGreenberg Traurig, LLP（Washington,D.C.）勤務。

金融機関の国際法務部門で勤務した経験を有し、国際取引を含む企業取引、国内外の紛争案件（仲裁、裁判）を中心に企業法務全般を取り扱う。

<主要著作>

・『Q&A 家事事件と銀行実務〔第2版〕』（共著、日本加除出版、2020）
・『The International Comparative Legal Guide to：Litigation & Dispute Resolution 2021』（「Japan」Chapter）（共著、Global Legal Group、2021）
・『金融機関の法務対策6000講』（共著、金融財政事情研究会、2022）
・『The International Comparative Legal Guide to：Litigation & Dispute Resolution 2022』（共著、Global Legal Group、2022）、等。

森　駿介（もり　しゅんすけ）

<略歴>

岩田合同法律事務所パートナー弁護士（2011年登録）。

主に、株主総会指導・M&A等のコーポレート分野に関する助言、第三者委員会等による不正調査、各種裁判手続による民商事紛争対応等を取り扱う。

<主要著作>

・『コーポレート・ガバナンスの法律相談』（共著、青林書院、2016）
・『時効・期間制限の理論と実務』（共著、日本加除出版、2018）
・『株主総会判例インデックス』（共著、商事法務、2019）
・「賛否拮抗総会に関する近時の裁判例からの実務上の示唆」（共著、旬刊商事法務2294号（2022））、等。

唐澤　新（からさわ　あきら）
<略歴>
岩田合同法律事務所パートナー弁護士（2013年登録）。ニューヨーク州弁護士（2021年登録）。
　M&A、紛争解決、国際取引、株主総会支援を中心に企業法務全般を取り扱う。
<主要著作>
・「新商事判例便覧」（共著、旬刊商事法務（連載））

石川　哲平（いしかわ　てっぺい）
<略歴>
岩田合同法律事務所弁護士（2013年登録）。2017年から2020年まで公正取引委員会にて勤務。
　独占禁止法及び下請法に関する業務のほか、株主総会対応、第三者委員会による不正調査等の企業法務全般を取り扱う。
<主要著作>
・「新商事判例便覧」（共著、旬刊商事法務（連載）（2021～））
・「AIがもたらす競争法への影響――デジタルカルテルからデジタル時代に要請されるコンプライアンス体制まで」（共著、知財管理2021年12月号）
・「業種別にみる『書面調査』対応のポイント」（共著、ビジネス法務2022年7月号）

鈴木　智弘（すずき　ともひろ）
<略歴>
岩田合同法律事務所弁護士（2015年登録）。
<主要著作>
・『民法改正対応　契約書作成のポイント』（共著、商事法務、2018）
・「withコロナ時代の金融機関の非対面取引等 第3回裁判手続のIT化」（銀行法務21 878号（2021））
・『銀行取引約定書参考例　実務解説』（共著、経済法令研究会、2021）
・『金融機関の法務対策6000講』（共著、金融財政事情研究会、2022）

関口　彰正（せきぐち　あきまさ）
<略歴>
岩田合同法律事務所弁護士（2015年登録）。
　訴訟、紛争解決（システム開発訴訟のほか企業間紛争全般）を主に取り扱っているほか、IT・知的財産に関する案件を担当している。

＜主要著作＞
・「The International Comparative Legal Guide to：Cybersecurity 2020」(共著、Global Legal Group、2019)
・「デジタル遺産の相続のために当事者が備えるべきこと、金融機関ができること」(共著、KINZAI Financial Plan 2020年5月号)
・『Q＆A独占禁止法と知的財産権の交錯と実務』(共著、日本加除出版、2020)
・『Q＆Aでわかる！デジタル遺産の相続』(共著、金融財政事情研究会、2021)

佐々木　智生（ささき　ともお）
＜略歴＞
岩田合同法律事務所弁護士（2016年登録）。2020年4月から2022年7月まで三菱商事株式会社法務部勤務。

石川　裕彬（いしかわ　ひろあき）
＜略歴＞
岩田合同法律事務所弁護士（2016年登録）。2021年4月から特許庁審判部にて審判決調査員として勤務（現任）。

深津　春乃（ふかつ　はるの）
＜略歴＞
岩田合同法律事務所弁護士（2017年登録）。
　主に、株主総会指導・M&A等のコーポレート分野に関する助言、各種裁判手続による民商事紛争対応等を取り扱う。
＜主要著作＞
・「新民法と会社法実務」（共著、資料版商事法務433号（2020））
・「株主の招集による上場会社の株主総会の実務対応」（共著、旬刊商事法務2239号（2020））
・「会社法改正を踏まえた株主総会対応の留意点(上)」（共著、資料版商事法務442号（2021））

福地　拓己（ふくち　たくみ）
＜略歴＞
岩田合同法律事務所弁護士（2017年登録）。

＜主要著作＞
・『判例解説　解雇・懲戒の勝敗分析』（共著、日本加除出版、2020）
・『使用者のための解雇・雇止め・懲戒相談事例集』（共著、青林書院、2021）
・『退職勧奨・希望退職募集・PIPの話法と書式』（共著、青林書院、2022）

豊岡　啓人（とよおか　ひろと）
＜略歴＞
岩田合同法律事務所弁護士（2017年登録）。
＜主要著作＞
・『ハラスメント防止の基本と実務』（共著、中央経済社、2020）
・『労働行政対応の法律実務〔第2版〕』（共著、中央経済社、2021）

松橋　翔（まつはし　しょう）
＜略歴＞
岩田合同法律事務所弁護士（2018年登録）。
M&A取引、会社法をはじめとするコーポレート分野に関する業務を中心に、株主総会指導、ガバナンス体制の構築・運用等に関する法的助言、独占禁止法・下請法違反被疑事件への対応等、幅広い業務を取り扱う。
＜主要著作＞
・『新型コロナウイルス感染症と企業の緊急法務対応』（共著、SMBC経営懇話会、2020）
・「会社法改正を踏まえた株主総会対応の留意点(下)」（共著、資料版商事法務443号（2021））
・「2022年6月総会対策 想定問答最終チェック――主要想定問答20」（共著、資料版商事法務457号（2022））
・「業種別にみる『書面調査』対応のポイント」（共著、ビジネス法務2022年7月号）、等。

久木元　さやか（くきもと　さやか）
＜略歴＞
岩田合同法律事務所弁護士（2018年登録）
＜主要著作＞
・「The Legal 500：Data Protection 3rd Edition Country Comparative Guide (Japan)」（共著、Legalease、2021）
・『金融機関の法務対策6000講』（共著、金融財政事情研究会、2022）

野口　大資（のぐち　だいすけ）

＜略歴＞

岩田合同法律事務所弁護士（2019年登録）。

ジェネラルコーポレート、株主総会対応、第三者委員会による不正調査等をはじめとする企業法務全般を取り扱う。

＜主要著作＞

・「会社法改正を踏まえた株主総会対応の留意点(上)」（共著、資料版商事法務442号（2021））

・『税理士のための会社法ハンドブック2021年版――Q&Aでパッとつかめる！最新改正のポイント』（共著、第一法規、2021）

伊東　夏帆（いとう　なつほ）

＜略歴＞

岩田合同法律事務所弁護士（2019年登録）。

＜主要著作＞

・『2022年版 年間労働判例命令要旨集』（共著、労務行政、2022）

・『Lexology Getting the Deal Through-Cloud Computing 2023』（共著、Law Business Research、2022）

安西　一途（あんざい　かずと）

＜略歴＞

岩田合同法律事務所弁護士（2019年登録）。

＜主要著作＞

・「成年年齢引下げを踏まえたカードローン取引の留意点」（共著、銀行実務2022年5月号）

・『2022年版 年間労働判例命令要旨集』（共著、労務行政、2022）

松田　大樹（まつだ　たいき）

＜略歴＞

岩田合同法律事務所弁護士（2020年登録）。

＜主要著作＞

・「物流会社を対象としたM&Aにおける法的ポイント」(共著、流通ネットワーキング2022年9・10月号)

・『2022年版 年間労働判例命令要旨集』（共著、労務行政、2022）

・『Global Legal Insights to：AI, Machine Learning & Big Data 2022』（共著、Global Legal Group、2022）

永岩　武洋（ながいわ　むよう）
<略歴>
漫画家。「小池一夫塾二期生」として、「ニッチモ」でデビュー。
<主要著作>
「田の浦甘夏物語」（田の浦柑橘組合 HP）
『マンガでわかる公務員の汚職』（かんき出版、2005）
『絵でみるはじめての茶会』（主婦の友社、2001）
「町工場物語」（東京商工会議所葛飾支部）、等。

最新・株主総会物語
――3人の同級生が繰り広げる奮闘記

2022年11月30日　初版第1刷発行

編著者　田子真也　坂本倫子
　　　　泉　篤志　伊藤広樹

著　者　岩田合同法律事務所

発行者　石川雅規

発行所　株式会社 商事法務

〒103-0027 東京都中央区日本橋 3-6-2
TEL 03-6262-6756・FAX 03-6262-6804〔営業〕
TEL 03-6262-6769〔編集〕
https://www.shojihomu.co.jp/

落丁・乱丁本はお取り替えいたします。　印刷／広研印刷㈱

Printed in Japan
Shojihomu Co., Ltd.
ISBN978-4-7857-2998-1
*定価はカバーに表示してあります。